KB104641

“

부동산 MBA

부동산 MBA

발행 2024년 02월 15일
저자 경국현
펴낸이 한건희
펴낸곳 주식회사 부크크
출판사등록 2014. 07. 15(제2014-16호)
주소 서울특별시 금천구 가산디지털1로 119 A동 305호
전화 1670-8316
E-mail info@bookk.co.kr
ISBN 979-11-410-7201-8

www.bookk.co.kr

“

부동산 MBA

경국현 지음

BOOKK

프롤로그

앞으로 대한민국은 밀레니엄 세대(1985~2004)들이 중심이 되어 가는 사회이다. 이들의 살아가는 사회의 모습은 Baby-Boom 세대(1955~1974)들하고는 다르다. Baby-Boom 세대들은 가상화폐 투자에 환호하였던 MZ세대들을 이해할 수 없다. 철없는 짓으로 무시한다. MZ세대들은 그런 Baby-Boom 세대들을 향해 꼰대 짓 한다고 한다. 그들도 그렇게 살지 않았으면서 이율배반적 행태라고 비판한다.

'성공하자' '돈 벌자'와 같은 동기부여는 Baby-Boom 세대들이나 MZ세대들이나 양쪽 모두 별반 차이가 없다.

지금부터 100년 후, 2124년이 되어도 사람은 주택 공간에서 잠을 잘 것이고, 업무공간에서 일할 것이고, 상업공간에서 유흥을 즐길 것이다. 우리 앞에 어떤 미래사회가 있어도 부동산의 사용과 소유 가치는 줄어들지 않을 것이다. 그렇다면 Baby-Boom 세대들이 어떻게 자산을 일구었는지, 부동산에 대한 이론들이 투자에 어떻게 접목되어왔는지 MZ세대 뿐만 아니라 투자를 준비하는 사람들이라면 반드시 알아야 할 것이다.

Baby-Boom 세대들의 사망이 매년 기하급수적으로 늘어날 것이다. MZ세대들이 마주할 2030년대는 Baby-boom 세대들이 마주했었던 1990년대와 비슷하다. 패러다임이 본격적으로 변하는 시작점이다.

Baby-Boom 세대인 나는 불혹이 되도록 부동산에 전혀 관심이 없이 살았다. 부동산으로 돈 버는 것에 대해 부정적인 생각이 있었다. 그렇게 살다가 불혹을 앞에 두고 2005년에 부동산에 입문하였다. IT 사업하다가 실패하여 방황하고 빚더미에 앉은 절망 속에서 부동산 사업에 첫발을 떼어 놓았다. 분양 영업하면서 새로운 사업 기회가 부동산에 있음을 본능적으로 알았다. 이해할 수 없는 부동산 영업의 형태를 바꾸어 보고 싶었다.

그렇게 부동산에 입문하고, 부동산 관련 서적을 읽었다. 사업이 잘될수록 공부에 대한 지적 욕구는 더 강하게 왔다. 대학원을 진학하였다. 부동산 컨설팅을 하면서 사무실을 강남으로 확장 이전하였다. 전공 서적을 읽고 또 읽으면서 바로 실무에 적용하였고, 실무에서 배운 경험이 부동산이론 어디에 해당하는지 밑줄을 치면서 확인하였다. 책을 통해 알면 알수록, 사업이 잘되면 잘 될수록 지적 욕구는 더 강하게 왔다.

이론과 실무를 갖춘 전문가로 알려지기 시작하였다. 대학에서 강의 요청이 왔다. 대학교수라는 타이틀을 얻었다. 사업을 하면서 돈도 벌었다. 그렇게 대학 졸업하면서 꿈꾸었던 사업가로 성공하는 줄 알았다. 50대 초반에 건강에 이상이 생기었다. 손에 쥔 성공의 열매가 허상임을 알았다. 본의 아니게 삶을 조기 은퇴하여야 했다. 2018년 봄에 제주도로 이사하고, 서울과 제주를 오르락내리락 사는 삶을 선택하였다.

부동산에 입문하고 20년이 되어가고 있다. 2016년부터 성균관대 경영전문대학원에서 강의하였다. 경영대학원 수업 커리큘럼에 깍두기처럼 있는 부동산관리 및 시장분석론 수업이다. 이 수업을 어떻게 준비할 것인가? 교수와 학생으로 일방적인 관계로 만나고 싶지 않았다. 그냥 동시대를 살아가는 사람들끼리 선배(Baby-Boom 세대)가 후배(MZ세대)에게 이야기하는 삶의 대화처럼 수업을 준비하였다.

수업은 그렇게 진행이 되었다. 부동산이론을 어떻게 실제 상황으로 설명할 것인지, 부동산으로 벌어지는 실제 상황을 어떻게 이론으로 설명할 것인지 고민하였다. 세상과 동떨어진 학교 강의가 아니라 삶의 지혜를 후배들에게 이야기하듯이, 수업이 진행되었다. 경영전문대학원에서 인기 있는 수업 중의 하나가 되었다. 죽음을 앞두었던 사람으로서 가슴 벅찬 희열이다.

강의 시간에 떠들었던 이야기들을 글로 하나하나 다듬었다. 시간이 부족하여 수업 시간에 다 못한 이야기를 페이지에 차곡차곡 정리하였다. 그렇게 '부동산 MBA'라는 타이틀로 책이 만들어졌다.

옳고 그름을 이야기하기 전에 삶의 과정은 선택의 연속이다. 인간으로 태어난 사실은 나의 선택이 아니라 신의 선택이다. 하지만 살아가는 문제는 신의 선택이 아니라 나의 선택이다. 태어나는 그 순간부터 부동산에서 벗어난 인간의 삶은 있을 수가 없다. 땅에서 태어나고 땅으로 돌아가는 것이다. 삶은 하루하루 다람쥐 쳇바퀴 돌 듯이 돌아간다.

아파트와 토지, 상가 등을 소유할 것인지, 말 것인지는 선택의 문제이다. 그 선택이 삶의 모습을 바꾸어 놓는다. 부동산이 그런 것이다. 인류는 끝없는 도전을 통해서 점점 좋은 사회를 만들면서 살아왔다. 삶의 기본은 의·식·주의 해결이다. 삶의 기초가 되는 문제인지라 형평성에 불만이 나타난다. 효율적인 사회를 만들기 위해 국가가 강제적인 힘으로 개인의 선택에 개입한다.

사회는 빠르게 변화한다. 농업사회, 산업사회, 지식정보화 사회로 발전하였고 지금은 Dream Society로 진입하고 있다. 부동산을 바라보는 관점과 가치도 사회가 변해가면서 같이 변할 수밖에 없다. 노동력이 기본이 되는 농업사회, 공업사회에서 부동산이론들이 만들어졌다. 이것을 가지고 인공지능이 일하는 Dream Society에서 똑같이 적용하는 것은 무리이다.

부동산 투자도 마찬가지이다. 도시로 인구들이 집중되는 사회, 젊고 역동적인 사회, 가족 사회 등은 이미 끝났다. 비대면 사회, 늙은 사회, 1인 사회가 되었다. 후진국으로 살 때와 선진국으로 살 때의 부동산 환경이 다르다. 과거의 잣대로 지금의 모습을 보면 오류가 발생한다. 그러한 모습이 이미 부동산 시장에서 나타나고 있다. 가족들이 모여 살아야 하므로 주택이 필요하였다면 지금은 개인의 사적공간을 확보하기 위해 주택이 필요한 시대인 것이다. 과거에는 하루 생활반경이 동네가 전부였다면, 지금은 전국으로 확장되었다.

부동산에 돈이 있다는 것,
부동산에서 삶이 진행된다는 것,
세상이 아무리 변해도 부동산의 가치가 존재한다는 것,

부정할 수가 없는 사실이다. 그렇다면 나머지는 나의 몫으로 남은 선택이다.

지난 20여 년 동안 듣고, 이해하고, 경험한 것을 그대로 표현하고자 하였다. 약 100여 사례를 이론과 함께 소개하였다. 이 책에 언급한 사례를 읽고 고민하여 그 의미를 본인의 간접경험으로 만들 수 있다면 본인만의 투자-Know How가 자연스럽게 생길 것이다.

책을 읽으면서 고민하다 보면 새로운 Business 기회를 찾을 수 있을 것이다. 부동산에 돈 있다는 것은 변하지 않는 사실이기 때문이다. 책을 읽으면서 수시로 나오는 질문에 스스로 고민해야 한다. 그런 고민을 하지 않고 책을 읽으면 책을 읽는 속도야 빠르겠지만 책을 통해서 배우는 것은 적을 것이다.

도전 욕구가 강한 독자는 이 책에서 사업에 대한 아이디어를 번뜩이는 순간에 갖게 될 것이다. 동기부여가 생긴 독자는 언제든지 필자를 찾아와 난상 토론하였으면 한다. 더할 나위 없는 지적 즐거움일 것이고, 심장이 뛰는 대화가 될 것이다. IT 와 부동산의 접목은 앞으로 MZ세대들이 부딪히는 사회이다. 부동산 사업에 뛰어들지 않을지는 본인 선택이다.

이 책은 부동산 투자를 하고자 하는 사람들, 부동산 공부를 하는 일반인들, 실무 경험이 없는 부동산학과 학생들, 부동산 컨설팅을 알고 싶은 중개업자들, 이론은 아는데 실무는 모르는 사람들, 중개사 시험에 합격했는데 부동산업이 뭔지 모르는 사람들, 부동산으로 사업 기회를 찾고 싶은 사람들을 위해 쉽게 쓰고자 노력하였다.

이 책은 기본적으로 부동산 개론, 부동산 입지론, 부동산 시장분석론, 부동산 투자론, 부동산정책론, 부동산 개발론, 부동신마케팅론, 부동산 정보론 순으로 흐름을 가지면서 목차를 구성하고자 노력하였다. 때로는 반복되는 느낌도 있지만 조금씩 상황에 따라 다른 의미이다. 너무 어려운 이론들과 실무에서 찾아보기 힘든 것은 생략했다. 실무에서 일어나는 현상들이 어떤 이론인지를 찾아 압축하여 핵심만 정리한 것이다. 마지막 장은 투자 시 알아두면 좋은 상식선에서 가볍게 다루었다.

제주에 있는 카페에서 바다를 보고, 커피 마시면서 한 페이지씩 글을 작성하였다. 행복한 시간이었다. 부동산과 인연을 맺은 지난 20년의 세월을 돌아보는 시간이었다. 40대 초반에 부동산 박사 공부를 하였다. 부동산을 전문적으로 공부하면서 지적 깨달음을 처음으로 가르쳐 준 분은 안정근 교수님이었다. 오래전에 은퇴하였지만, 지면을 통해서 감사의 말씀을 드린다.

MZ세대인 나의 사랑하는 딸과 아들이 가정을 이루기 전에 이 책을 읽으면서 삶을 준비하기를 바라면 아버지의 헛된 욕심인지 모르겠다. 아무쪼록 책을 읽는 독자들에게 인생 계획을 짜는데, 작은 도움이 되었으면 저자로서 큰 기쁨이다.

<예래 해안 카페에서 저자 쓰다.>

차례

2장 부동산 눈뜨기

3장 좋은 땅, 나쁜 땅, 결국 입지

4장 사고, 팔고, 빌리고, 부동산 시장

5장 부동산의 꽃, 개발

6장 알아두면 좋은 상식

토지란 모든 것의 아래에 있는 것이다.

자유주의적 제도와 우리 문명의 생존과 성장은
토지의 현명한 활용과 소유권의 폭넓은 할당에 달려있다.

우리는 국가와 국민의 이익이 토지의 최고최선의 이용을 요구하며,
토지 소유권의 가장 폭넓은 배분을 요구하고 있다는 사실을
인식해야 한다.[1]

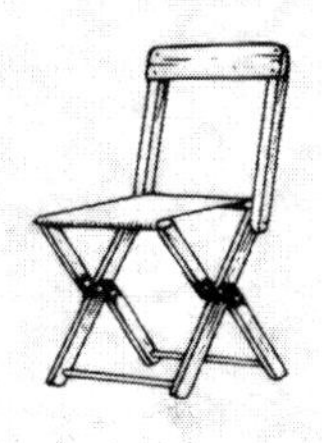

1 미국리얼터협회(NAR : National Association of REALTORs)

1장

패러다임의 변화

1. 선입견을 깨자.

<그림 1-1, 투자 패러다임 변화 분석>

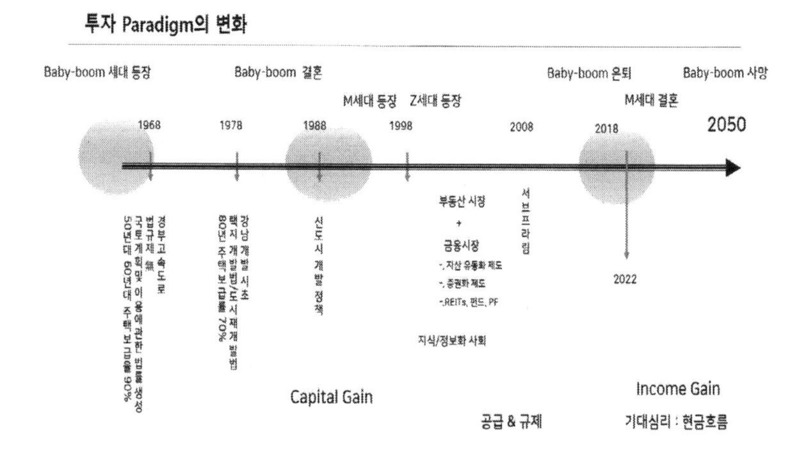

1-1. Baby-boom 세대의 출현

【사례 ; 이상천(58세, 남)은 4형제의 막내이다. 대학 졸업하고 S 그룹 입사하였고, 사내 연애를 하여, 32살에 결혼하였다. 어린 시절, 가난이란 쓰라린 상처가 있어 결혼에 대한 기준은 돈 많은 집

으로 장가를 가는 것이었다. 연애의 기준은 여자가 가진 집안의 돈이었다. 강남에 주유소가 있고, 건물이 두 채가 있는 집의 딸이었다.

결혼하면서 여자는 직장을 그만두고 전업주부가 되었다. 이상천은 30대 후반에 구로에 사무실을 내고 반도체 유통사업을 하였다. 초기 사업자금은 장인이 빌려주었다. 사업은 성공적이었고, 장인에게 원금의 두 배를 돌려주었다. 40대 후반에는 성공한 사업가가 되었다.

처가(妻家)는 장인보다 장모가 돈 버는 재주가 좋았다. 결혼 전에 장모는 등기소에서 직원으로 근무하였다. 1970년대 말, 경부고속도로가 뚫리고 강남개발이 일어나면서 업무량이 갑자기 많아졌다. 불모지인 강남지역의 땅들이 주인이 수시로 바뀌었고, 정치인들 이름도 심심하지 않게 볼 수 있었다. 야근이 많아 상급자에게 불만을 토로하였다. 상급자는 장모에게 혹시 돈 있으면, 잠실지역에 땅 사 놓으라고 웃으면서 이야기하였다. 혹시나 하는 마음으로 장모는 돈을 융통하고 땅을 샀다. 오르면 팔고, 또 사고를 반복하였다. 돈이 보였다. 장모는 등기소를 그만두었다. 세상이 변해가는 것을 몸으로 느끼고 그 변화에 순응한 것이다. 그리고 강남이 개발되면서 강남에 주유소 사업을 하였고, 땅에다 건물을 지었다.

이상천은 자기 집과 처가를 가끔 비교하여 본다. 삼양동 달동네에서 어린 시절을 보낼 무렵, 부모님은 삼양동 시장에서 장사하였다. 국민학교 5학년 때 부모님은 삼양동 달동네에 마당이 있는 24평짜리 집을 하나 장만하였다. 자기 부모와 장인·장모는 선택이 달

랐을 뿐이고, 그 선택의 결과는 엄청난 차이가 벌어졌다.】

1953년 6.25 전쟁으로 폐허가 된 도시는 제대로 된 건물이 없었다. 휴전으로 전쟁이 끝난 대한민국은 후진국이었다. 국민소득이 65달러 내외였다. 기본적으로 의(衣)·식(食)·주(住)를 자력으로 해결하지 못한 나라였다. 선진국으로부터 지원을 받아야 하는 못사는 나라 중의 하나였다. 대부분 국민은 먹는 문제에 집중하였을 것이고, 먹는 문제가 해결되지 못한 상태에서 의(衣)와 주(住)는 관심 밖의 일이다. 특히 주(住)을 부동산(不動産)이란 개념으로 이해하는 것이 무엇을 의미하는지도 몰랐을 것이다.

1960년대가 되어서야 먹는 문제를 해결할 수 있다는 국민적 공감대가 형성되었다. 전국적으로 개발을 어떻게 할 것인지 1963년 경제개발 5개년 계획을 실행하면서, 동시에 국토계획 및 이용에 관한 법률이 처음으로 만들어지는 시기였다. 즉 국토개발을 계획적으로 할 수 있는 초석이 만들어진 것이다. 그러한 과정에 1966년 제3한강교(한남대교) 착공을 시작으로 1968년 2월 국토개발의 시발점이 된 경부고속도로가 착공되어 1970년 7월에 완공되었다.

경부고속도로를 건설한다는 것은 개인의 토지가 국가 발전과 공익을 위해 수용된다는 것이다. 토지에 대한 금전적 보상을 국가에서 하였을 것이고, 한창 공사 중이었던 1969년에 한국감정원이 설립된 것을 보면, 토지가치에 대한 평가와 보상금액은 지금과는 사뭇 다르게 집행되었을 것이다.

일부 국민이 전국적으로 개발되는 고속도로 건설에 따른 수용과 보상(거래)을 통해 돈을 축적하는 것이 가능하다는 것을 알아차렸을 것이다. 주(住)에서 부동산(不動産)으로 인식이 전환된 시작점이라고 볼 수 있는 것이다.

대부분 국민은 농촌지역에서 대가족 형태로 거주했던 시기이다. 이 시기를 전후하여 우리나라도 출생률이 급증하는 세대(Baby boom generation, 1955~1974)들이 나타났다.

이를 Z세대(1995~2004)와 비교하면 <표1-1>과 같다. 1963년 국토에 대한 개발계획이 수립되어 현재까지 부동산에 가장 큰 영향력을 미친 세대들이다. Baby-boom 1세대(1955~1964)들이 늙어가면서 부동산의 미치는 영향력은 지금도 여전하다. 이러한 영향은 앞으로 더 지속될 것으로 보인다. 경부고속도로 건설이 있었을 당시 대부분의 Baby-boom 세대들은 어린 시절로 대가족 형태로 농촌지역에서 거주하였다.

이들은 부동산이 무엇인지도 모를 나이였다. 배고픔을 달래기 위해 형제들과 밥그릇 싸움을 하는 나이였다.

<표 1-1, Baby-boom 1세대와 Z세대 출생인구 비교>

구분	출생년도	인구
Baby-boom	1955	908,134
	1956	945,990
	1957	963,952
	1958	993,628
	1959	1,016,173
	1960	1,080,636
	1961	1,046,086
	1962	1,036,659
	1963	1,033,220
	1964	1,001,833
	합계	10,026,311
Z세대	1995	715,020
	1996	691,226
	1997	675,394
	1998	641,594
	1999	620,668
	2000	640,089
	2001	559,934
	2002	496,911
	2003	495,036
	2004	476,958
	합계	6,012,830

2023년 신생아는 약 23만 명이다. 절망적인 숫자이다.

1-2. 20대 청춘, 눈 뜨고 보는 강남개발

Baby-boom 세대들이 농촌지역에서 도시로 일거리를 찾아 이주하기 시작하였다. 그 이동의 중심은 서울이다. 전차가 사라진 1968년 약 400만 명이었던 서울시 인구는 지하철1호선이 개통된 1974년 약 650만 명으로 늘어난다. 인구가 집중되면서 서울 주택의 1/3은 돈이 없어 판자로 만든 집이었다. 화재위험과 도시위생은 심각한 문제가 되었다. 서울시민의 주거환경은 극도로 나빠지게 되었다. 도시로 사람들이 모여든다는 것은, 도시가 점점 확장된다는 것이고, 그만큼 판잣집이 늘어나는 것이었다.

도시의 확장은 강남개발과 같은 새로운 주거지를 만들 필요가 생기는 것이다. 이 시기에 농촌지역에서 서울로 모인 20대 전후의 Baby-boom 세대들은 열악한 주거 및 근무환경에서 돈을 벌기 위해 젊음을 바친 시절이다. 1978년 대졸 초임이 약 16만 원이었고, 1980년에 대졸 초임이 처음으로 20만 원을 넘기 시작하였다. 따라서 대학을 다니지 않았을 대부분의 Baby-boom은 이보다 더 적은 급여를 받았을 것이다. 비가 오면 상습적으로 침수되던 지역이 강남이다. 사람이 살 수 없다고 버려진 땅이었던 강남지역의 한 평(3.3㎡)은 약 500원 정도 하던 시절이다.

복부인(福婦人)이 신문과 TV에 사회적 이슈로 보도되기 시작하였다. 복부인이란 강남지역의 토지을 사고팔면서 시세차익을 노리는 여성을 뜻하는 말이다. 복이 많은 부인 또는 복덩방 부인에서 유래된 말이지만 투기업자의 상징적인 표현이 되었다. 당시에 서울에서 먹고 사는데 큰 지장이 없는 상류층 여성들(복부인)이 강남 개발에 대한 정보를 취득하여 토지를 사고팔고 하는 경우가 비일비재하였다. 이러한 모습이 연일 방송과 신문에 보도되었지만, 투기는 나쁜 것이라는 사회적 분위기로 인하여 대부분 국민은 관심 밖의 일이었다. 아무튼 강남이 개발되면서 아파트가 본격적으로 등장하였고, 주거(住居)에 일대 혁신을 가져왔다. 이러한 변화 속에 부동산으로 돈을 번 부자들이 본격적으로 나타나기 시작하였다.

『2022년 7월에 보도된 언론 자료를 보면, '내부 정보를 이용해 부동산 투기를 한 한국토지주택공사(LH) 직원들이 또 적발됐다. 감사원이 2016년부터 2021년 4월까지 LH가 관여한 106개의 공공택지지구를 살펴봤더니, LH 직원 8명이 미공개 개발정보를 활용해 부동산 투기를 한 의혹이 발견됐다. LH 직원 10명과 국토교통부 직원 5명, 민간인 2명은 농지 불법 취득 의혹이 나타났다. 감사원은 이들 25명을 수사 의뢰하고 LH에 재발 방지 대책 수립과 수사의뢰자에 대한 해임 및 파면을 요청했다.'』

손정목 교수[2]는 2003년 발간한 자신의 저서 '서울 도시계획 이야기'에 보면, 서울시 도시계획국장은 1970년 25만 평의 땅을 평

2) 손정목 ; 1070년부터 1977년에 서울시에서 근무, "서울 도시계획 이야기" 저자소개 부분 인용

당 5,100원에 사들이고, 1971년에 18만 평의 땅을 평당 16,000원에 팔았다. 는 기록이 있다.

【사례 ; 홍동표(78세, 남)는 경기도 E에서 6형제의 장남으로 태어났다. 마을의 대부분 땅은 5촌 당숙이 되는 큰집의 소유였다. 보릿고개 넘기기 어려운 가난으로 큰집에 눈칫밥을 얻어먹어야 할 때가 많았다. 배고픈 어린 시절은 가슴에 한으로 남았다.

10대 후반에 무작정 서울로 상경하여, 명동의 한 양복점에서 시다바리, 잡일을 하면서 기술을 배웠다. 20대 중후반에 고향에 내려와 읍내에 양복점을 차렸다. 흙먼지 날리는 읍내의 점포에서 365일 양복을 만들면서 일하였다. 강남 개발되는 모습을 TV 보면서 알았다. 읍내에서 제일 처음으로 생긴 양복점이라 인기가 좋았다. 몇 년 뒤, 읍내에 있는 건물을 매입하였다. 자기 건물이 있자, 성공한 사람처럼 행복하였다.

동네에서 효자라고 소문이 날 정도로 시골에 있는 선친을 돈으로 풍족하게 모시었다. 강남개발이 되면서 서울 외곽의 도로들이 신규로 건설되었고, 도로를 따라 전신주들이 들어오고 경기 외곽지역으로 전기공급이 되었다.

양복점 사업을 동생에게 넘기고, 본인은 선로건설사업에 뛰어들었다. 도로가 뚫리는 지역에 대한 개발계획을 남보다 빨리 알 수 있었다. 선로 건설사업으로 돈을 벌면 땅을 매입하고, 시세차익을 보고 팔았다. 사업의 규모는 경기권에서 전국구로 확장되었다. 아파트 건설 바람이 불면서 통신사업에도 뛰어들었다. 사업소득이 생기면 부동산을 사들이고, 자기 건물을 지었다. 자기 명의의 부동산이 점점 늘어났다.

읍이었던 동네는 시로 승격하였다. 20여 년의 시간이 지났다. 조그마한 서울 외곽의 도시였지만, 그 지역에서 손꼽는 부자가 되었다. 시대가 변하였고, 사업에 손을 떼고 은퇴하였다. 건물에서 들어오는 임대료도 그냥 숫자로 다가올 뿐이다.

어렸을 때 큰 집에 밥 얻어먹으면서 보았던 눈치를, 지금 자기 동생들과 조카들이 하고 있다. 돈 없어 눈치 보는 동생과 조카들을 보면서 통쾌하였다. 큰집 사랑방에서 눈칫밥을 먹던 어린 시절에는 상상도 할 수 없었던 일이 자기 인생에서 일어난 것이다.】

【사례 ; 권용주(남자, 85세)는 6.25 전쟁 때 월남한 사람이다. 자식은 1남 2녀다. 아들과 큰딸은 미국에 유학 보냈더니, 졸업하고 미국인이 되어 살고 있다. 막내딸은 한국에서 살고 있다. 논현역 근처 신반포로 대로변에 약 2,000㎡(약 600평)의 토지에 세워진 3개의 건물을 가지고 있다.

월남하여 아무것도 없는 권용주는 성동구 마장동 터미널에서 몸으로 할 수 있는 일은 가리지 않고 했다. 돈이 모이면 땅이 있어야 한다는 생각에 한강을 건너 아무도 쳐다보지 않는 땅을 매입하였다. 또 돈이 모이면, 그 옆에 땅을 추가로 매입하였다. 사람들이 다들 비웃었다. 비 오면, 한강 물이 넘쳐 질퍽해지는 쓸모없는 땅을 왜 사냐고 한심한 듯이 이야기하였다. 당시 서울에 있는 사람들은 한강 남쪽에 사는 사람을 진흙 묻히고 다니는 촌사람으로 취급하였다. 이들은 물에 젖어있는 땅을 가로질러 새벽마다 일자리 찾아 한강을 건너야 했고, 운동화든 고무신이든 마른 진흙이 지저분하게 늘 묻어있었다.

권용주는 70세가 넘으면서 한국에서 막내딸하고 산다. 미국에 사는 아들과 딸은 한국에 와서 살 생각이 없다는 것을 알고, 재산을 정리하고자 필자를 찾아왔다. 자신이 죽으면 아들과 딸들이 피 터지게 재산 싸움할 것이 예견되어, 미리 증여하기로 한 것이다. 강남 논현동에 있는 부동산을 얼마나 받을 수 있는지, 알아보고자 한 것이다. 본인은 3.3㎡(1평)당 약 7,000만 원을 받고 싶다고 한다. 5,000원 주고 산 땅을 7,000만 원에 파는 것이 가능한 금액인지 필자와 상담을 하고자 한 것이다.】

1-3. 결혼하자. 신도시 개발이다.

Baby-boom 세대들이 결혼 적령기가 되었을 1988년은 서울 올림픽이 있던 때이다. 불과 20년 전에 전 세계에서 원조를 받아 살아야 하는 나라가, 이제 밥은 먹고 사는 나라로 성장하였음을 전 세계에 선포한 것이었다. 경제발전에 대한 기초가 다져진 것이다. 국민소득이 4,435달러가 되었다. 1968년 169달러였던 나라에서 도약적인 발전을 이룬 것이다. 나라가 발전한다는 것은 국민의 소득이 높아져 경제적으로 여유가 생기기 시작한다는 것이다. 1984년 완공된 지하철 2호선은 강북 인구들을 강남으로 이주하게 된

계기가 되었다. 1978년 약 750만 명이던 서울시 인구는 지하철 2호선이 완공되고 1년 후, 1985년에 965만 명으로 늘었고, 이중의 약 440만 명이 강남에 살았다.

서울시 인구는 1988년 처음으로 1천만 명을 넘었다. 인구 급증하고, 교통인프라가 발전하고, 도시가 팽창하고, 버려진 땅이 개발된다는 것은 부동산 가격이 상승한다는 것이다.

어느 나라를 막론하고 국민의 의·식·주를 해결하는 정책이 만들어진다. Baby-boom 세대들의 결혼으로 늘어나는 가구로 인해 주택이 부족하게 되었다. 새로운 도시를 추가로 개발할 수밖에 없었다. 강남개발과 같은 유사한 형태의 도시개발이 다시 이루어지는 것이다.

1988년 주택문제 해결을 위해 200만 호 주택공급계획이 발표되었고, 약 30만 호가 1기 신도시란 이름으로 일산, 분당, 중동, 평촌, 산본으로 건설되었으며, 170만 호는 인천 연수, 대전 둔산, 부산 해운대, 광주 상무지구 등 전국적으로 공급되었다.

이러한 신도시 공급으로 우리나라는 본격적으로 아파트가 주거의 최상위계층으로 자리 잡는 계기가 되었고, 단독주택 지역은 자연스럽게 슬럼화되기 시작하였다. 결혼을 앞둔 Baby-boom 세대들은 이러한 1기 신도시 아파트에 최대 수요자로 부동산 시장에 영향을 준다.

서울 올림픽을 앞두고 시중의 돈은 부동산으로 대거 몰리면서 주택가격은 급속한 상승을 하게 된다. 20대 전후에 강남이 개발되는 모습을 관심 있게 지켜보았던 일부 사람들은 신도시가 개발되면서 부동산 매매에 적극적으로 참여하였다. 강남이 개발되었을 때도 대부분 국민은 관심 밖의 일이었듯이, 대부분 사람은 저축에 집중하던 시절이라 신도시 개발에도 관심 밖의 일이었다.

<표 1-2, 1980년대 예금금리 및 대출금리 비교>

일반은행	'80	'81	'82	'83	'84	'85	'86	'87	'88	'89
예금금리	19.5	16.2	8.0	8.0	10.0	10.0	10.0	10.0	10.0	10.0
대출금리	20.0	17.0	10.0	10.0	11.5	11.5	11.5	11.5	13.0	12.5

〔한국은행, 경제통계연보 자료〕

부동산을 재테크의 수단으로 보지 않았기 때문에 은퇴자들은 은행 이자를 받아서 생활하였다. 하지만 10%가 넘어가는 대출금리에도 아파트 매매로 자산을 일구어 나가는 사람들이 많아지자, 전 국민이 부동산 투자에 관심을 가지게 되었다.

1-4. 중년이다. 돈 벌자.

주택보급률이 1990년대 72.4%였다. 약 10년의 기간이 지나면서 96.2%로 급상승하였다. 하지만 자가 보급률은 49.9%에서 54.2% 내외로 소폭 상승한다. 1988년 올림픽을 계기로 아파트를 중심으로 부동산 투자가 1990년을 지나면서 전국적으로 일어났다.

서울 외곽을 중심으로 1기 신도시에 대한 개발이 끝나면서 노후화된 서울 구도심을 개발하고자 하였다. 재개발, 재건축으로 노후화된 지역이 아파트로 변하기 시작하였다. 2000년대에 들어서면서 2기 신도시가 개발되기 시작하였다. 도시화 과정이었다. 서울 외곽의 신도시와 서울 도심이 재건축 재개발로 아파트 공급이 늘어나자 다주택자들도 급속하게 늘어나게 되었다. 40대와 50대들은 다주택자와 1주택자, 그리고 무주택자로 구분되기 시작하였다. 부동산투자에 무관심하였던 무주택자뿐만 아니라 강북 지역의 아파트에 거주하는 사람들은 강남지역에 비교하여 턱없이 낮은 가격에 자신들의 아파트가 매매 되는 것을 보았다. 상대적 박탈감을 사회적 불평등으로 이야기하기 시작하였다.

상대적 박탈감이 사회적 이슈가 되자, 새로이 정권을 잡은 세력들은 부자들이 소유한 재산이 부동산으로부터 발생한 것으로 보는 견해가 지배적이었다. 이러한 부동산 자산가치의 상승을 불로소득[3]으로 해석하였다. 불로소득은 나쁘다는 것으로 규정한 이들은 부동산을 소유하는 것을 어렵게 하고자 하였고, 부동산에 대한 각종 규제정책을 만들기 시작하였다. 그러한 규제정책은 부동산에 대한 세금과 금융에 대한 규제에 집중되었다.

<표 1-3, 정권별 민간 소유 땅값 변동 : 경실련 2020년 발표 자료>

단위 : 조원

	민간소유땅값		상승액		상승률 (정권초 대비)
	정권초	정권말	정권내	연평균	
노태우(90-92)	1,484	1,864	380(4%)	190	26%
김영삼(92-97)	1,864	2,247	383(4%)	77	21%
김대중(97-02)	2,247	3,400	1,153(13%)	231	51%
노무현(02-07)	3,400	6,523	3,123(36%)	625	92%
이명박(07-12)	6,523	6,328	-195(-2%)	-39	-3%
박근혜(12-16)	6,328	7,435	1,107(13%)	277	17%
문재인(16-19)	7,435	10,104	2,669(31%)	890	36%
29년 합계			8,620(100%)	297	

또한 서울과 수도권에 인구가 집중되는 것이 아파트 가격 상승의 원인이라고 판단한 이들은 인구가 전국적으로 분산되도록 정책을 만들기 시작하였다. 대표적인 정책으로 전국에 혁신도시를 개발하면서 공기업을 강제 이전하도록 하였다. 지역 균형발전이란 명목으로 전국적으로 혁신도시가 개발이 시작되자 전국의 발 빠른 부

3) 추천도서 ; 헨리 조지 「진보와 빈곤」, 톨스토이 「부활」

동산 투자자들이 움직였다. 서울과 수도권에 집중되었던 토지가격의 상승이 전국적으로 일어나기 시작하였다. 2000년 중반에 땅값 상승률은 최고를 기록하였다. 지방이 개발되면서 서울과 수도권에 집중되었던 많은 부동산 투자자들이 전국적으로 이동하면서 부동산 투자시장에 뛰어든 결과이다.

1998년 IMF을 거치면서 인터넷을 기반으로 하는 IT정보 인프라의 급격한 발전으로 부동산 정보에 대한 일반인의 접근이 쉬워졌다. 부동산 정보를 취급하는 전문 포털사이트가 등장하였다. 독점적인 정보가 공개적인 정보로 바뀌게 된 것이다. 부동산 중개업 종사자 중 일부, 언론사에서 기자로 활동하던 사람들 일부, 부동산 정보업체의 직원들, IMF로 실직하였다가 새로운 비즈니스 기회를 찾는 사람들, 등이 부동산 상품전문가로 변화를 모색하기 시작하였다. 대중매체를 통해 부동산 전문가로 등장한 이들과 부동산 투자에 관심이 있는 국민 간의 공감대가 형성되기 시작하였다.

2000년대에 들어서면서 대중매체(인터넷, 언론, 케이블방송, 포털사이트 등)를 통해 어느 날 갑자기 부동산 전문가들이 등장하였다. 부동산 정보를 얻기 위해서는 동네의 중개업소를 방문하던 사람들이 인터넷을 뒤지면서 부동산 전문가라는 사람을 만나 상담을 받았다. 이들은 자신들의 이름을 알리고자 아파트·토지·경매·재개발·상가 등의 전문가로 신문에 보도자료를 만들어 홍보하기 시작하였다.

부동산에 대한 정보들이 사람들의 관심을 끌자, 언론사에서는 부동산 광고 및 기사들이 돈이 되는 것을 알았다. 전문가들에 대한 각종 인터뷰 및 투자 유망지역 등에 대한 전망 자료들을 뉴스로 다루기 시작하였다. 부동산 정보업체를 표방한 기업들이 새로운 벤처기업으로 등장하였다. 부동산 중개업자들이 이들 정보업체에 가맹하여 네트워크를 만들었다. 중개업자들은 부동산 매물을 확보하고, 광고하여야 하므로 이들의 네트워크에 참여할 수밖에 없었다.

1-5. 늙었다. 은퇴하자.

65세 이상이 전체인구의 7% 이상이면 고령화 사회, 14% 이상은 고령사회, 20% 이상은 초고령사회로 구분한다. 고령화 사회는 사람들의 기대수명이 늘어난다는 것이다. 즉, 나이가 들면 생을 마감하여야 하는데 다양한 이유로 생명이 연장되어가는 것이다.

더군다나 1983년에 2.06명을 기록하면서 인구 유지를 할 수 있는 출산율 2.1명보다 낮아졌으며 1984년 1.74명으로 처음으로 1명대에 진입하였다. 계속된 출산율 하락으로 연간 출생아 수가 2023년에는 약 23만 명이다. 자연스럽게 사망자가 출생아보다 많아지면서 해마다 인구가 줄어드는 나라가 되었다. 인구의 Dead-Cross가 발생한 것이다. 통계청 조사에서 2024년 출산율이 0.6대로 조사되면서 전세계에서 가장 낮은 나라가 되었다.

1980년대부터 시작한 저출산과 고령화 사회가 되어가는 것을 보면서 많은 부동산 전문가들이 2020년이 되면 서울 및 수도권의 아파트는 가격이 하락할 것이라는 전망을 하였다. 2020년을 전후하여 은퇴하는 Baby-boom 세대들은 이제 아파트를 매입할 수 있는 수요자가 아니고, MZ세대들은 아파트 가격이 너무 높아서 부동산을 매입할 만한 자금이 없다는 것이다. 그리고 주택 보급률이 2000년에 99%를 넘어섰기 때문에 주택가격의 꾸준한 상승은 기대하기 힘들다는 것이었다. 이에 대한 반론을 제기하는 전문가는 별로 없었다.

2007년 서브프라임 위기가 왔을 때 아파트 가격이 일시적으로 하락하였다. 하지만 바로 반등하였고 2020년을 지나도 아파트 가격의 하락은 나타나지 않았다. 2000년 초반에 예측하였던 수많은 부동산 전망은 틀렸다는 것을 사람들이 알았다. 2016년에 정권을 잡은 세력들은 부동산 정책에 대해 강력한 규제를 하였다.

부동산 소유에 대한 욕구를 잠재우고자 하였다. 규제의 핵심은 금융에 대한 대출 규제와 부동산에 대한 세금을 강화하는 것이었고, 주택의 임대차 계약을 법률로 간섭하여 임대인의 재산권 행사를 통제하였다. 그러나 시장의 반응은 다르게 나타났다. 급격한 아파트 가격의 상승은 시장을 붕괴 직전까지 몰고 갔다.

결국 아파트 가격은 계속 우상향을 보여주었다. 그러자 부동산 전문가들이 다른 그럴싸한 논리를 만들어 내놓기 시작하였다. 과거에 대한 평가와 미래에 대한 예측은 늘 전문가의 몫이지만 전문가의 말에 대한 신뢰 여부는 개인의 몫이다.

1980년에 살던 Baby-boom 세대들은 지금의 강남 모습을 상상하지 못했을 것이다. 강남개발이 된다고 하여도 '세상이 좋아지는구나!' 하고 단순하게 생각하였을 것이다. 왜 강남이 개발되는 것인지, 그리고 그것이 어떠한 영향을 사회에 주는지 깊게 생각하지 않았을 것이다. 그렇다면 지금, MZ세대 세대들은 30년 뒤의 대한민국 부동산 시장의 모습이 어떤 모습일지를 상상하기 어려울 것이다. 2054년이면 Baby-boom 세대들은 대부분 사망하였을 것이다.

2. 또 다른 패러다임이 오고 있다.

경제성장을 통하여 후진국에서 선진국으로 되어가는 과정에서 국부(國富)가 늘어나는 것은 개인의 부(富)도 동시에 늘어나는 것이다. 따라서 부동산의 가치는 우상향이고, 시간이 지나면 자연스럽게 자본이득(capital gain)을 볼 수 있다는 것이다. Baby-boom 세대들의 탄생부터 은퇴하는 시점인 현재까지 부동산투자 방법은 단순하다. 사면 오른다는 것이다. 그런 시절이었다.

<그림 1-2, 투자 패러다임의 변화 전망>

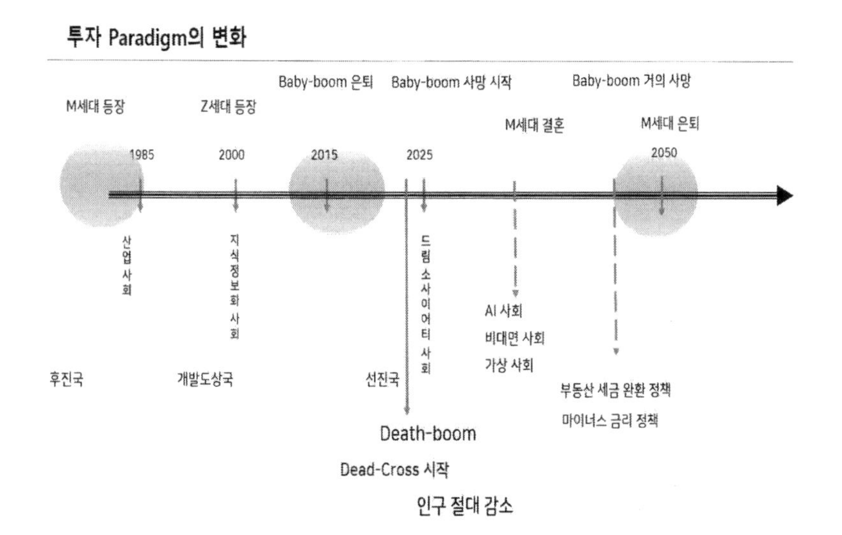

Baby-boom 세대들은 은퇴하는 시점에서는 자연스럽게 다주택자와 1주택자, 그리고 무주택자로 구분된다. 이렇게 동시대를 살아온 사람들이지만 인생 후반전의 출발선이 다른 것이다. 전반전은 부모 탓을 할 수 있었으나, 후반전은 자기가 살아온 흔적이다.

앞으로는 과거와 같은 기회가 전혀 없을 것이라고 보는 것이 일반적 시각이다. MZ세대들도 30년이 지나면, Baby-boom 세대들처럼 자산을 일군 사람과 그렇지 못한 사람으로 자연스럽게 구분될 것이다. 그렇다면 MZ세대들은 이제 부동산으로 '돈을 벌 수 없는 것인가?' 고민해야 한다. '과연 그런가?' 하는 문제는 가볍게 판단할 문제는 아니다. 세상은 변하였지만 변하지 않는 것도 있다.

산업혁명은 18세기 중반(1760년)에서부터 19세기 초반(1820년) 사이에 영국에서 시작된 기술의 혁신과 새로운 제조 공정으로 전환되면서 일어난 사회, 경제 등의 큰 변화를 말한다.

4차 산업혁명(FIR:Fourth Industrial Revolution)에 대한 정의는 다양하지만, ICT(Information & Communication Technology) 융합으로 이루어지는 차세대 혁명을 이야기한다.

2016년 스위스 다보스에 열린 세계경제포럼(World Economic Forum, WEF)에서 4차 산업혁명에 대해 처음으로 언급이 되었다. 기존의 산업혁명에서도 기술발전이 인간의 능력을 대체하는 일이 있으나, 인공지능의 완성은 모든 분야에서 인간을 대체할 가능성을 보여주고 있다. 산업혁명이 사람의 삶에 큰 변화를 주고 있었고, 앞으로 그러한 변화가 더 크게 다가오는 세상이라면, 무엇을 준비하여야 하는지 스스로 반문하여 볼 필요가 있다.

세상은 펜데믹 사회와 같이 전혀 예상하지 않았던 모습으로 어느 날 갑자기 빠르게 변하고 있다. 사회에서 가장 왕성한 경제활동을 해야 하는 MZ세대들은 한국경제의 원동력은 어디에 있고, 살아남기 위해 무엇을 준비해야 하는지 고민해야 한다.

Baby-boom 세대와 MZ세대들이 살아가는 대한민국은 다른 사회이다. Baby-boom 세대들은 빈곤한 나라에서 태어났다. 산업화·도시화를 거치면서 젊음을 보냈다. 정년퇴직을 연장하면서 그들만의 리그를 만들면서 살았다. 선진국으로 되어가는 사회에서 은퇴하였다. 고도성장의 즐거움을 만끽한 복 받은 세대들이다. 반면 MZ세대들은 궁핍한 생활과는 거리가 멀다. 선진국의 위상을 갖춘 나라에서 젊음을 보내고 있다. 30대와 40대를 성장이 멈춘 나라에서 돈을 벌고, 은퇴를 준비하여야 한다. Baby-boom 세대들과는 문화적 괴리감이 크다.

Baby-boom 세대들은 산업화로 이야기되는 사회에 살았다면, MZ세대들은 4차 산업혁명의 중심에 살아가는 것이다. 이러한 차이는 부동산 시장에도 영향을 미치고 있다. MZ세대들이 은퇴하는

30~40년 뒤는 어떤 사회가 될 것인가? 부동산이 삶에 절대적인 영향력을 과거처럼 줄 수 있는 것인지 아닌지 고민해야 한다.

4차 산업혁명으로 인하여 AI가 많은 부분에서 사람들의 업무를 대체할 것이다. 메타버스와 같은 가상과 실제와의 구분이 없는 사회가 될 것이다. 그 사회에서도 여전히 부동산을 가지고 있는 사람들과 없는 사람들 간에 차이가 있다고 한다면, 또는 전혀 차이가 없는 사회가 된다고 한다면 지금 MZ세대들은 세상을 어떻게 바라볼 것인지 선택하여야 한다.

3. 궁극적 삶의 고민은 건강과 돈이다.

격언 중에 "돈을 잃으면 조금 잃는 것이고, 건강을 잃으면 전부 잃는 것이다."라는 말이 있다. 돈보다는 건강을 더 중요시하고 살라는 가르침이다. 돈이야 있다가도 없고, 없다가도 있는 것이지만, 건강은 한번 무너지면 사망에 이를 수 있기 때문이다. 돈에 집착하고 살기보다는 건강한 삶이 좋다는 말이다. 그런데 과연 그럴까? 삶이란 것이 과연 돈 없이 건강하기만 하면 행복한 것인가? 돈 없이 건강한 삶을 유지 할 수 있는 것인가? 오히려 돈 없는 것에 스트레스가 더 많아서 건강을 해치지는 않을까?

건강도 중요하겠지만, 돈 버는 것을 가볍게 생각하지 말자. 스스로 물어보자. 돈 버는 것에 집중하고 사는지, 건강에 집중하고 사는지. 현대인들 대부분은 돈에 집중하고 산다. 돈이 있기에 건강하게 살 수 있다는 것이다. 돈이 없으면 병원 치료도 포기해야 한다는 것을 알아야 한다. 건강을 잃었을 때를 위해서 돈을 벌어야 한다.

『2018년 4월 6일 동아사이언스 보도자료에 따르면, '2018년 린지 풀 미국 노스웨스턴대 의대 교수팀은 갑작스럽게 재산을 잃은 경험이 사망률에 어떤 영향을 미치는지를 연구해 미국의학회지

(JAMA)에 4월 4일 자에 발표했다. 미국 중년 (51세~61세) 남녀 8,714명을 20년간 추적조사하였다. 이들의 재산 상태를 2년 단위로 점검해 갑작스러운 재산감소와 항시적 가난을 겪을 때의 사망률 변화를 분석했다. 그 결과 재산감소를 겪는 경우 사망률이 1,000명당 64.9명으로 평소 사망률 30.6명의 두 배를 넘는 것으로 나타났다. 또 항시적 가난을 겪는 경우 사망률은 73.4명이나 되었다고 한다.'』

재산을 가지고 있다가 재산을 잃었을 때 사망률이 평소보다 두 배나 많다는 것을 알 수 있다. 그런데 그것보다 가난하게 사는 것이 더 사망률이 높다는 것이다. 결국 돈이 있으면 돈이 없는 사람들보다 오래 산다는 것이다. 결국 인정 하든, 하지 않든 관계없이 우리는 살아가면서 돈 버는 것에 집중한다는 것이다. 그럼에도 우리 사회는 돈 버는 것에 집착하는 사람을 부정적인 시각으로 보는 견해가 많다.

우리가 살아가면서 어떤 직장에서 월급을 받고, 저축한 돈을 어떻게 투자하고, 어떻게 재산을 증식할 것인가 하는 것은 돈에 관한 문제이다. 월급을 많이 받는 사람들과 그렇지 못한 사람들이 섞여 사는 사회이다. 부모의 경제적 혜택을 보는 사람도 있고, 그렇지 못한 사람도 있다. 서울에 사는 사람도 있고, 지방에 사는 사람도 있다. 좋은 대학을 나온 사람도 있고, 대학을 나오지 못한 사람도 있다. 취업이 잘되는 사람도 있고, 취업이 어려운 사람도 있다. 운이 좋은 사람도 있고, 운이 나쁜 사람도 있다. 인생관, 가치관, 살아온 환경 등이 다 다르다. 나이에 들어감에 따라 건강과 돈에 관한 생각도 바뀌게 된다. 사회는 출발선이 다른 것이다. 그런 것이 당연한 사회 모습이다. 재산을 증식하여 나가는 방법과 고민도 사람마다 다른 것이다.

2017년 문재인 정부 출범 후 부동산 가격이 폭등하였다. 지금이 아니면 집을 살 수 없다는 위기의식을 느낀 젊은 세대들이 '영혼을 끌어모아서라도 집 사야 한다.'고 생각한다. 이렇듯 빚을 내서라도 부동산이나 주식, 가상화폐 등에 투자하는 젊은 사람들의 투자 형태를 '영끌'이라고 한다. 지금 젊은이들은 Baby-boomer 세대도 대출받아 부동산을 사고팔고 하면서 자산을 만든 것을 알고 있다. '영끌'이라고 MZ세대를 비난하는 것을 받아들이지 못하는 것이다. 이들은 '그럼, 어떻게 당신들처럼 자산을 만드냐?'고 항변하는 것이다.

지금 '영끌'하는 젊은 친구들이 보통 사람들보다 시대의 변화에 발 빠르게 대응하는 사람들이다. 과거부터 지금까지 자신의 노동력만으로 재산을 일군 사람은 없다. Baby-boom 세대의 다주택자들이 했던 모습과 다른 것은 하나도 없다.

4. 성공의 정의가 무엇인지 모른다.

우리는 다들 성공하고자 한다. 성공이 무엇인지 모르겠지만, 성공의 의미에는 돈을 많이 번 사람들을 지칭하는 경우가 가장 많다. 돈이 없는 사람을 성공한 사람이라고 하는 경우는 극히 예외적인 경우이다. 사회적 봉사활동을 일생의 목적과 신념으로 사는 사람들이 여기에 해당할 것이다. 남을 위한 삶을 행복으로 느끼는 사람들이다. 이들은 자신들의 희생과 노력에 대한 물질적 보상을 포기한 사람들이다. 이들은 심리적 보상을 더 크게 생각하는 사람들이다.

물론 거짓된 모습으로 겉모습만 그런 경우도 많다. 사회에서 소외된 사람을 위해 자기희생을 하는 모습을 보여주지만, 이러한 모습을 가장하여 금전적 이익을 도모하고 재산의 축적과정으로 이용하는 것이다. 돈을 버는 방법으로 이들은 이러한 선택을 한 것이다. 대중을 속이기 위해 오래된 낡은 가방과 구두, 그리고 감언이설은 하나의 방법이었을 뿐이다. 정치인뿐만 아니라 사회 지도층의 이러한 모습은 심심치 않게 언론보도를 통해 나오고 있다.

심리적 보상을 삶의 행복으로 느끼는 일부를 제외하고, 대부분은 물질적 보상을 추구하고 산다. 그리고 물질적 보상을 일반인들이 상상하기 힘든 수준으로 만든 사람을 우리는 성공한 사람이라고 하는 것이다. 물론 자아실현이나 사랑하는 사람들과 좋은 관계를 통해 느끼는 행복과 같은 것을 빼고 돈만 많이 번 성공은 우리가 원하는 성공이 아닐 수 있다. 의미도 없고, 목표도 없이 돈만 추구하는 삶은 성공이 아니라고 할 수 있지만, 성공의 의미는 각자가 정의하는 것이다. 돈을 많이 번 사람을 성공이라고 정의하는 사회를 비난할 수도 있다.

성공이란 단어에 돈이란 것을 빼고 이야기할 수 있을까? 형제, 친구, 선후배, 기타 등등 누군가를 보고 성공했다고 언급을 한다면 '돈을 이미 많이 벌었거나', '돈을 많이 버는 일을 한다'는 의미이다. 오랜만에 성공했다는 소식을 듣는다면 돈을 어떻게 벌었는지, 어떻게 그런 직업을 가지게 되었는지 그 과정에 대한 것은 무시하고 결과만 본다. 좀 슬프기는 하지만 그게 사회이다.

어쨌든 저축을 통해서 부를 증식을 이루어 나간다는 것은 요즘 세상에서는 거의 불가능한 것이다. 우리의 선택 여부와 관계없이 부의 증식은 사람들이 살아온 역사를 보면 부동산과 관계가 많다는 것을 인정할 수밖에 없는 것이다. 일반인들이 투자의 관점에서 자산을 관리하는 방법으로 선택할 수 있는 상품은 크게 3가지이다. 주식투자, 은행예금, 부동산 투자다. 예금금리가 높았던 고도성장 사회에서도 부동산으로 부의 증식을 이룬 것이 사실이라면 예금금리가 낮은 저성장 사회에서는 그 영향이 더 크지 않을까 싶다.

사업을 해서 크게 성공한 사람들처럼 극히 일부를 제외하고는 평범한 직장인들이 돈을 벌어 재산을 증가시키는 방법은 그리 많지 않다는 것이다.

우리는 부자가 되고 싶고, 성공하고 싶어 한다. 사람마다 성공이라는 기준이 다르고, 의미가 다르게 다가올 수도 있다. 생각해보자. 만에 하나 그 성공이란 것이 돈과 관계되어 있다면, 평범한 사람들이 선택할 수 있는 것은 부동산을 제외하고는 거의 없다는 것이다.

5. 옳고 그름이 아니라 선택의 문제이다.

믿거나 말거나 부동산이 우리 삶에 엄청난 영향을 주고 있다는 것이 사실이라면, 나는 무엇을 선택할 것인지 생각하여 볼 필요가 있다. 투기와 투자, 불로소득과 근로소득이 대표적인 화두이다. 아파트 가격 급등으로 인하여 상대적 박탈감을 느끼는 무주택자를 위로한답시고, 또는 1주택자들이 불만이 있을 때, 정치권이 언론을 이용해 투기와 불로소득은 나쁜 것으로 규정하여 이슈화하는 경우가 많다. 하지만 정치권을 포함하여 사회 지도층이라고 하는 자들, 그들이 현재 누리고 있는 자산에 불로소득이 아닌 것은 거의 없다. 그들이 부동산을 통해서 자산을 일구어 온 것은 우리와 다른 것이 아니다.

학문적으로는 투기는 나쁜 것으로 정의한다. 가격(呼價)만 올리기 때문에 사회적·경제적인 효용을 생성하지 못한다. 즉 부가가치의 생성이 없이 특정인이 돈을 버는 구조이기 때문이다. 학교에서는 투기는 좋지 않은 것으로 정의하고 공부해야 하는 것이 맞다. 하지만 실제 생활에서는 그렇지 않다. 투기와 투자를 어떻게 구분할 것인지, 그 방법은 거의 없다. 말장난이다.

투기(投機)에 대한 사전적 정의는 시세차익을 기회에 맞추어 투자나 매매를 통하여 이익을 얻고자 하는 행위이다. 즉 시세차익을 보는 모든 행위는 투기라는 것이다. 투자(投資)의 사전적 정의는 미래의 기대이익을 얻고자 현재 시점의 소비행위를 포기하는 행위이다. 시세차익과 기대이익은 같은 말이라 할 수 있을 것이다. 판단은 개인의 기준에 따른다.

이 판단을 제3의 인물이 투기 또는 투자로 구분할 수 없는 것이다. 투기의 영어표현은 Speculation으로 추측 또는 어림짐작이란 뜻이 포함되어 있다. 미래의 결과는 모른다는 것이다. 주식을 하는 사람들을 우리는 주식투자자라고 하지, 주식투기꾼이라고 하지 않는다. 주식은 하루에 몇 번씩 사고팔고 할 수 있다. 그 목적은 시세차익이다. 반면에 부동산을 1년을 보유하고, 2년을 보유하여도 시세차익을 목적으로 하면 부동산 투기가 되는 것이고, 기대이익을 목적으로 하면 투자가 되는 것이다. 뭔 말인지 헷갈린다. 그러면서 주식으로 돈을 번 행위는 투자소득이고, 부동산으로 돈을 번 행위는 투기로 돈을 번 불로소득이라는 것이다.

확실하게 투기적 행위라고 할 수 있는 것이 있다. 사행(射倖) 행위이다. 사행이라 하는 것은 「사행행위 등 규제 및 처벌 특례법상 제2조」에 '여러 사람으로부터 재물이나 재산상의 이익을 모아 우연적 방법으로 득실을 결정하여 재산상의 이익이나 손실을 주는 행위'로 규정하고 있다. 경마나 카지노에서 도박하는 사람을 우리는 투자자라고 인정하지 않는다. 사행성 행위로 규정하고 투기하는 사람들이라고 말한다.

부동산을 사고파는 행위를 선택의 문제로 보지 않고, 옳고 그름으로 판단하고, 규정하는 것이 잘못된 것이다. 무주택자가 아파트를 사는 것은 옳은 것이고, 2주택자가 1주택을 추가로 매입하는 것은 잘못된 행위라고 하는 것이 비상식적인 판단이다. 부동산으로 시세차익을 보는 것은 불로소득이라 규정하여 나쁜 것이라고 한다면, 부동산이 아닌 다른 방법으로 불로소득을 얻는 행위는 올바른 것인가? 사람들은 죽을 때까지 근로소득으로 살아야 한다는 논리가 맞는 것인가? 경제활동을 하는 대부분 사람은 불로소득을 꿈꾸지 않는가?

100세 시대라고 한다. 은퇴 후 살아야 할 여생은 짧지는 않다. 은퇴해야 하는 시기가 50대, 60대, 70대의 어느 시점에 온다면 남아있는 여생은 어떤 소득을 창출하며 살 것인지를 은퇴하기 전에 정해 놓아야 한다. 어제까지 일하면서 살다가 오늘 아침에 죽는 사람들이 있다. 죽을 때까지 일하는 것이다. 반면에 어제까지 놀다가 오늘 아침에 죽는 사람도 있다. 놀다 죽는 것이다. 인생을 즐기는 사람들이다. 소득의 차이가 이러한 선택을 만드는 것이다. 죽는 날까지 근로소득을 창출하기 위해 사는 사람도 있고, 불로소득으로 죽는 날까지 사는 사람도 있는 것이다.

6. 무엇을 상상하든, 미래는 아무도 모른다.

부동산은 미래가치에 투자하는 것이라고 한다. 가치가 없다면 투자하는 것이 아니고, 가치가 있어야만 투자하는 것이다. 시대가 변하면서 부동산 시장은 이 가치를 상승하게도 하고, 하락하게도 한다. 가치가 상승할 것인지 하락할 것인지 판단은 순전히 개인의 몫이다. 세상은 변하고 있다. 과거에 변했던 속도보다 현재는 더 빠르게 변화하고 있고, 미래는 현재보다 변화의 속도가 더 빠를 것이다.

빌게이츠는 1999년 그의 저서 「생각의 속도」에서 '사람들은 언제나 다가오는 2년 안에 일어날 변화는 과대평가하고, 다가올 10년 이내에 일어날 변화는 과소평가하는 경향이 있다. 게으름 속에 안주하지 말라.'라고 언급하면서 정보화 사회가 되면서 변화가 빠르게 일어날 것에 대해 경고했었다. 빌게이츠의 이러한 진단은 지난 20여년 동안 정보화 시대로 넘어오면서 우리 모두 경험했다.

지금은 정보화 사회도 이미 끝나고 4차 산업혁명을 기반으로 한 새로운 사회가 오고 있다고 한다. 이에 대하여 덴마크 미래학자 Rolf Jensen은 미래의 사회는 Dream Society라고 하였다. 부의 정의도 돈과 물질에서 창의력과 경험으로 이동하는 꿈과 감성의 사회라고 한다. 지금의 MZ세대들이 30년이 지나 인생 후반전으로 들어갈 무렵에는 현재 직업의 절반 이상이 사라질 것이라고 한다. 지식과 정보가 학교와 같은 교육기관에서 권위적으로 생성 유통되었다고 한다면, 미래사회는 학교 밖에서 지식과 정보가 더 혁명적으로 생산 유통되는 사회라고 한다. 이는 지식과 이론이 폐쇄적으로 만들어져 학교 교육기관을 통해 습득하였다면, 미래사회에서는 공개적·경쟁적으로 만들어져 학교가 아닌 일반사회에서 다양한 network를 통해 실시간으로 전달이 되는 것이다. 실전에서 바로 써먹지 못하는 이론은 점차 사라질 것이고, 시장의 변화에 맞추어 새로운 이론이 만들어지는 것이다. 지식의 전달 속도를 따라가지 못하는 이론은 써먹지 못하는 사회가 온 것이다.

산업화사회에서 Baby-boom 세대들이 정신을 못 차릴 정도로 급속한 경제성장을 하였다면, 앞으로의 사회는 MZ세대들이 정신을 못 차릴 정도로 Dream Society로 급속하게 변해 갈 것이다. 우리는 미래사회가 지금과 얼마나 다른 사회로 변화해 나갈 것인지 추측만 할 뿐이다. 실제 모습(off-line)보다 어떻게 보이는가(on-line)를 더 중시하는 미래사회에서 부동산은 어떤 위상을 가지고 있을 것인지 예측하기란 정말 쉽지 않다. 산업사회에서는 자기의 생각보다는 학교에서 가르치는 내용을 잘 따라 배우면, 어느 정도 살아갈 수 있는 기반을 만들었다. Dream Society에서는 학교 교육을 기본으로 본인이 어떠한 삶을 살 것인지를 생각하면서 살아야 경쟁력이 있는 것이다. 창의력과 컨텐츠의 아키텍처가 경제적 부가가치를 만들어 내는 세상이다. 안 그러면 남들이 짜 놓은 프레임 또는 AI가 만들어 놓은 세상에 의존하여 살아갈 확률이 높고, 이는 남들보다 경쟁력이 없는 사람이 되어 간다는 것이다. '능력이 있다. 없다.' 판단의 기준이 되는 것이다.

그럼에도 부동산의 중요성은 더 커질 것이라고 조심스럽게 전망한다. 의·식·주는 인류가 사회를 구성하여 존속하는 한 반드시 갖추어야 할 3가지이다. Dream Society에서도 부동산은 기본적으로 인간이 사회활동을 하기 위해, 필요한 공간적 가치가 있다. 꿈과 감성을 중시하는 사회가 되었다고 하여 의·식·주의 중요성이 없어지는 것이 아니다. 지금과는 다른 다양한 기능과 감성을 제공하는 부동산으로 바뀌어 가는 것이다. 기본적인 효용에 창의력과 경험을 플러스하여 의·식·주가 주는 감성 가치를 공유하는 시대라는 것이다. 부동산의 가치는 이러한 창의력과 감성에 따라 변할 것이다. 이러한 감성을 통해 가치가 부여되는 부동산은 주거용보다는 비주거용 부동산에서 더 다양하게 나타날 것이다. 과거 아날로그 사회에서의 부동산에 대한 주된 관심사가 주거용이었다면, 앞으로는 미래사회에서는 비주거용에 집중될 것이다.

7. 부자들은 무엇을 가지고 있는가?

소득은 여러 가지로 분류가 가능하지만, 국세청에서 세금 징수를 위해서 분류한 것은 아래 표와 같다. 소득이 있는 곳에 세금이 있는 것이라면, 이 소득의 분류 외에 다른 소득은 없을 것이다.

<표 1-4, 세법에 따른 소득 구분>

이자소득	금융상품의 이자로 발생한 소득
배당소득	주식배당으로 발생한 소득
사업소득	사업을 하면서 벌어들이는 소득 / 임대사업자는 임대소득
근로소득	직장을 다니면서 근로자로서 받은 소득
연금소득	연금으로 인한 소득
기타소득	언급되지 않은 나머지 소득
양도소득	부동산 등의 자산을 양도 시 발생한 소득
퇴직소득	퇴직으로 발생하는 소득

국세청에서 이야기하는 소득의 8가지 분류 중에서 퇴직소득을 근로소득의 하나로 생각하고, 거기에 불로소득의 keyword를 넣어 다시 정리하여 보면 소득은 크게 3가지로 정리된다. 근로소득, 사업소득 그리고 불로소득이다.

<표 1-5, 불로소득 구분>

불로소득	투자	이자
		배당
		임대료
	재산	유가증권
		부동산
	기타	상속
		연금
		복지

<표 1-6, 3가지 기준에 따른 소분 구분>

불로소득	이자소득
	배당소득
	연금소득
	양도소득
	기타소득
사업소득	사업소득
근로소득	근로소득
	퇴직소득

사람들이 평생을 직장을 다니면서 열심히 일해도 부자가 되지 못하는 이유는 근로소득 외에는 없기 때문이다. 당신 주위에 부자들이나 성공한 사람이 있다면, 그들이 누구인지 생각해봐라, 사업을 하여 사업소득을 만든 사람들이거나 불로소득을 창출하고 있는 사람들이다. 재산이 많은 부모로부터 상속받는 소득을 제외하면 불

로소득 중에서 가장 많은 현금흐름이 발생하는 것은 부동산과 임대료임을 알 수 있다. 간혹 이자나, 배당이 부동산과 임대료보다 더 많은 소득을 창출할 수도 있겠지만, 이자와 배당으로 그 정도의 소득을 창출하고자 한다면 은행예금이나 주식보유액은 일반인이 상상할 수 없는 금액일 것이다

우리는 누구나 불로소득을 갖고자 하는 것이 솔직한 마음이다. 불로소득이 나쁘다고 하는 사람들도 사실은 불로소득으로 사는 사람들이다. 아니라고 한다면 거짓말이다. 그래서 경제활동을 하는 중에 이것을 만들어 놓고 은퇴하고자 열심히 일하는 것이다. 사업소득도 없고, 특별한 불로소득도 없는 대부분 국민을 위해 국가에서 복지정책의 하나로 국민연금을 운영하는 것이다. 부자로 사는 방법은 간단하다. 불로소득을 젊은 시절에 만들어 놓으면 되는 것이다. 늦어도 은퇴할 나이가 되기 전에 만들어야 한다. 다 늙어서 죽기 직전에 불로소득을 만들어 놓는 것은 의미가 없다.

근로소득만 가지고 은퇴하여 나라에서 주는 연금만으로 살 수도 있다. 근로소득과 불로소득을 가지고 은퇴하여 연금과 불로소득으로 살 수도 있다. 근로소득과 불로소득 그리고 사업소득까지 만들어 놓고 은퇴하여 살 수도 있다. 모두 내가 선택한 내 삶의 한 모습일 뿐이다.

2장

부동산 눈뜨기

8. 일상에 대한 고민이 부동산이다.

【사례 ; MZ세대인 이은희(32살, 여)는 결혼하고 6개월이 되었다. 현재 무주택자이다. 형제들도 없다. 문재인 정권에서 부동산 규제대책이 계속 발표되지만, 아파트 가격이 급등하고 있다. 한 살이라도 젊었을 때 아파트를 장만하라는 이야기를 듣는다. 투자하고자 하면, 대출을 받아야 한다. 그런데 친정 부모님 돌아가시면 상속받을 아파트가 하나 있고, 시아버지도 아파트가 두 채이다. 굳이 아파트를 매입할 필요가 있을까? 하는 생각이 든다.

아파트를 장만하면 대출이자 부담으로 생활비가 빠듯하여 여유가 없을 것이다. 부모님 돌아가시면 상속은 정해진 것인데, 굳이 그렇게 해야 하나 싶다. 월급으로 여유 있게 생활하는 것이, 더 좋은 것이라는 생각을 한다. 이것이 옳은 생각인지는 모르겠다.】

「민법 제99조 ①토지와 그 정착물은 부동산이다. ②부동산이 아닌 것은 동산이다.」라는 법 규정을 보면 부동산에 대한 정의가 명확하다. 정착물을 건물로 해석하여 버리면, 토지와 건축물이 부동산(不動産)이고, 이것이 아닌 것은 동산(動産)이란 것이다. 그래서 부동산을 공부한다고 하는 것은 부동산 투자, 부동산 개발, 부동산 금융, 부동산 심리 등이 특정된 시간이나 시대의 변화에 사회구성원들에게 어떤 영향(물리적, 금융적, 경제적, 법적 등의 환경)을 미치는지, 또는 어떻게 할당되어 가는지 알아보는 것이라 할 수 있다. 어떻게 보면 일상생활에서 부딪히는 수많은 고민이 부동산 공부의 시작이라 할 수 있을 것이다.

배우자가 강남으로 이사 가자고 한다면 가야 할 것인지 말 것인지 고민이 될 것이다. 은퇴까지 몇 년 남지 않았는데, 강남으로 이사 갈 것이 아니라 아파트를 팔아서 수익형 부동산으로 갈아타고, 노후생활을 준비해야 하는 것 아닌가 생각할 수도 있다. 이러한 고민을 해결하기 위해서 실전에서는 무엇을 준비하고 어떻게 공부할 것인지, 막상 뭔가 해볼까 하면 애매모호 한 것이 사실이다.

부동산 문제를 이런저런 방법으로 분석해나가는 과정은 경영학, 심리학, 경제학, 금융학, 마케팅, 도시계획학, 정보학, 통계학, 컴퓨터과학 등에서 개발된 원리나 방법론을 이용했다. 이러한 과정을 부동산분석 과정 (real estate analysis) 이라고 한다.

즉 부동산 시장분석론, 부동산 정보론, 부동산투자론, 부동산 금융이론, 부동산 중개이론, 부동산 입지론, 부동산 개발론 등은 기존의 유사한 학문에서 부동산만이 가지는 독특성을 적용하여 만든 것이라 볼 수 있는 것이다. 부동산의 대표적인 5가지 특징은 부동성, 부증성, 영속성, 개별성, 인접성으로 구분한다. 이러한 특징으로 부동산의 가치 추계(value estimation)에 독자적인 접근 논리가 필요하게 되는 것이다.

2022년 여름이 되면서 아파트 가격 하락이 점점 더 커지고 있다. 그러한 언론보도 자료를 쉽게 볼 수 있다. 사람들이 모이면 이에 대해서 갑론을박 이야기를 한다. 아파트를 빨리 팔아야 한다는 이야기도 있고, 대출을 빨리 갚아야 한다는 이야기도 있다. 무엇이 되었든 높은 금리는 집값을 하락하게 한다는 것이 정설이다. 기본적인 부동산이론이다.

<그림 2-1, 집값 상승에 영향 미치는 저금리>

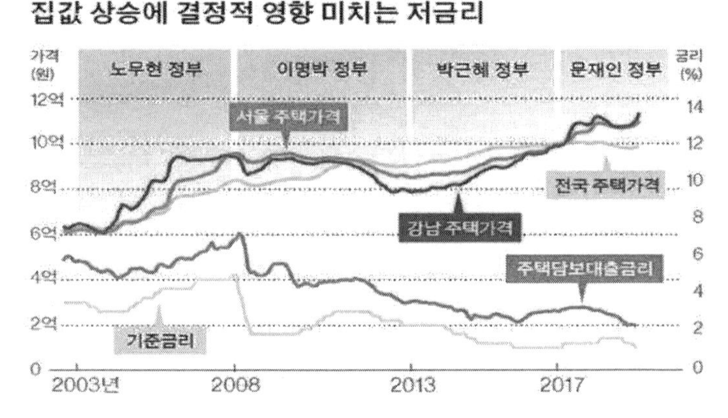

위 그림은 2018년 경향신문 보도자료 나온 것으로, 박근혜 정부와 문재인 정부에서 저금리가 집값 상승을 유발한다는 것을 보여주고자 하는 그림이다. 그러면 노무현 정부와 이명박 정부에서의 집값 변화는 금리로 설명할 수가 없다. 반대 현상이 나타난 것이다. 뉴스의 의도와는 다른 것이 확인된다. 이렇듯 부동산에 대해 고민하면서 한가지 논리에 맞추어 부동산을 바라보면 오류가 발생

할 수 있는 것이다.

그래서 부동산학을 응용사회과학(applied social science)이라 하며 독립된 학문으로 취급하는 것이다.

【사례 ; 2019년 3월 개강하였다. 강의 도중 쉬는 시간에, 40살 전후의 원생이 와서 조심스럽게 말을 건넨다. “교수님, 제가 지금 목동에 살고 있습니다. 아이들이 둘이 있는데, 강남 대치동으로 이사 가는 것을 고민하고 있습니다. 강남 아파트 가격이 비싸서 돈이 부족해 받을 수 있는 만큼 대출을 받아야 합니다. 강남 아파트 가격이 계속 오르겠습니까? 지금 너무 오른 것 같지는 않은가요?” 이런 질문을 받으면 난처하기 그지없다. 내가 점쟁이는 아니지 않은가?

전문가입장에서 강남 아파트 가격이 앞으로 오를 수밖에 없는 이유를 논리적으로 이야기하라 하면 얼마든지 설명할 수 있고, 반대의 경우라 해도 얼마든지 논리적으로 설명할 수 있다. 난처한 질문이지만 심각하게 몇 개월을 고민해 왔을 사람 앞에서, 그리고 뭔가 희망적인 소리를 교수에게 들을 수 있지 않을까? 하는 마음으로 바라보는 눈초리에, 나는 황당한 표정을 지을 수는 없다.

“문재인 정권에서 나오는 부동산 정책의 핵심은 사람들의 심리를 이용하는 것으로 저는 보고 있습니다. 부동산을 사면 손해를 볼 것이니, 부동산을 사지 말라는 것입니다. 그런데 사람들 마음을 통제할 수 있다는 그런 정책이 성공할 수 있을까요? 강남 대치동으로 이사하고 싶은가요? 그럼 가셔야죠, 이사 가야만 하는 이유가 확실한 데 무엇을 망설입니까? 대치동 아파트 가격이 하락할 것이 걱정되나요? 대치동 아파트가 떨어지면 다른 지역의 아파트 가격은 반대로 상승하나요? 대치동 지역에 이사 갈 돈이 없어 못 가는 것이지, 갈 수 있으면 가야지요. 대출이자가 부담되면 모를까 감당할 수 있다면, 그리고 아이들을 위해서 가고자 하는 것이니 저라면 가겠습니다." 고맙다고 크게 인사를 하고 간 그 원생은 2019년 초에 대치동으로 이사하였는지 궁금하다.】

【사례 ; 박찬수·김정연 부부(남 59세, 여 58세)는 대학 졸업 후 미국에 이민 갔고, 세탁소를 30년 가까이 하였다. 2021년 말에 한국으로 다시 역이민을 왔다. 인생 후반전은 친구들과 놀고 싶어서 선택한 것이다.

10년 전쯤, 한국에 있던 김정연의 모친이 사망하였다. 1남 3녀의 3번째 딸이었던 김정연은 모친 명의의 아파트를 오빠가 단독으로 상속 처리하였다는 것을 알았다. 다른 형제들과 함께 오빠에게 항의하여 일부를 금전으로 받았다. 그리고 코로나19가 세계적으로 유행할 무렵에 아버지가 지병으로 사망하였다. 미국 생활을 정리하면서 귀국을 준비하는 중에 아버지가 돌아가신 것이다.

오빠 내외는 병든 아버지가 죽기 전에 증여의 형식을 취하였다. 장충동의 단독주택을 부부 공동명의로 등기를 마친 상태이다. 코로나로 한국에 오지 못하는 상황에서 김정연은 만나서 항의하고 싶어도 할 수가 없는 상황이었다. 김정연은 오빠 부부 명의로 된 부동산에서 본인의 지분을 받을 수 있는지 없는지 고민할 뿐이다.】

9. 독특한 부동산 특징들

【사례 ; "세종시에 부동산 투자하면 좋은가요?" 뜬금없이 찾아와서 이렇게 질문하는 사람들이 있다. 그러면서 자문자답한다. "세종시보다는 역시 서울이 좋겠지요?"

'뭐라고 답을 할 것인가?' 필자는 이런 경우 황당하고 당황스럽다. 그래서 그냥 모른다고 한다. 그러면 필자를 찾아온 사람이 '전문가라는 사람이 그런 것도 몰라' 하는 의심스러운 눈초리로 의아하다는 듯이 나를 쳐다본다.

'세종시는 최근 몇 년 동안 부동산 가격이 전국에서 최고로 급등한 지역입니다. 그래서 지금 가격이 하락하고 있으며, 이러한 조정 기간은 길게 갈 것 같습니다. 투자는 지금 할 때가 아닌 것 같습니다. 서울은 그래도 우리나라 수도이고, 1,000만 명이 사는 도시이니 투자하시고자 한다면 서울이 1순위입니다.' 이렇게 답변하고 싶지만 입을 닫는다. 이것은 답변이 아니라고 생각한다.

어느 지역에, 어떤 상품을, 무슨 목적으로, 투자하는 것인지를 알지 못하는데 뭐라고 답변을 하겠는가? 뜬구름 잡기식 대화이다. 세종시도 동·서·남·북이 다른 것이다. 아파트가 다르고, 상가가 다르고, 토지가 다르다. 부동산 상품의 투자 논리가 다 다른데 뭐라고 답변할지 당황스러운 것이다. '모른다'가 정답이다. 나를 쳐다보

는 사람에게 말한다. "모릅니다." 내가 사기꾼이 될 수는 없는 것이다.】

부동산은 일반 상품과 다른 독특한 특성이 있다.

부동성(不動性)은 동산과 부동산을 구분하는 가장 기본적인 근거가 되는 것이다. 부동산은 움직이지 않고 지리적 위치를 바꿀 수 없다는 자연적 성질을 말한다. 부동산 투자에 대한 의사결정을 하고자 할 경우, 사전에 투자에 대한 정보를 취득하고, 임장활동(臨場活動)이 이루어진다. 아무리 먼 곳이라고 해도 직접 눈으로 보지 않고는 의사결정을 하기기 어려운 것이 부동산 투자다. 임장활동을 하지 않는 경우는 묻지마 투자가 될 확률이 높다. 부동산 전문가는 크게 지역전문가와 상품전문가로 구분한다. 부동산이 지역특성을 가진 국지화(局地化)되는 현상으로 있다. 이로 인해 부동산 중개업(지역전문가)이 하나의 직업군으로 있을 수 있는 것이다.

부증성(不增性)은 토지는 생산할 수 없다는 것이다. 면적을 인위적으로 늘릴 수 없다는 의미이다. 100,000년 전의 우리나라 땅의 면적은 지금의 땅 면적과 차이가 없다는 것이다. 간척지 개발로 인하여 땅의 면적이 더 늘어났다고 주장할 수도 있지만, 땅의 면적이 늘어난 것이 아니라, 물 밑에 있던 땅을 개발사업을 통해 수면위로 올린 것뿐이다. 결국 토지의 양은 고정되어 있다. 경제적 측면에서의 공급이 가능하나 이는 토지의 생산에 따른 공급이 아니라, 용도 변경에 따른 공급이다. 인류는 구석기 채집경제사회에서 신석기 생산경제사회로 바뀌게 된다. 생산경제로 인류가 변화하면서 자연스럽게 농업생산 활동을 할 수 있는 토지와 그렇지 못한 토지로 구분되었다. 농업사회가 되면서 인류는 비옥한 토지에 대한 지배력 또는 소유욕에 대한 욕망이 생기었다. 개인·국가·민족 간의 영토 분쟁은 인류가 계급사회로 발전하면서 지금까지 계속되어 온 것이다. 토지의 증가를 전제로 한 어떤 이론도 성립될 수 없어, 수요자 간의 경쟁으로 인하여 자연스럽게 전쟁(다툼)이 일어난다.

영속성(永續性)은 토지는 시간이 아무리 흘러도 없어지거나 소멸하지 않는다는 것이다. 존속기간이 반영구적이라서 때때로 사용자와 소유자가 나뉘는 경우도 빈번하다. 영속성으로 미래 가치를 사고판다는 가치투자의 대상으로 존재하는 것이다. 부동산이 재산이 되는 이유이다. 인류가 거래하는 다른 재화와 전혀 다른 개념으로 소유 가치가 형성되는 것이다.

개별성(個別性)은 토지의 부동성, 부증성에 따라 어떤 부동산 상품이 있다고 한다면 그것을 대체할 수 있는 것이 없다는 것이다. 그래서 부동산 가격은 차별화가 이루어지고, 비표준화에 따라 개별적으로 감정평가를 하게 되는 것이다. 은밀한 거래로 인한 정보 불일치는 비조직적 시장을 형성하게 하는 것이다. 부동산에 대한 투자 논리를 일반화하기가 어려운 것이다. 이러한 거래비용의 증가로 인해 부동산의 이런저런 사업 또는 정책들이 시장을 더 무질서하게 만드는 원인이 되는 것이다.

인접성(隣接性)은 어떤 지역은 또 다른 지역과 연결되어 있고, 토지는 그 옆의 토지와 연결되어 있다는 것이다. 따라서 어쩐 지역이 개발되면, 바로 인접해 있는 또 다른 지역이 개발의 영향을 받는 것이다. 개발이익에 대한 사회적 환수가 정당하다는 논리의 배경이 되는 것이다. 부동산 시장분석에 있어 지역 및 환경 분석을 반드시 해야 하는 이유이다.

【사례 ; 수업이 끝나고 쉬는 시간에 한 원생이 조언을 구한다면서 말을 건넨다. "교수님, 제가 이번에 아산역 앞에 새로 신축하는 오피스텔에 투자하고자 합니다. 분양상담실도 다녀왔는데 투자 가치가 있어 보입니다. 교수님은 어떻게 생각하시는지 여쭤보고 싶습니다."

"모르겠는데, 그것을 내가 어떻게 알겠나?" 생뚱맞은 답변인지라 당황하는 모습이 보인다. 그러면서 물어보았다. "왜, 투자하는 것인가?" "투자하고자 하면 아산역 인근 지역을 몇 번이나 가보았는가?" "수익률을 직접 조사해서 계산해 보았는가?" "아산역과 유사한 지역이 어디인지 비교해 보았는가?" "투자 목적은 무엇인가?" "결혼은 하였는가?" "건물구조는 어떤가?" 기타 등등

"죄송합니다." 머리 숙여 인사하고는 쑥스럽다는 듯이 자리로 돌아간다.】

10. 주택가격 상승이 우리만의 문제인가?

서울이라는 도시는 약 996만 명이 사는 거대도시이다. 수도권 인구까지 포함하면 약 2,000만 명이 서울을 중심으로 역동적으로 살아가는 지역이다. 도시의 주택가격이 얼마나 높은가에 대한 상대적 비교는 Price Income Ratio(PIR)를 사용한다. 예를 들어 아파트 가격이 3억 원, 5억 원, 10억 원인 아파트가 있다고 하면, 연봉이 5천만 원이라고 하면 PIR은 6. 10. 20. 이 되는 것이며, 이 숫자의 의미는 6년, 10년 또는 20년 동안 돈을 안 쓰고 모아야 아파트를 살 수 있다는 것이다.

<표 2-1, 세계 주요 도시 인구 순위>

1. 도쿄 37,339,804 (29.6%)	2. 뉴델리 31.181,376(2.2%)	3. 상하이 27,795,702(1.9%)	4.상파울로 22,237,472 (10.3%)
5. 멕시코시티 21,918,936 (16.8%)	6. 다카 21,741,090 (13.0%)	7.카이로 21,322,750 (20.4%)	8. 베이징 20,896,820 (1.4%)
9. 뭄바이 20,667,656 (1.4%)	10, 오사카 19,110,616 (15.1%)	11. 카라치 16,459,472 (7.3%)	12. 충칭 16,382,376 (1.1%)
13. 이스탄불 15,415,197(18.1%)	14. 부에노스 15,257,673 (33.4%)	15. 켈거타 14,974,073 (1.1%)	25. 선전 12,591,696 (0.9%)
33. 서울 9,967,677 (19.4%)	35. 런던 9,425,622(13.8%)	44. 뉴욕 8,230,290 (2.4%)	47. 홍콩 7,598,189
62. 싱가포르 5,991,801	83. 하노이 4,874,982(4.9%)	80. 시드니 4,991,654(19.3%)	131. 부산 3,465,946(6.7%)
163. 두바이 2,921,376(29.2%)	170. 인천 2,818,288(5.5%)	227. 대구 2,190,571(4.3%)	328. 대전 1,569,459(3.1%)

이러한 PIR은 국가별로, 도시별로, 그리고 지역별로 세분하여 비교할 수 있다. 이러한 격차는 한 국가의 경제 규모에서 차지하는 도시의 위상, 인구의 밀도, 도시의 기반시설, 교통과 업무 및 교육 시설의 집중도 등의 사회적, 환경적, 문화적 요인에 따라 발생한다. 우리나라에서도 서울과 부산, 인천, 대구, 광주, 대전의 PIR이 다를 것이며, 서울에서도 강남구, 도봉구, 용산구, 마포구의 PIR이 다른 것이다. 또한 소득의 기준을 어디에 두냐에 따라 PIR이 다르게 나타난다. 30대 전후의 세대를 기준으로 한다고 하여도 근무환경과 급여가 비교적 안정적인 대기업, 공기업 등에 근무하는 사람들과 중소기업 또는 그보다 열악한 직업을 가지고 있는 사람들의 PIR은 서로 다른 것이다.

어느 시대, 어느 국가, 어느 도시를 막론하고 부유층 또는 권력층이 사는 동네가 있고, 그렇지 않은 동네가 있다. 따라서 부동산의 주택가격을 서로 비교하기 위해서는 중산층으로 일반화한 소득을 가지고 PIR를 비교해야 하는 한계를 가지고 있다. 그래서 중산층으로 일반화한 소득을 가지고 PIR를 비교하면서 특정 도시의 아파트 가격이 지나치게 높다 낮다 하는 것이다. 문제는 Macro 부동산 시장에서는 이러한 접근을 이해할 수 있지만, 부동산의 개별성이라는 하는 고유 특성으로 이를 일반화하면 Micro 부동산 시장에서 착시현상이 나타나게 된다.

세계 주요 도시 280개 도시를 비교한 PIR 보도자료를 보면, 우리나라 PIR은 2017년 상반기 14.28, 2018년 상반기 15.28, 2019년 상반기 16.23, 2020년 상반기 19.41 등으로 매년 확대됐다.

PIR이 15가 넘는 도시가 세계적으로 80여 도시가 있다. 우리나라 PIR이 2022년 8월 기준 30.69를 돌파한 것으로 조사되며, 문재인 정권에서 약 100% 이상 증가했다고 말이 많았다. 이 과정에서 세계 PIR 순위도 2022년 중반에 16위로 뛰었다. 숫자만 보면 주택가격이 높은 도시는 서울만이 아니라 세계 주요 도시에서 발생하고 있다는 것이다. 문제가 된 것은 최근 5년에 서울의 PIR이 급등한 것이다.

우리보다 소득수준이 높은 곳도 있고, 아닌 곳도 있다. 서울보다 인구가 많은 곳도 있고, 인구가 적은 곳도 있다. 도시 인프라가 서울보다 더 좋은 곳도 있지만, 더 열악한 도시도 있다. 중위연령이 서울보다 높은 곳도 있고, 낮은 데도 있다. 그렇다면 'PIR이 30을 넘었으니 서울의 아파트 가격이 과열되어 있다고 할 수 있는 것인가?' '두바이의 PIR이 10이 안되니 아파트 가격이 적정한 가격이라고 할 수 있는가?'라는 질문은 받아들이는 개인의 입장에 따라 다르다는 것이다.

『2022년 3월 19일 뉴스 보도자료에 보면, 서울에서 연소득 하위 20%가 평균 주택가격 상위 20%에 해당하는 집을 사려면 100년은 한 푼도 쓰지 않고 모아야 하는 것으로 나타났다. 소득과 동떨어질 정도로 집값이 가파르게 오르면서 현 정부 들어 저축해야 하는 기간도 38년 추가된 것으로 파악됐다. 서울 중산층의 중간가격대 '내 집 마련' 기간도 더 늘어난 것으로 나타났다. 3분위 소득과 3분위 평균 주택가격 기준 PIR은 13.4로 조사됐다. 이 역시 역대 최고치로, 월급만으로 해당 주택을 구매하는데 13.4년 걸린다는 의미다. 』

이 뉴스를 보고 "아! 서울의 아파트 가격이 높으니 투자는 아니구나"라고 생각을 한다면 당신은 숫자의 오류에 빠지는 것이다. Baby-boom 세대에서 무주택자들은 인생 후반전을 이미 시작한 사람들인지라, 이런 뉴스를 보고 고민할 필요가 없다. 인생 전반전에서 경제활동을 해야 하는 MZ세대들의 고민이고, 이 숫자가 주는 의미가 무엇인지 판단하여야 한다. 나라마다 PIR 지수를 결정짓는 결정 요소들이 다른 것이라 획일적인 숫자에 절대적 의미를 부여할 수는 없는 것이다. 일반적으로 성장률이 높은 나라, 인구밀도가 높은 지역, 교통망이 좋지 않은 나라들의 PIR이 높다.

통계청에 발표한 2020년 임금근로자 소득 구간별 분포는 아래와 같다.

<표 2-2, 임금근로자 소득 구간별 분포>

만원	85 미만	85-150	150-250	250-350	350-450	450-550	550-650	650-850	850-1000	1000 이상
%	13.9	10.2	27.9	17.1	10.0	6.6	4.6	4.6	2.6	2.6

11. 부동산을 어떤 기준으로 바라볼 것인가?

부동산을 바라보는 시각은 투기와 투자라고 하는 관점이 일반적이다. 대부분의 시각은 부동산을 투기의 관점에서 바라보는 경향이 많다. 비생산적인 활동을 통해서 이득을 취하기 때문이다. 부동산 공급량이 제한적이므로 일부가 독점함으로 이득을 취하게 되는 것이 불로소득의 한 종류라는 것이다. 옳은 것이 아니라는 것이다.

그러나 부가가치를 만들어 새로운 이득을 취하는 모든 경제활동은 대부분 독점을 통한 과정에서 벗어나 있지 않다. 그러한 시스템에서 부를 창출하고 있는 것이 국가, 기업, 개인의 모습일 뿐이다. 권력을 잡으면, 시장을 독점적으로 지배하면, 남들보다 월등한 스펙을 만들고 나면, 부는 자연스럽게 따라오는 것이다. 인류의 공동재산이라고 할 수 있는 남극대륙은 과거처럼 총칼을 들고 사람을 죽이면서 전쟁하지는 않지만 이미 몇몇 국가들만의 치열한 영토전쟁이 벌어지고 있는 곳이다. 대부분 국가는 이 다툼에 참여도 못하고 있다. IT의 발전과 가상사회로의 사람들을 이끄는 선도기업들은 국가의 장벽을 허물었고, 전 세계에 미치는 독점적 영향은 점점 커지고 있다. 사람이 하는 일은 AI로 대체되는 사회이다. 노동을 통한 부가가치 창출은 경쟁력이 없는 사회가 되어버렸다.

불로소득을 누가 어떻게 확보하고 통제할 것인가 하는 것이 가치 사슬의 핵심이 되는 새로운 시대에 우리는 살고 있다. 불로소득은 비생산적이라는 전근대적 사회에서 형성된 주장은 재해석을 해야 할 때가 되었다.

의·식·주 해결은 국가가 국민복지 차원에서 지원하여야 하며, 이러한 해결방안을 찾기 위해서 국가는 물론 개인들도 치열하게 서로 경쟁하는 것이다. 선진국과 후진국은 해결방안이 준비된 나라인지 아닌지로 구분되며, 개인의 성공 여부도 의·식·주를 어떻게 하고 있는가로 평가하는 경우가 대부분이다. 주택보급률이 100%가 넘은 나라를 일반적으로 후진국에서 벗어났다는 signal로 보는 경향이 있다. 대부분 국가에서 집행하는 주택정책은 국민의 안정적인 주거생활을 보장하는 것이 목표이다. 따라서 주택보급률과 자가보급률 높이기 위한 노력을 하는 것이다. 국가 차원에서는 주택보급률이 100%가 넘으면, 1가구당 1주택의 공급이 되었으므로 국민의 주거는 해결되었다고 보는 것이다. 우리나라도 이미 2008년에 100%를 넘었다. 서울과 대도시, 그리고 지역에 따라 주택보급률은 차이가 있다.

여러 가지 요인이 있지만, 주택보급률이 100%가 되어도 자가보급률이 60% 내외인 것은, 무주택자들뿐만 아니라 다주택자들이 있기 때문이다. 보급률이 100%를 넘었다는 것은 국가 경영에 있어서는 상징적인 의미이다. 부동산을 투기의 관점이라는 시각에서 투자의 관점으로 바꿀 필요성이 생기는 것이다. 주택을 신축하였음에도 불구하고 누구도 그 주택을 구매하지 않는 현상이 발생하게 되면, 주택가격은 하락할 것이고, 대부분 빈 주택으로 남을 것이다. 빈 주택을 주변에서 쉽게 볼 수 있으므로 신규로 집을 구매하고자 하지도 않을 것이다. 더군다나 가격 하락을 전제로 부동산을 매입하는 사람은 더욱더 없을 것이다. 그런 사회가 된다면 국가 경제 System이 불안하게 될 것은 자명한 것이다.

따라서 주택을 이미 소유하였음에도 추가로 주택을 매입하는 다주택자들로 인해 주택가격이 상승하여, 무주택자들이 집을 살 기회를 뺏는 것이므로, 부동산 매입을 하는 투자자들을 투기적 행위로 단정하는 판단은, 심각한 생각의 오류에 빠질 수 있다.

아무리 공급을 늘려도 주택을 사고 싶지 않은 사람들과 살 수 없는 사람들이 있다. 주택보급률이 110% 내외인 미국에서도 임대주택 비율은 31%~37%이고, 대도시인 뉴욕은 자가 보급률이 25% 내외이다. 런던도 임대주택 비율이 60% 내외이다. 국민소득과 자가 보급률이 비례하여 늘어나는 것이 아니라는 것이다.

일자리 유동성 확대, 이동성 편리, 가족 구성원의 변화, 자가 소유에 대한 인식의 변화 등을 고려해야 한다. 경제가 발전하고 도시화가 이루어지면서 나타나는 자연스러운 현상이다. 따라서 주택보급률 100%는 가능하여도 자가 보급률 100%는 현실 세계에서는 만들 수는 없는 것이다.

주택을 소유와 임대의 관점에서도 살펴볼 필요가 있다. 임대와 임차는 상반된 입장이다. 1주택 소유자가 자신도 임차하여 살면서, 자신이 소유한 1주택을 임대할 수도 있다. 돈이 있어서 다주택자들이 된 사람들도 있다. 일부 임대인은 Cap 투자한 사람일 것이다. 임대인이 되는 이유는 주택가격 상승을 기대하거나, 현금 흐름이 금융비용보다 높기 때문이다. 주택가격이 하락하거나, 금융비용이 높아지면 손실을 보게 되므로 고스란히 금융위험으로 다가올 것이다. 아래 그림은 언론에 보도된 자료로, 지난 30년 기간의 정권별 아파트 가격의 추세를 보여주는 그림이다. 이 기간에 다주택자, 무주택자, 1주택자로 나뉜 것이다.

<그림 2-2, 정권별 아파트 가격 추이>

주택을 소유하여 임대인이 될 것인가? 주택을 빌리는 임차인이 될 것인가? 하는 문제는 금융위험을 어떻게 받아들일 것인지에 대한 개인의 선택이다. 부동산 매입 자금을 100% 자기 자금으로 충당하는 사람들도 있지만, 대부분은 금융 조달을 통해서 자금을 마련한다. 부동산 금융과 관련한 규제는 우리나라뿐만 아니라 외국에도 있다.

주요 국가의 주택담보대출비율(LTV)을 비교하여 보면 홍콩은 80%~90%, 미국은 80%, 캐나다는 90%, 일본은 80%~90%, 영국은 85% 등이다. 네덜란드는 집을 구매할 때 발생하는 각종 부대비용을 포함한 105% 지원하기도 한다. 대부분 국가에서는 주택비용의 10%~20%만 있으면 소유할 수 있는 것이다.

우리나라와는 금융 조달 시스템이 다르다. 집값이 올라가고 떨어지는 가격위험은 원칙적으로 주택 소유자가 감당하는 것이므로 선택사항으로 남겨 놓아야 한다.

지난 50여 년 동안 아파트 가격이 전체적으로 상승하였지만, 부분적으로 하락하는 시기가 늘 혼재하여 있다. 앞으로도 이러한 가격 변동은 계속될 것이다. 상승할 수도 있지만, 하락하는 모습도 나타날 것이다. 주택을 소유할 것인가? 임대하여 살 것인가? 하는 문제는 개인의 선택일 뿐이다.

12. 세금이 너무 많다.

부동산은 국가 재정에 중요한 살림원으로 기능을 하고 있다. 부동산 세금이 전체 세금에서 차지하는 비중은 점점 늘어나고 있다. 부동산 관련 세금 총액은 매년 늘어나고 있는데, 부동산 가격의 상승이 근본적 원인이다. 따라서 가격이 하락하면 세수는 줄어들 것이고, 국가 재정에 막대한 영향을 줄 것이다.

<그림 2-3, 부동산 세수 추이>

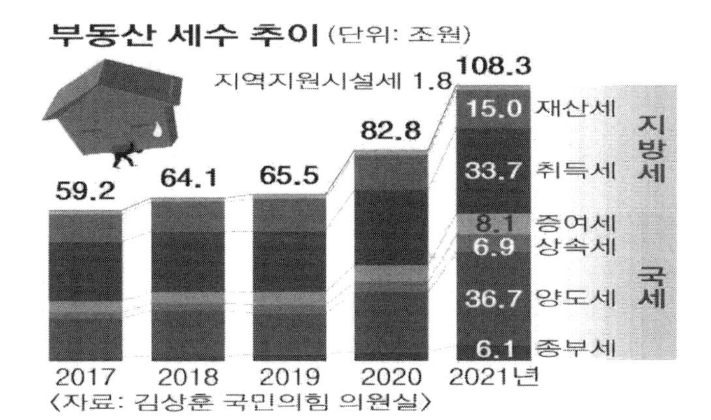

국회 예산결산특별위원회 종합정책질의에서 나온 것으로 2021년 3월에 언론에 보도된 자료이다. 부동산 관련 세금이 5년 만에

85.1% 증가하였다는 내용이다.

『2019년 언론에 보도된 자료를 보면, 부동산 거래세(취득·등록세)와 양도세, 보유세를 합친 세수가 국내총생산(GDP)에서 차지하는 비중은 한국이 3.9%로 OECD 32국 중 영국(4.3%)에 이어 2위로 집계됐다. OECD 평균(1.8%)은 물론 미국(3.8%)보다도 높고 독일(0.8%)과는 비교가 안 되게 높은 수준이다. 거래세와 양도세에는 증권 거래에서 발생하는 세금이 일부 포함되지만, 거의 대부분은 부동산 거래에서 발생한다. 우리나라는 보유세는 다소 낮지만, 거래세와 양도세는 OECD 최고 수준이다. 부동산 투기를 막고 세수를 확보하기 손쉬운 수단으로 오랫동안 부동산 관련 세금을 활용해왔기 때문이다.』

<표 2-3, 주요국 부동산 세금 비율 자료 : OECD>

	보유세	거래세	양도세	합계
한국	0.9	2.0	1.0	3.9
미국	2.7	0.1	1.0	3.8
영국	3.1	0.8	0.4	4.3
케나다	3.1	0.3	0.0	3.4
일본	1.9	0.3	0.0	2.2
프랑스	2.6	0.8	0.0	3.4
독일	0.4	0.4	0.0	0.8
OECD 평균	1.1	0.5	0.2	

다른 나라들과 비교하여 보면 부동산 관련한 세금이 우리나라가

높은 것을 알 수 있다. 대부분의 선진국에서는 보유세가 높을지라도 거래세와 양도세는 거의 없거나 낮은 수준이다.

우리나라는 보유세가 낮고, 거래세와 양도세가 다른 OECD의 어떤 국가들보다 월등히 높다. 이러한 정책을 추진하는 배경은 세금을 포기할 수 없다는 정치 권력의 시각에서 나온 것이다.

13. 투자하기로 결정, 그런데 시비 건다.

부동산 산업에서 부동산 결정 활동이라고 칭하는 것은 부동산 개발, 투자, 금융을 이야기한다. 부동산 개발이라 하는 것은 건축물이라고 하는 항구적 부가물(permanent addition)을 토지, 노동, 자본과 같은 요소를 투입 결합하여 생산하는 활동이며, 기획, 건축, 기술, 평가, 중개 등에 대한 수요를 새롭게 창출한다. 부동산 투자라는 것은 부동산을 취득(acquisition), 운영(operation), 처분(disposition)에 대한 과정(process)이다. 투자는 일반적으로 지분투자(equity investor)와 저당투자(mortgage investor)로 구분한다.

<그림 2-4, 부동산 결정 산업 분류>

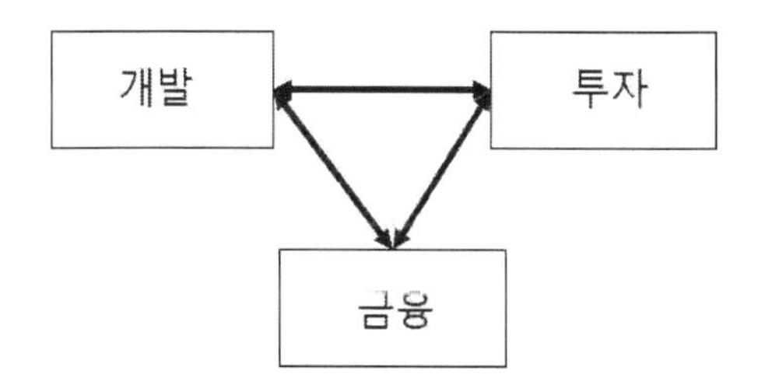

부동산 결정에 있어서 중요한 특성은 불확실성이다. 결정은 여러 사항에서 하나의 행동을 선택하는 정신적 활동이다. 개발, 투자, 금융에 대한 종합적 선택의 과정에 따라 다양한 반응이 나타나지만,

가장 중요한 특성은 반응에 대한 불확실성이다. 결정에 따른 반응이 예상하지 않았던 것이거나, 대가가 요구된다면 부동산 결정은 위험(risk)을 수반하는 것이다. 결정은 개발, 투자, 금융에 따라 개별적으로 진행되기도 하지만, 동시에 진행되는 경우도 많다. 따라서 정보와 지식에 기초한 합리적 결정이어야 한다. 개발, 투자, 금융이 선행되어 결정되면, 지원하는 업무가 후행하여 발생하는 것이다.

<그림 2-5, 부동산 지원산업 분류>

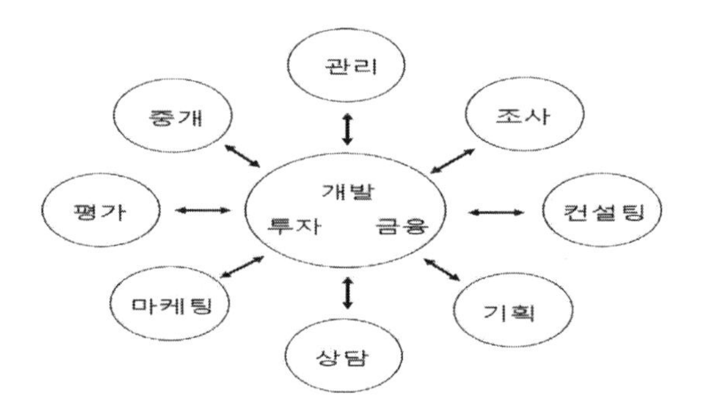

이러한 지원 업무는 부동산 중개, 마케팅, 평가, 관리, 조사, 컨설팅, 상담, 기획 등이 있다. 부동산 중개, 컨설팅, 마케팅에 대한 업무는 주로 부동산 중개사들을 중심으로 이루어지며, 일정한 수수료를 받고, 부동산을 매수할 사람을 찾아 부동산 거래 과정에서 발생하는 여러 업무를 효율적으로 처리하고자 하는 것이다. 부동산평가는 시장가치(market value)를 추계하는 전문 영역이다. 부동산개발이 부를 창출하는 결정 활동이라면, 부동산관리는 창출된 부를

유지하는 활동이다. 부동산관리자(real estate manager)는 일정한 수수료를 받고 소유자의 이익을 극대화하고자 타인의 부동산을 관리하는 전문가이다.

『연합뉴스 2015년 9월 보도자료를 보면, 2018년 동계올림픽 개최지인 평창에 불어닥친 투기 광풍을 질타하는 비판여론이 들끓었음에도 재벌가를 비롯한 부유층은 계속 땅을 보유한 것으로 나타났다. 방송인 강호동씨를 비롯한 소수 유명 스포츠인과 연예인은 따가운 시선 탓에 땅을 처분했다. 일부 유력 인사는 평창의 알짜 땅을 올해 추가로 사기도 했다. 토지 매입 시기는 강원도가 두 번째 올림픽 도전에 나서면서 땅값이 폭등하던 2005년과 2006년에 집중됐다. 그 이후 10년 동안 평창에 투기 광풍이 불었다. 부와 권력을 누리는 유력 인사들이 개발 호재에 편승해 부를 재창출하려는 고질적인 병폐가 재현된 것이다. 막대한 자본과 영향력을 지닌 부유층 등이 땅을 대거 사들인 것은 부동산 임대 수입과 매매 차익을 통한 불로소득을 노린 때문으로 분석된다. 대중 반응에 민감한 연예인, 스포츠 스타들은 '모르쇠'로 일관하는 유력 인사들과 대조를 이뤘다. 평창 땅 보유를 비난하는 목소리가 커지자 지난해와 올해 땅을 대부분 매각했다. 탈세 의혹으로 연예계를 잠정 은퇴했던 방송인 강호동씨는 2012년 2월 투기 논란을 일으킨 자신의 평창 땅 전부를 서울아산병원 사회복지재단에 기부하고서 사죄했다. 마라톤 선수 이봉주, 전 축구 국가대표 문지기 이운재 등도 평창 땅을 처분했다. 강호동씨는 "지인의 권유로 장기 투자 목적으로 땅을 샀지만, 논란이 될 수 있는 땅을 산 것 자체만으로 사려 깊지 못한 행동이라 생각한다. 그 부분에 무지했다"고 사죄했다. 지난해 평창 땅을 매각한 이운재씨는 3일 "법을 위반한 것은 아니지만, 사람들의 손가락질을 견디기 어려웠다"고 심경을 토로했다. 재벌가가 대주주인 기업 측은 개인 차원에서 구입한 땅이라 자세한 배경은 알지 못한다며 명확하게 해명하지 못하거나 땅 투기 의혹을 전면 부인했다.』

여유 자금이 있고, 동계올림픽을 앞둔 평창지역에 부동산 중개업을 하는 분의 권유로 땅을 매입할 기회가 있다. 땅을 매입할지 말지 고민하고 있다. 근데 땅을 사는 것이 사려 깊지 않은 생각이라고 생각하기는 어렵다. 투자를 결정하면서 아무런 생각 없이 하는 사람은 없을 것이다. 투기가 사회적 문제가 된다면, 투기를 막을 방법은 현실적으로 있는지 물어보아야 한다. 인류의 종말이 오지 않는 한 없다는 것이 필자의 생각이다.

14. 투자와 투기는 어떻게 다른가?

부동산을 매입하는 행위는 '투자와 투기' 둘로 구분한다. 투자라는 것은 부동산을 취득, 운영, 처분에 대한 과정(process)이다. 따라서 투기는 투자의 3단계에서 운영과정이 없이 부동산을 취득하고 처분하는 과정만 있는 것이다. 투자는 일반적으로 다음과 같은 기대효과가 있어서 하는 것이다.

<표 2-4, 투자에 대한 기대효과>

<table>
<tr><td rowspan="5">투자에 대한 기대효과</td><td>운영 수익 기대</td></tr>
<tr><td>자산 안정성 추구</td></tr>
<tr><td>자본가치 상승(인플레이션 방지 효과 기대)</td></tr>
<tr><td>leverage effect 기대(타인자본 이용)</td></tr>
<tr><td>소득세 혜택 (절세방법)</td></tr>
</table>

투기도 투자와 마찬가지로 위 표에서 나오는 5가지 기대효과를 보고 하는 것이다. 부동산에 있어서 투기에 대한 학문적 정의가 운영과정 없이 단기적인 시세차익을 기대하는 것이라면, 취득하고 처분까지의 기간이 다양하므로 보유기간에 대한 사회적 합의가 이루어져야 한다. 이러한 합의가 없이 단기간 보유하였다고 투기라고

하는 것은 심각한 오류에 빠지는 것이다. 부동산은 기본적으로 특별한 경우가 아니고는 취득하고 처분까지의 시간이 다른 재화와는 다르게 장기간이 소요된다.

<표 2-5>를 보면 부동산 투자에 대한 활동을 어떻게 조합하면 투자가 아니고 투기가 되는 것이지 명확한 기준은 없다. 따라서 투기란 투자와 구분하기 어려운 정의이다. 더군다나 유가증권이나 파생상품이 아닌 부동산에 있어서는 더욱더 그러한 것이다.

<표 2-5, 투자와 투기에 대한 기간 구분>

성격	보유기간	현금수지
투자/투기	3년	이득/손실
투자/투기	2년	이득/손실
투자/투기	1년	이득/손실
투자/투기	6개월	이득/손실
투자/투기	3개월	이득/손실

당사자가 아닌 제3자의 입장에서 받아들이는 위험성 여부나 주관적 판단에 따라 투기라고 하는 것이다. 일반적으로 투자와 투기를 <표 2-6>같이 분류한다. 이러한 분류를 보고 판단하여도 투자와 투기를 구분하는 것은 부동산 시장뿐만 아니라 주식시장에서도 파악하기는 현실적으로 불가능에 가까운 것이다.

<표 2-6> 투자와 투기에 대한 단어적 구분

투자	투기
시장가치에 대한 이성적인 판단	시장상황에 따른 감성적인 판단
합리적 무위험적 행위	극단적 모험적 행위
장기간의 가치투자	단기간의 시세변동
자기자본 이용	타인자본(leverage) 이용

투기는 부가가치 창출 없이 금전적 이득만을 노리고 호가만 올라가는 것이므로 사회에 도움이 되는 것이 아니다. 투기가 사회적 문제가 되는 것은 17세기 네델란드에서 발생한 튤립파동(Tulip Mania)을 가지고 설명을 한다. 식물 애호가들에 의해 특정 튤립의 가격이 상승하자, 사람들이 튤립을 재배하거나 아름다움에 관심을 가진 것이 아니라 가격 상승을 목적으로 시장에 진입하였다. 시간이 지나 식물 애호가들이 가격이 지나치게 상승한 튤립에 대한 구매를 포기하자 가격이 한순간에 폭락하였다. 이러한 튤립파동에 대한 사건을 통해 부동산에 대한 거품이 있는지 없는지에 대한 보조 설명을 할 수는 있어도 부동산 결정이 투자인지 투기인지 구분하기는 어려운 것이다. 과거의 이론에 파묻혀 세상이 변했다는 것을 인정하고 싶지 않은 것인지 고민해본다.

'갑'과 '을'이 같은 지역에 개발 호재가 있어 논·밭을 매입하였다. '갑'은 원래 그 지역에 살던 사람이고, '을'은 서울에 사는 사람이다. 두 사람의 논·밭 매입을 투자와 투기로 구분을 할 수 있는 것은 아니다.

『한국일보 2021년 11월 보도자료에 보면, 손 전 의원은 2017년 5월 18일 전남 목포시청 관계자에게 도시재생사업 자료를 받은 뒤, 같은 해 6월부터 2019년 1월까지 조카 등의 명의로 사업구역에 포함된 토지와 건물을 취득하고 지인과 재단에 매입하게 한 혐의로 재판에 넘겨졌다. 손 전 의원이 2017년 5월 18일 목포시장 등과 간담회를 하며 '목포시 도시재생전략계획' 자료를 받아 개발계획을 알게 됐고, 2017년 6월 15일부터 대의동 토지와 건물을 매수하는 계약을 체결했다는 점을 언급하면서 "목포시의 근대문화유산 활용이라는 순수한 목적과 함께 부동산 취득 후 시가 상승이라는 경제적 동기로 범행에 이르게 된 것"이라고 판단했다. 그러나 항소심 재판부는 손 전 의원이 재판부는 "손 전 의원이 자료를 받기 전인 그해 4월 20일 자신의 페이스북에 '목포는 감동이다'는 글을 썼고, 5월 12일에도 '목포에는 일제강점기 가옥이 많다'고 쓴 것을 보면 자료를 받기 전부터 목포 구도심 지역에 관심을 가졌다는 사실이 분명히 드러난다"고 봤다. 재판부는 그러면서 "부동산 매수 경위 등에 비춰볼 때 주된 매수 목적은 목포시 구도심 부동산을 직접 매수해 근대문화유산을 활용한 지역개발을 도모하려 했다고 보는 게 자연스럽다"며 "시세차익이 (부동산 구입의) 주된 목적으로 보이지 않는다."고 결론 내렸다.』

15. 대출 규제는 고소득자에게 유리

개발이나 투자활동에 자금을 지원하는 업무를 부동산 금융이라고 한다. 금융기관은 사업의 위험과 수익을 다른 투자에 대한 기회들과 비교하여 저당대부(money mortgage)를 결정한다. 이것은 금융기관도 저당대부의 형식을 빌려서 개발이나 투자활동에 간접적으로 참여하는 것이다. 결국 지분투자자와 별반 다르지 않다. 단지 투자 수익을 할당하는 과정에서 차이가 있는 것이다. 원리금을 받을 것인가? 아니면 사업 수익을 대가로 받을 것인가? 에 대한 차이이다. 원금과 이자는 수익은 적지만 확실히 돌려받을 가능성이 높다. 반면 사업 수익은 손해를 본다면 원금조차 보장받을 수 없는 위험이 있다.

이처럼 부동산 개발, 투자활동에 따라 이익을 얻는 정도를 수익성이라고 하는데, 이러한 수익성은 불확실성인 위험과 비례한다. 반면에 투자한 원금에 손실이 발생하지 않는 정도를 안정성이라고 하는데, 이는 수익성과 반비례 한다. 일반적으로 수익은 위험과 비례하고 안정성과 반비례한다고 하는 것이다.

부동산 담보 대출은 부동산을 담보로 금융기관에서 자금을 빌리는 것이다. 담보대출을 받는 목적은 크게 2가지이다. 부동산을 구매하기 위한 것과 부동산을 담보로 다른 용도로 사용할 자금을 융통하고자 대출을 받는 것이다.

<그림 2-6, 수익과 위험의 관계>

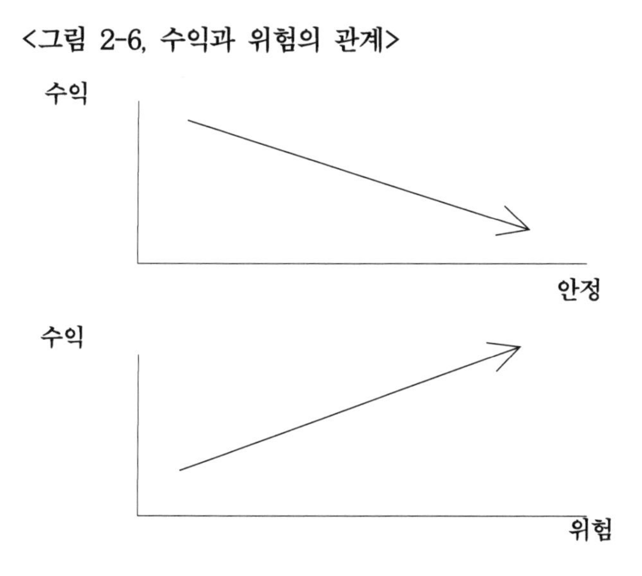

무엇이 되었든 금융기관은 기준을 정하여 손실위험을 회피하고자 한다. 기준은 주택담보대출비율(LTV:loan to value ratio), 총부채상환비율(DTI:debt to income), 총부채원리금상환비율(DSR:debt service ratio)로 판단한다.

DSR은 신용대출, 학자금 대출, 자동차 할부 등 모든 대출금액의 원리금을 가정하여 계산하므로 DTI보다 더 강력한 심사기준이 된다.

주택담보대출에 기준이 되는 것은 LTV이다. DTI 또는 DSR은 주택 담보 대출을 규제하는 다른 개념이다. 주택담보대출에 대한 금융규제를 강화하면, 돈이 있는 사람들은 은행의 문턱을 쉽게 넘을 수 있지만, 돈 없는 서민들은 규제로 인해서 대출을 받는 것이 거의 불가능하다. 따라서 부익부 빈익빈의 원인이 될 수도 있다고 볼 수도 있다. 대출 규제정책이 바람직한 정책인지 아닌지는 논란의 여지가 숨겨져 있는 것이다.

<표 2-7, LTV, DTI, DSR 구분>

구분	계산방식	목적
LTV	주택담보대출취급한도 / 주택가격	담보물 대출한도 산출
DTI	(주택담보 대출 원리금 상환액+기타대출 상환 이자액)/연간소득	대출자 상환능력 판단
DSR	(주택담보 대출 원리금 상환액+기타부채 상환 원리금)/연간소득	대출자 상화능력 판단

아파트 가격이 급등하는 원인으로 부동산담보 대출 총액이 증가하는 것으로 보고, 대출 규제를 더욱 강화하고 있다. 이러한 DTI, DSR은 담보대출과는 상관없는 인적 대출 규제이기 때문에 부동산 시장에서는 고소득자, 현금 동원력이 있는 사람들에게만 기회가 되는 것이다.

16. 내 땅이다. 내 맘이다.

【사례 ; 제주도 비양도에 있는 토지이다. 섬 트레킹을 하다가 매매에 대한 안내가 있어 전화하였다. 평당 150만 원을 요구하였다. 매입자금이 약 12억 7천만 원이다. 집을 신축하는데 약 20억 원 내외의 자금이 소요될 것으로 예상이 된다.

20억 원을 들여서 주택을 신축할 필요성이 있을까 싶다. 공사하는 동안의 정신적 스트레스와 서울에서 제주까지, 제주에서 비양도까지 이동하는 교통의 불편함을 생각하면 서울의 아파트 또는 수도권의 전원주택을 매입하는 것이 훨씬 타당해 보인다. 수익형 부동산을 지어서 수익을 창출할 수도 있지만, 사업성이 없어 보인다. 바다가 바라보이는 별장이 일차적인 접근일 터인데 아무리 생각하여도 무모해 보인다. 내가 가격 조정을 요구하여도, 매도인이 제시한 가격 아래로는 매도하지 않겠다고 하면 협상 자체가 안되는 것이다. 땅에 대한 매도 가격은 소유자가 정하는 것이다. 땅 주인이 그렇게 하겠다는데, 그 누구도 뭐라 할 수 없는 것이다.】

부동산을 영어로는 'real estate' 'real property' 'realty'로 표현한다. 이러한 표현은 부동산의 특성 중에서 부동성(immobility)에 기인하는 것이다.

이와 대칭되는 개념으로 동산을 영어로는 'personal estate' 'personal property' 'personalty'라 한다. 어원으로 보면 'real'은 'regal'의 '왕' 의미에서 나온 것이다. 따라서 부동산을 의미하는 'real property' 'real estate'은 왕의 재산을 의미하는 것이다. 반면에 동산을 의미하는 'personal estate' 'personal property'는 개인의 재산을 말한다. 이 단어적 표현이 주는 의미는 부동산을 왕이 아닌 일반 개인은 소유할 수 없었다는 것이다.

부동산이 토지와 그 정착물이라고 한다면, 정착물은 소멸 또는 파괴될 수 있지만, 토지는 그러하지 않다. 따라서 부동산의 본질은 토지이다. 인류는 채집 생활하던 수렵사회에서 정착 생활하는 농경사회로 전환되면서 생산 효율성을 알았다. 각 나라의 건국 신화를 읽어보면, 지배계급들이 권력을 합리화하는 과정에서 토지의 지배력을 높였음을 알 수 있다.

토지에 대한 인식의 변화가 생긴 것은 시민혁명을 통하여 봉건제 또는 절대군주제를 없애고 법률상 자유·평등·민주라는 의식을 개인들이 가지면서 시작하였다. 16세기와 17세기에 발생한 영국의 명예혁명(1688년), 미국의 독립혁명(1776년), 프랑스의 대혁명(1789년)을 통해서 일반인들도 토지를 소유할 수 있다라는 인식의 변화가 생기었다. 생각뿐만 아니라 실질적으로 지배계급이 아닌 일반인들이 토지를 소유하기 시작한 것은 그 시간이 더 짧다. 우리나라는 근대화 물결이 시작된 1900년이 지나서야 시작하였다고 볼 수 있다.

<표 2-8, 토지의 분류>

개념	의미
공간(space)으로서의 토지	토지는 지표의 2차원적이 아니라, 지하·공중 공간을 포함한 3차원적 개념이다.
자연으로서의 토지	토지는 일조, 강수, 바람, 토양 등 여러 가지 자연환경을 구성하고 있는 요소이다.
위치(location)로서의 토지	토지는 위치에 따라 그 가치나 토지의 이용 상태가 달라진다.
생산요소로서의 토지	토지는 자본, 노동과 더불어 3대 생산요소의 중의 하나이다.
소비재로서의 토지	토지는 인간 생활의 편의를 제공하는 최종소비재이기도 하다
자본으로서의 토지	토지는 다른 자본재와 마찬가지로 임대하거나 구매해야 하는 재화이다. 사회 전체적으로는 자본이 아닐지 모르지만 개인 또는 기업의 경우는 자본에 속한다.
재산으로서의 토지	토지는 다른 재산과 마찬가지로 사용, 수익, 처분의 대상이 되며, 토지의 소유권은 여러 가지 법적 권리의 결합체이다.

일반인들도 자유로운 결정으로 토지를 소유하게 된 현재 시점에서는 토지(land)라는 용어는 현황 또는 관점에 따라 개념을 달리

하게 되었으며, 일반적으로 <표 2-8>와 같이 7가지로 본다.

【사례 ; 주차장에 대한 부지는 국유지 또는 사유지의 땅으로 나뉘어 있는 경우가 관광지에 가보면 의외로 많다. 그 경계선은 명확하게 있지만, 주차장에는 안내표지가 달랑 하나 있을 뿐이다. 유명한 관광지인지라 하루에 수백 대의 차량이 들어오고 나간다. 관광객들이 안내표지를 보지 않는 경우가 일반적인지라, 개인의 땅으로 차가 진입하면 안내인이 주차료를 받으러 온다. 현금으로 지급한다. 관광객들은 당연한 주차료로 알겠지만, 주차장의 반은 무료 주차장이다. 몰랐으면 그러려니 하지만, 알고 나면 몹시 당황스럽다. 전국의 관광지에서 목격된다. 내 땅에 들어오는 자동차의 주차비를 받겠다는 것은 내 맘이다. 옆의 땅에서 무료 주차를 한다면, 그것은 그쪽 소유자가 정하는 것이다. 관심 밖의 일이다.】

【사례 ; 1개 층이 약 100평 정도는 규모로 입지가 좋은 바다뷰가 있는 3층의 신축 건물이다. 토지 매입비와 건축비용을 알 수는 없지만, 공실 상태로 있는 것으로 보아서는 손실이 계속 누적되고 있을 것이다. 여러 가지 이유가 있을 것이다.

전화 상담을 하여 보니 건물주가 요구하는 임대료로는 사업성이 없어 보였다. 협상하고자 하면 임대가격을 낮출 수 있을 것이지만, 간격이 너무 커서 진행하지 않았다. 언제까지 공실로 방치할 것인지 궁금하다. 누가 점포사업을 할 것인지는 더 궁금하다. 임대료 조정을 하면 얼마나 낮출 수 있는지 궁금하지만, 그것은 소유자의

마음이다.】

사람들이 살아가는 모습은 토지가 부의 기초처럼 보인다. 토지는 부의 기초가 되기도 하고, 빈곤의 기초가 되기도 한다. 토지도 부를 생산해 낼 수 있는 가능한 수많은 요소 중의 하나이다. 토지를 어떻게 효율적으로 이용할 것인지 선택에 따라 부의 기초도 되고, 빈곤의 기초가 될 수도 있는 것이다.

【사례 ; 홍성호(남, 50세)는 20대부터 농사를 짓던 선친을 모시며 살았다. 30년 가까이 아버지 옆에서 농민으로 살았다. 인건비가 올라가면서 농업인으로 사는 것이 쉬운 환경이 아닌 것을 알았다. 점점 더 어려운 상황이 되었다. 옆에 있는 토지소유자는 전원주택을 짓거나, 빌라를 지어 팔고는, 그 돈으로 사는 것을 보았다. 시대가 변화함에 따라 밭농사에 대한 전략을 수정하여 나갈 것을 선친에게 의논하지만, 밭농사에서 손을 뗀 80세 가까운 노인은 아들의 제안을 거절하였다. 아들은 변화를 모색하고자 선친에게 토지에 대한 결정권을 달라고 요구하였지만, 선친은 10년 전에 집을 증여하였으니, 아버지로서 줄 것이 없고, 밭은 자신이 죽으면 다 가져가라 한다. 자기가 죽기 전에는 절대 허락할 수 없다는 것이다. 새로운 뭔가를 하려 하지 말고, 기존방식대로 밭농사 계속할 것을 아들에게 요구하였다. 홍성호는 어이가 없었다. 손해를 보면서 밭농사를 할 수 있는 상황은 아니었다.

아버지와 함께 사는 집은 원래 아버지 명의에서 10년 전에 자신의 명의로 바꾸었지만, 건물만 명의를 바꾼 것이다. 토지에 대한 명의는 그대로 아버지 명의이다. 재산권을 행사하는 것이, 거의 불가능한 상태다. 하지만 아버지는 아들에게 집을 넘겨주었다고 생각하는 것이다.

코로나로 인해 더욱더 어려운 상황이 되자, 홍성호는 아버지와 담판을 져야 하였다. 아버지의 고집을 꺾을 수 없었다. 홍성호는 아버지 곁에서 농사를 짓던 30년 인생을 버리고, 농사밖에 모르던 50살의 아들은 베트남이민을 선택하였다. 아버지와 이별을 선택한 것이다. 아버지가 아들을 버린 것인지, 아들이 아버지를 버린 것인지 모를 일이다.】

17. 주거용 아니면 비주거용이다.

부동산을 구분할 때 가장 일반적인 분류는 주거용 부동산과 비주거용 부동산이다. 일반적으로 비주거용 부동산을 수익형 부동산으로 이야기 하지만, 주거용 부동산도 수익형 부동산으로 사용되는 경우가 있으므로 비주거용 부동산이 올바른 표현이다. 일반인들이 가장 많이 사용하는 용어는 주거용 부동산과 상업용 부동산이다. 대부분 사람이 일상생활에서 쉽게 접하고, 투자활동의 주된 대상이 주택과 상가이기 때문이다.

주거용과 비주거용으로 부동산을 구분하는 것은 토지에 대한 것이 아니라 건축물의 용도로 정의하는 것이다. 따라서 건축물 용도가 기본적으로 다른 것이라 한다면, 부동산 결정 활동에 대한 이해도 달라야 한다. 주거용 부동산과 비주거용 부동산에 대한 투자 방법이 다른 이유다. 기대하는 것들이 다르다면 다르게 전개되어야 한다.

비주거용은 수익을 근거로 하고, 주거용은 일반적으로 주거 만족도로 판단한다. 기대수익이라고 하는 것은 측정되는 숫자로 쉽게 판단할 수 있지만, 숫자가 없는 주거용은 개인의 성향에 따라 움직이는 심리적인 요소로 작용하는 것이라 판단이 어렵다.

<표 2-9, 부동산 구분>

구분	대분류	소분류
주거용	single family (단독가구)	단독주택, 다가구주택 등
	multi family (다가구)	아파트, 연립주택, 다세대주택 등
비주거용	commercial (상업용)	사무용 빌딩(임대용, 전시장 등)
		판매 시설(쇼핑몰, 근린상가. 전문상가, 할인 상가 등)
	industrial (산업용)	중공업, 경공업, 사무실, 창고
	hotel/motel (숙박용)	업무, 컨벤션, 관광, 리조트
	recreational (레저용)	골프장, 리조트, 스포츠 센터
	institution (기관)	병원, 대학, 관공서
복합	mixed use development	

자료 일부수정 : Brueggeman and Fisher, Real Estate Finance and Development, TimesMirror Higher Education Group, 1996, pp. 236~239

일반적으로 주거용은 매매 자료를 쉽게 취합할 수 있지만, 비주거용은 취합하기가 어렵다. 이러한 차이는 거래의 빈도로 나타나기도 하지만, 비주거용의 부동산에 대한 투자가 어려운 이유이다.

『서울경제신문 2016년 보도자료를 보면, 용인·김포·안산 등 수도권 일대에서 단독주택 용지로 분양된 택지에 불법 다세대주택을 짓는 일명 '쪼개기'가 기승을 부리고 있다. 허위로 작성된 설계 도면으로 공사 허가를 받은 후 10여 가구가 거주할 원룸 건물로 개조해 준공 승인도 없이 월세까지 놓고 있는 것. 당연히 지자체가 이를 적발하면 매년 과징금이 부과된다. 하지만 별 효과는 없다. 월세 수입에 향후 부동산 가격 상승분까지 계산하면, 1억 원 가까이 벌금을 낸다고 해도 그보다 몇 배 많은 수익이 보장되기 때문이다. 가구 수가 기존 주민들보다 많아지면, 역으로 민원을 넣어 그 지역 규제를 풀어 사업을 양성화시키기도 한다. 오히려 합법적인 기준에 맞춰 2층 전원주택을 지은 주민만 빌라에 둘러싸여, 손해 아닌 손해를 보는 '바보'가 됐다.』

불법적인 건축이 주거용 부동산에서 계속 발생하고 있다. 주거용 부동산이지만, 건축물의 용도를 살짝 변경하여 수익을 기대하기 때문이다. 위 보도자료는 일반적인 것이 아니지만, 신규 택지지구에 가보면 이런 건물을 어렵지 않게 볼 수 있다.

18. 세금 탈세가 가능한가?

부동산 세금은 취득할 때 취득세, 보유하고 있으면 재산세와 종합부동산세, 그리고 처분(양도)할 때 양도소득세가 발생한다. 이 외에도 부동산 보유 중에 임대료가 있다면 임대소득에 대한 소득세, 자녀에게 무상으로 증여할 때 증여세, 소유자가 사망하여 상속을 받으면 상속세가 부과된다. '소득이 있는 곳에 세금이 있다.'라는 과세에 대한 원칙은 소득이 발생하면 소득의 종류와 관계없이 누구나 동일한 세금을 내야 경제적 왜곡이 없다는 취지이다. 부동산 세금의 법령 판단 기준이 같으면, 세금 파악에 어려움이 없지만, 각각의 법령이 요구하는 조건이 조금씩 상이하다. 또한 부동산 세금에 대한 요율이 경제적 상황에 따라 수시로 바뀌기도 한다. 정책을 입안하면서 변하는 경우가 비일비재하다. 이러한 빈번한 변경으로 법령 해석에 있어서 세금 전문가들도 의견이 나뉘는 경우가 발생하고 있다. 기본적으로 법령으로 정해진 세금은 납부해야 한다. 아래 사례는 부동산 탈세에 관한 유형들로 언론에 보도된 것들이다.

아들은 수익형 부동산인 건물을 매입한 것이다. 아들이 사업체를 운영하면서 번 돈으로 건물을 취득하였다고 주장하였지만 조사하여 보니 아들이 사업체를 운영하면서 매출을 누락시킴으로 소득금액을 축소 신고한 것은 물론, 아버지로부터 일부 현금을 지원받은 것이 밝혀졌다. 아버지가 아들에게 현금을 지원한 것은 증여에 해당하는 것이다. 증여에 대한 탈세이다.

<그림 2-7, 유형1>

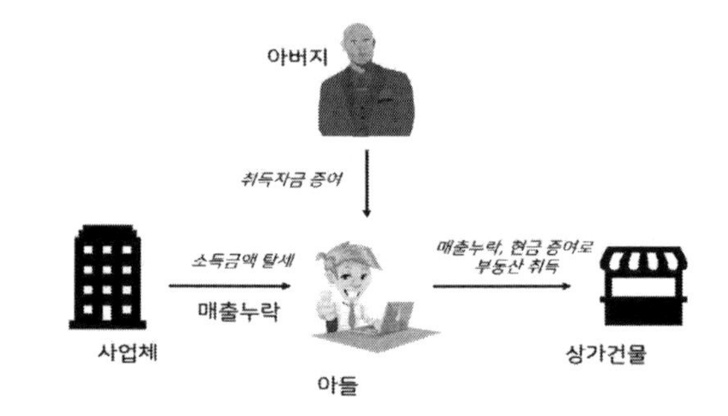

<그림 2-8, 유형2>

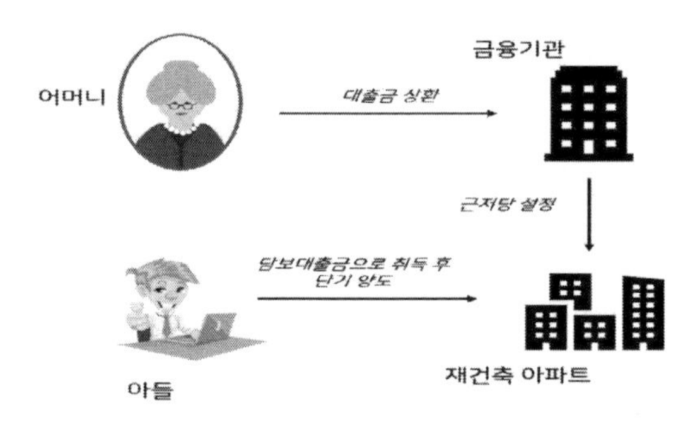

자녀가 아파트를 취득하면서 취득자금이 부족하여 자신의 명의

로 담보대출을 받았다. 그러나 대출금에 대한 상환을 어머니가 한 것이다. 자녀가 아파트를 취득하면서 직접적으로 부모에게 현금을 지원받지는 않았다. 그러나 상환에 대한 당사자인 아들을 대신하여 어머니가 금융기관에 대출금을 갚은 행위는 증여인 것이다. 취득자금을 어머니가 아들에게 주면 증여세가 발생한다는 것을 어머니는 사전에 알고 있었다. 그래서 아들에게 담보대출을 받도록 하고, 아들 대신에 대출금을 대신 상환한 것이다. 대출금 상환은 증여에 해당한 것이다. 증여에 대한 탈세이다.

<그림 2-9, 유형3>

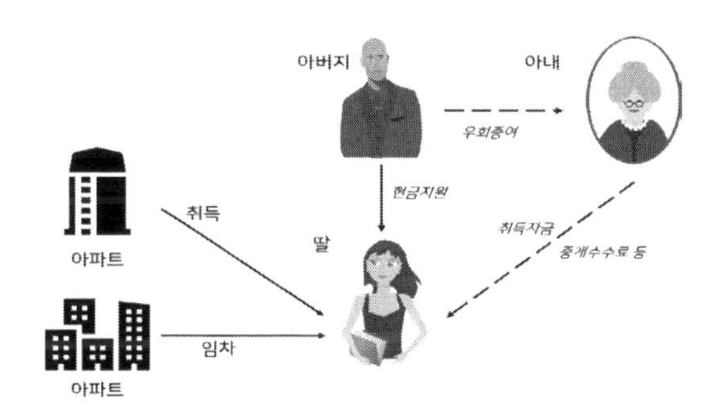

딸이 고액의 연봉을 받는 전문직에 있다. 딸이 아파트를 임대하여 살다가 아파트를 취득하게 되었다. 딸은 부모에게 도움을 받지 않아도 충분히 아파트를 취득할 자금에 대한 여력이 있었다. 통장관리는 보통 어머니가 하고 있었으므로, 딸이 아파트를 취득할 때, 어머니가 딸에게 아파트 취득자금뿐만 아니라 중개사 수수료 등을 지원하였다. 어머니로서 호의를 보낸 것이었지만, 모두 증여에 해

당하는 것이다. 증여에 대한 탈세이다.

<그림 2-10, 유형4>

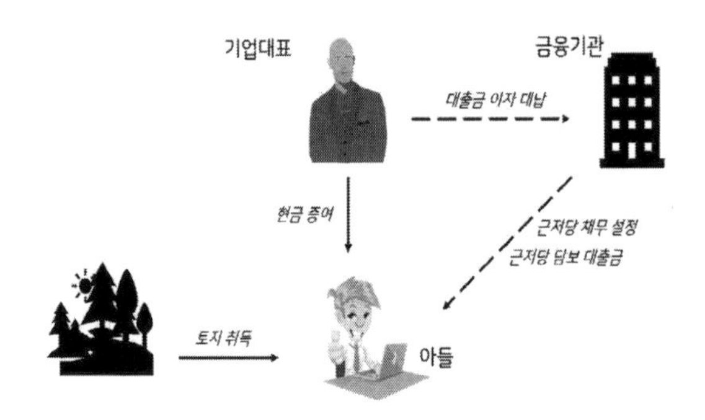

지방에서 기업체를 운영하는 아버지는 아들을 회사에 입사시키고 같이 사업체를 경영하였다. 사업으로 수익이 생기면 아들에게 일부 현금을 증여하고 세금을 납부했다. 그러다가 사업상 필요한 토지를 아들 명의로 매입하면서 담보대출을 받게 하였다. 그리고 담보대출에 대한 이자를 아버지가 대납하였다. 아버지가 금융기관에 대납한 현금은 아들에게 증여한 현금이다. 증여에 대한 탈세이다.

자녀들의 아파트 취득을 부모로서 지원하면 증여에 해당하는 것을 알고 있다. 아들하고 딸에게 강남에 있는 아파트를 사주고 싶었지만, 증여세를 피할 수 있는 방법을 찾아보았다. 그래서 남동생을 이용하여 자녀들이 삼촌에게 돈을 빌리는 것처럼 차용증을 쓰고, 아파트를 취득하게 하였다. 물론 동생에게 돈을 준 것은 아버지였다. 증여세를 피하기 위한 방법을 찾았다고 생각하였지만, 증여에 대한 탈세이다.

<그림 2-11, 유형 5>

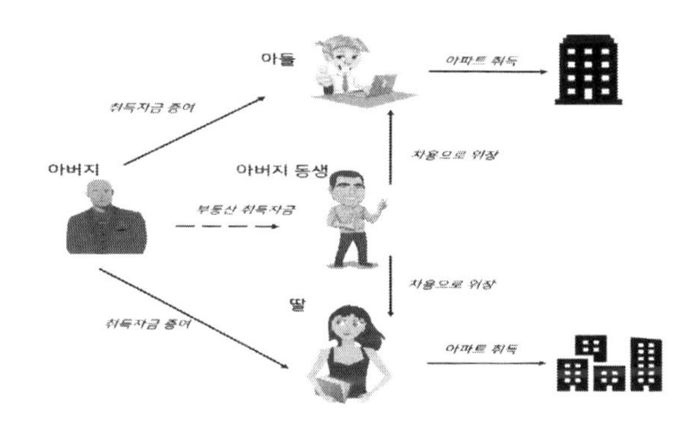

<그림 2-12, 유형6>

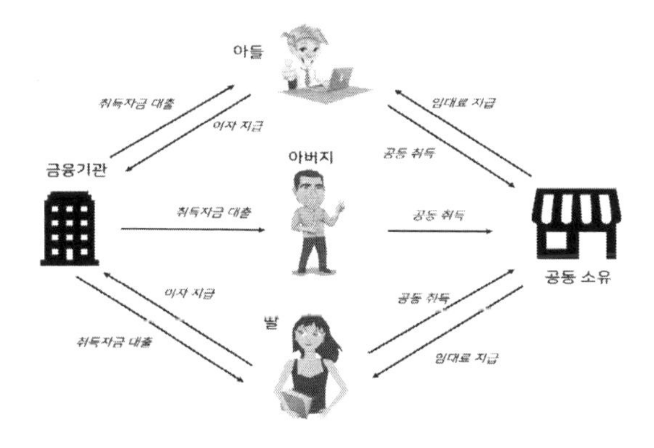

아버지는 세금 안 내고, 딸에게 재산을 증여를 할 수 있는지 고민하였고, 아들, 딸하고 공동명의로 상가를 취득하면서 대출을 받

았다. 취득비용과 담보대출에 대한 책임을 셋이서 똑같이 부담하였지만 상가로부터 매월 발생하는 임대료는 아들, 딸이 받도록 하였다. 겉으로는 증여가 아닌 것으로 위장하였고, 매월 발생하는 현금이 아들, 딸에게 흘러가도록 한 것이다. 그러나 아버지가 받아야 할 임대료를 아들, 딸이 받도록 한 것은 증여이므로 탈세이다.

위 6가지 사례에서 보듯이 대부분의 불법적인 탈세는 관계기관에 의해서 다 적발이 된다고 봐야 한다.

【사례 ; 김의경(59세, 여)은 10년 전에 불의의 사고로 배우자가 사망하였다. 고등학교를 졸업하는 외동딸이 있었고, 배우자 명의로 있던 부동산을 딸에게 넘겨주었다. 막 성년이 되었지만, 딸은 아파트를 소유하게 되었다. 4년 정도가 지나 아파트를 매도하고, 전세를 살면서 딸 이름으로 상가를 두 개 매입하였다.

딸은 모친의 명의로는 아무런 재산이 없고, 모든 재산이 자신 명의로 있음을 알고 있다. 어린 시절에는 왜 그리하였는지 이해를 할 수 없었다. 하지만 30살을 넘어서면서 어머니의 선택에 감사할 뿐이다. 점포에서 들어오는 임대료는 어머니의 용돈으로 사용하고, 생활은 본인의 월급으로 충당하고 있다.】

19. 부동산 재산권은 누구에게 있는가?

부동산의 의미로 토지라고 하는 개념에는 물에 잠기지 않은 부분인 지표(地表)를 가리킨다. 그러나 법적인 개념으로는 지하공간, 공중공간을 포함하는 것이다. 따라서 소유권을 주장할 때의 공간적 범위는 지구의 중심에서 하늘까지이다. 그러나 토지소유권의 공간적 범위는 사회적 통념이나 법에서 허용하는 범위 그리고 경제적 가치가 인정되는 한도에서 정해진다.

특정 부동산을 소유하고 있다는 것은 점유를 타인으로부터 방해를 받지 않고 배타적으로 할 수 있다는 것이다. 이러한 점유권은 소유권자가 생존하고 있을 때만 아니라 사후에도 존속되어 가는 것이다. 법적으로 하자가 없고 용도가 합법적이면 그 누구의 간섭을 받지 않고 사용(enjoy)할 수 있는 사용권이 있다. 또한 소유권자가 임의대로 부동산을 변형, 개조 등의 행위를 할 수 있으며, 소유권 전부나 일부를 타인에게 양도할 수 있는 처분권이 있는 것이다.

즉 소유권은 점유, 사용, 처분에 대한 모든 권리를 가지고 있다는 것이다. 민법 제211조에서는 "소유자는 법률의 범위 내에서 그

소유물을 사용, 수익, 처분할 권리가 있다." 규정하였다. 소유권은 물건을 직접적·배타적·전면적으로 지배하여 사용, 수익, 처분할 수 있는 사법상의 권리이다.

부동산 임대차 시장에서는 임차인의 계약갱신요구권은 사회적·경제적 약자인 임차인의 재산권과 임차인의 경제생활 안정을 보장하고자 하기 위한 제도이다. 그렇다면 부동산에 대한 소유권과 임차인의 재산권이 충돌하는 경우가 발생한다. 이러한 충돌을 예방하고 방지하기 위해서 임차인이 임대인으로부터 사용권을 가지고 올 때 임대차계약서를 쌍방 합의하여 작성하는 것이다.

부동산 소유권에 대해서는 사회적으로 통제를 많이 하고 있다. 부동산이 국민의 일상생활에서 차지하는 비중뿐만 아니라 사회, 경제적으로 그 영향력이 크다는 것이다. 또한 정부 입장에서는 부동산으로 발생하는 사회적 수익성(social return)을 현재만 아니라 미래 시점에도 극대화할 책임이 있다. 그래서 사회적 통제를 하는 것이다.

이러한 통제는 법률에 따른 공식적 통제(formal control)도 있지만, 관습, 윤리, 여론 등에 의한 비공식적 통제(informal control)도 있다. 이러한 통제의 정도는 국민적 정서가 다르므로 나라에 따라 다르게 전개되고 있으며, 일반적으로 공적 제한과 사적 제한으로 구분하고 있다.

20. 권리금이 사회적 문제가 되는 3가지 이유

【사례 ; 치킨 전문점을 하는 임차인 박홍기(58세, 남) 6개월 전에 보증금 5,000만 원, 월 임대료 250만 원, 2년 기간으로 임대차 계약서를 작성하였고, 8,000만 원을 들여서 인테리어 공사를 하였다. 장사는 2~3개월 개업 초기에 되었지만, 그뿐이었다. 6개월 지나면서 적자가 나기 시작하였다. 1년이 지나면서부터는 임대료를 주지 못했다. 임대인은 1년이 지나면서부터 임대료가 들어오지 않았음에도 계약을 해지하지 않았다.

박홍기는 누군가 점포를 인수할 사람이 있으면, 인테리러 반값 4,000만 원만 권리금으로 받고 넘겨줄 마음이 있었다. 하지만 계약기간이 9개월 남았으므로 임대인이 동의해야 한다. 임대인이 동의하지 않는 한 새로운 임차인에게 넘겨줄 방법이 없다. 이유 불문 손실을 감수하면서 계속 장사를 해야 한다.

계약종료가 6개월이 남았다. 박홍기는 중개업소에 점포를 내놓고, 새로운 임차인을 찾고자 하였다. 그러나 점포를 인수할 사람을 찾지 못하였다. 계약 종료일이 되었다. 보증금 5,000만 원에서 밀린 임대료 3,000만 원 제하고 2,000만 원 돌려받을 수 있을 것으로 생각했다. 그러나 임대인은 원상회복을 요구하였다. 박홍기는 원상회복을 위해 견적을 받아보니 4,000만 원의 공사 비용이 발생

하는 것을 알았다. 보증금을 돌려받기는커녕 추가로 2,000만 원 비용이 발생하는 것이다.】

실제 임대차 시장에서 권리금이 사회적 문제로 확대되는 경우는 3가지이다. ①임대인과 현재 임차인 ②현재임차인과 신규임차인 ③부동산업 종사자와 신규임차인의 관계유형에서 발생한다.

일반적으로 ①의 임대인과 현재 임차인하고의 문제 유형은 지방선거를 앞두고 정치인들에 의해 사회적으로 이슈로 확대되었고, 당시 각종 언론 보도자료에 언급된 그 내용의 일부는 다음과 같다. 『"갑을" 논란이 한창이던 지난해 여름 힙합그룹 리쌍의 서울 강남구 가로수길 건물이 문제가 되었다. 서윤수(37)씨가 막창집을 하고 있었다. 서씨는 이전 상인에게 권리금 2억7500만 원을 주고 들어갔다. 새 '건물주' 리쌍이 1층을 다른 용도로 쓰려고 나가달라며 명도소송을 내자 권리금을 날리게 된 서씨가 반발하며 이슈화됐다.』

②의 현재 임차인과 신규임차인 관계의 문제 유형으로 언론 보도자료에 언급된 내용을 요약하면 다음과 같다. 『일시적으로 다수의 고객을 끌어모으는 소셜커머스를 이용, 손님을 끌어 모은 후 높은 권리금을 받고 미용실을 양도한 업주가 사기 혐의로 불구속 입건됐다. 점포에 손님이 많은 것처럼 가장해 피해자로부터 높은 권리금을 받고 미용실을 양도한 ㄱ씨(39)를 사기 혐의로 불구속 입

건했다고 밝혔다. ㄱ씨는 자신이 운영하는 미용실이 적자가 계속되자 이를 양도하기로 마음먹고, 손님이 많은 것인 양 가장해 이에 속은 피해자로부터 권리금 4,300만 원을 받고 미용실을 양도한 혐의를 받고 있다.』

③의 부동사업 종사자와 신규임차인 관계의 문제 유형으로 언론 보도자료에 언급된 내용을 요약하면 다음과 같다. 『최근 부동산 중개(컨설팅)업체들이 주요 상권 내 상가의 거래를 중개하면서 권리금이나 임대료를 시세보다 높게 형성시켜 개인 창업주들에게 피해를 입히는 사례가 늘고 있는 것으로 나타났다. 업체들은 상가 건물이나 점포의 소유권, 임차권을 가진 이들을 설득해 매물을 수집하고 권리금을 부풀려 차익을 챙기고 있다. 이른바 `권리금 장사`다. 예를 들어 적정 권리금 수준이 8000만 원인 한 점포의 임차인이 매장 철수를 서두르면서 권리금 명목으로 시세보다 저렴한 7000만 원을 요구했다. 중개업체는 새 임차인에게 권리금 수준을 1억 원으로 소개하고 거래를 성사시킨다. 그 차익인 3000만 원은 수수료로 챙기거나 그 과정에 참여한 건물주 혹은 프랜차이즈 본사 직원과 나누는 식이다. 매출 하락과 높은 임대료를 견디지 못한 점포 임차인들이 거래가 빨리 이뤄지기를 바란다는 점을 노린 수법이다. 중개(컨설팅)업체들은 예비 창업자들이 해당 상권의 사정에 어둡고 창업시장에 대한 이해가 부족한 점도 악용했다. 권리금이 주변 시세보다 비싼 것이 아니라 그만큼 상권이 좋은 자리라고 과장해 계약을 부추긴다는 것이다.』

따라서 권리금이 사회적 문제가 되는 것은 다음의 3가지 과정으로 정리된다.

<표 2-10, 권리금의 분쟁유형>

당사자	권리금이 사회적 이슈로 되는 주된 내용
임대인과 현재 임차인	계약종료 등의 사유로 명도소송
현재 임차인과 신규 임차인	현재 임차인의 금전적 이득을 목적으로 한 사기 행위
부동산업 종사자와 신규 임차인	부동산업 종사자의 금전적 이득을 목적으로 한 권리금 장사

위 3가지 유형에서 상가 임대차 시장에서 가장 많은 빈도수로 발생하는 것은 부동산업 종사자와 신규임차인의 관계에서 발생하고, 현재 임차인과 신규임차인 관계가 두 번째로 많다. 언론보도에 가장 많이 등장하는 임대인과 현재 임차인의 관계에서 발생하는 권리금 문제는 실무에서 가장 적게 발생하고 있다.

따라서 권리금의 사회적 문제를 아래 <그림 2-13>에서처럼 임대인과 임차인의 문제로 접근하면 심각한 오류에 빠지게 된다. 실제 권리금의 문제는 현재와 신규임차인 관계와 부동산업 종사자와 신규임차인 관계에서 발생하는 경우가 많다. 상가 임대차시장에서 형성되고 묵인된 권리금을 선거를 의식한 정치인들이 임대인과 임차인의 갈등으로 이분화하여 사회적 이슈로 포퓰리즘 정치전략을 기획한 것이다. 권리금 문제에 있어 더 많이 발생하는 유형을 무시한 결과이다.

<그림 2-13> 권리금 당사자 관계도

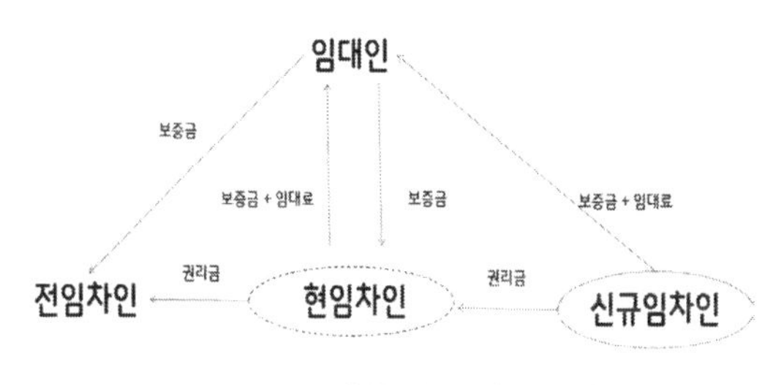

치킨 전문점을 하는 '갑'이 점포사업 운영에 실패하였고 임대차 계약의 종료 시점이 다가옴에 따라 점포를 정리하기로 하였다. 중개업소에 도움을 받아 핸드폰 판매 대리점을 하고자 하는 '을'을 소개받았다. '을'에게 권리금 명목으로 1억 원을 받는다면 '을'이 '갑'에게 건네준 권리금은 법에 명시된 영업 시설, 비품, 거래처, 신용, 영업상의 노하우, 상가 건물의 위치에 따른 영업상의 이점 중에서 어느 항목에 해당하는지 정해야 한다.

치킨 전문점과 핸드폰 판매 대리점은 같은 업종이 아니다. 폐업하는 '갑'이 '을'에게 주장할 권리금이 없음에도 '갑'이 권리금을 주장한다면 그것은 권리금이 아니라 다른 성격의 금전이다.

21. 임대차계약서의 주요 내용 3가지

임대차계약서 양식을 보면 소재지·토지·건물 등과 관련된 부동산의 표시부분과 보증금·계약금·중도금·잔금·차임 등의 계약 내용이 표기되고, 존속기간, 용도변경 및 전대등, 계약의 해지, 계약의 종료, 계약의 해제, 채무불이행과 손해배상, 기타 특약사항에 대한 문구를 작성한다.

<용도변경 및 전대 등>에 대한 문구는 '임차인은 임대인의 동의 없이는 위 부동산의 용도나 구조를 변경하거나 전대, 임차권의 양도 또는 담보제공 하지 못하며 임대차 목적 이외의 용도로 사용할 수 없다.'로 임대차계약서에 작성한다. 이 문장은 민법 629조 ①임차인은 임대인의 동의 없이 그 권리를 양도하거나 임차물을 전대하지 못한다. ②임차인이 전항의 규정에 위반한 때에는 임대인은 계약을 해지할 수 있다. 라는 법률에서 인용한 것이다.

<계약의 해지>에 대한 문구는 '임차인이 3회 이상 월세의 지급을 연체하는 경우 임대인은 본 임대차 계약을 해지할 수 있다.'로 임대차 계약서에 표기한다. 이 문장은 민법 640조 건물 기타 공작물의 임대차에는 임차인이 차임 연체액이 2기의 차임액에 달하는

때에는 임대인은 계약을 해지할 수 있다. 라는 법률에서 인용한 것이다. 주택임대차보호법에서는 민법과 마찬가지로 제6조에 2기의 차임액을 명시했다. 2015년 상가건물 임대차보호법이 개정되면서 임차인이 차임 연체액이 3기의 차임액에 달하는 때에는 임대인은 계약을 해지할 수 있다. 라고 하여 민법하고 차이를 보였고, 이를 임대차계약서에서 활용한 것이다.

<계약의 종료>에 대한 임대차계약서의 문구는 '임대차 계약이 종료된 경우 임차인은 위 부동산을 원상으로 회복하여 임대인에게 반환한다. 이런 경우 임대인은 보증금을 임차인에게 반환하고, 연체임대료 또는 손해배상금이 있을 때는 이들을 제하고 그 잔액을 반환한다.'로 표기한다. 이 문장은 민법 615조 차주가 차용물을 반환하는 때는 이를 원상에 회복하여야 한다. 이에 부속시킨 물건은 철거할 수 있다. 라는 법률에서 인용한 것이다.

<표 2-11, 임대차계약서 주된 내용>

임대차 계약서 항목	내용
용도의 변경 및 전대 등	전대 및 임차권 양도에는 임대인의 동의 필요
계약의 해지	3기의 임대료 미납시 계약해지 사유가 발생
계약의 종료	계약 종료시 원상회복을 하여할 의무가 임차인에게 발생

『보도자료에 따르면, 코로나 방역 조치의 영향으로 폐업상태에

몰린 자영업자들에게 계약 해지권을 부여함으로써 계속된 임대료 부담으로 인한 경제적 손실에서 벗어날 수 있도록 하였다.

"정부의 집합금지와 영업제한 등 신종 코로나바이러스 감염증(코로나19) 방역조치의 영향으로 폐업한 자영업자에게 상가 임대차 계약을 중도에 해지할 수 있도록 한 '상가건물 임대차보호법' 일부 개정안이 9일 국회 본회의를 통과했다. 계약 해지의 효력은 임대인이 계약 해지를 통고받은 뒤 3개월이 지난 뒤부터 발생한다. 개정안 시행 전에 폐업한 자영업자더라도 임대차 계약이 존속 중이면 계약을 해지할 수 있다. 다만 임대인이 임차인의 계약 해지권 행사가 부당하다고 여겨 소송 등을 제기하거나 분쟁조정을 신청할 경우 임차인은 코로나19 방역조치로 인해 경제 사정이 어려웠다는 점을 소명해야 한다."』

퇴직금을 받아 창업한 새로운 점포사업자라고 가정해 보자. 퇴직금은 전부 점포사업 자금으로 투입이 되었다. 코로나 사태로 임대료도 8개월 이상 미납되었다. 폐업상태에 몰린 임차인이다. 코로나로 장사가 안되어 발생한 경제적 손실도 있지만, 폐업하면 계약을 해지하고 원상회복해야 한다. 퇴직금 전부를 날리고 경제적 손실을 줄이고자 계약을 해지할 것인지, 아니면 손실은 나지만 최대한 버티면서 기회를 찾아야 하는지 선택하여야 한다.

【사례 ; 김지연(50세, 여)는 여의도에서 한우 취급하는 전문식당을 하였다. 직장인들이 많아서 맛집으로 소문이 났고, 돈을 많이

벌었다. 임대차 기간이 끝날 무렵에, 지인의 권유로 서울 근교 택지개발 지역에 있는 점포를 소개받았다. 실평수 80평 정도가 되는 식당이었다. 오픈한 지, 6개월도 되지 않은 점포였다. 모든 것이 깨끗했다. 시설 일체를 인수하는 조건으로 권리금 2억을 주었다. 임대차 계약은 5년을 작성하였다. 인수하고 얼마 지나지 않아 사업이 실패하였음을 직감하였다. 점심 장사가 전혀 되지 않았다. 방법을 찾아야 했다. 다양한 가격할인 이벤트와 지역광고를 해도 방문객이 늘어나지는 않았다. 수년 동안 여의도에서 번 돈은 이쪽의 손실을 메꾸는 상황이 되었다.

그렇게 시간이 지났고, 임대료가 밀리기 시작하였다. 최대한 버티고자 하여도 답이 없었다. 2년이 지나면서, 빚이 생기기 시작하였다. 코로나 사태가 발생하면서 장사는 최악으로 달려갔다. 변화를 모색하고자 아이템을 한우에서 설렁탕으로 바꾸었다. 비대면 사회가 되면서 다행히 배달이 늘어나면서 매출이 조금씩 회복되었지만, 직원들 급여 주고 나면, 임대료가 부담되었다.

그러는 중에 요식업에 관심이 있는 이종식(32세, 남)이 주방에 근무하게 되었다. 어느 날, 주방 및 홀 직원들하고 이야기하는 중에 이종식이 식당 사업에 관심이 있는 것을 알았다. 이종식을 설득하였다. 돈 1원도 받지 않을 터이니, 식당을 인수하라고 제안을 하였다. 임대차 계약이 8개월이 남아있는 상태였다.

김지연은 계약이 종료되면 원상회복할 돈이 없는 것을 알고 있다. 밀린 임대료와 관리비를 정산하면, 받을 보증금의 50%는 사라진다. 자칫 추가로 돈이 들어가는 상황이 만들어질 수 있는 것이다.

이종식은 권리금 하나도 없이, 식당을 그대로 인수하는 것이라 솔깃하였다. 이 정도 규모의 식당을 하고자 하면, 2억은 필요한 것이다. 그런데 돈 한 푼 안 들이고 그대로 인수하는 것이다. 임대료만 부담하면 되는 것인데, 그 정도는 자신이 있었다. 최악의 경우 자기 인건비를 안 가지고 가는 것으로 생각해버리면, 임대료도 해결될 수 있을 것 같았다. 설사 손실이 발생하여도 권리금이 하나도 없으므로 이익이라 생각하였다. 새로이 점포를 얻어서 창업한다고 하면 비용이 상당할 것이기에, 여기서 식당 사업에 대한 경험도 쌓을 겸, 인수하는 것이 좋다고 생각하였다. 식당을 인수하고 3년 뒤 2023년 12월에 보증금을 따 까먹었다. 원상회복하느라 추가로 8,000만 원이 발생하였다. 대충 계산하여도 2억 원의 손실을 본 것이다.】

3장

좋은 땅, 나쁜 땅, 결국 입지

22. 입지가 돈이다.

【사례 ; 한선우(62세, 남)은 1남 1녀의 자녀를 두고, 남해안에 있는 조선소에서 정년퇴직하였다. 아들이 정신지체아로 장애등급이 있다. 경제활동을 전혀 할 수 없는지라, 아들은 부부에게 가슴에 맺힌 슬픔이었다. 돈을 많이 벌어놓고 죽어야 한다는 강박관념이 있었다. 이러한 이유로 부동산 투자에 관심이 많았다. 부산 일대를 중심으로 부동산 투자를 하였다. 그렇게 30년 직장생활을 마치고 나니, 집이 5채가 되었다. 정년퇴직하면서 건물을 사고 싶었다. 본인의 은퇴 후 발생하는 생활비용과 아들을 보호하는데 필요한 현금흐름을 만들어야 해서, 방법을 찾기 위해 필자를 찾아왔다.

임대료가 잘 나오는 건물, 공실이 발생하지 않을 건물을 찾아야 했다. 분명한 것은, 아들이 자기보다 오래 산다는 것이다. 혼자 남은 아들이 살아갈 방법을 아버지로서 만들어 놓아야 한다는 생각이 강했다. 자기들 부부가 죽으면, 여동생인 딸이 자기 오빠를 평생 책임질 수 있을 것이란 기대는 이미 버렸다. 필자와 이야기를 나누면서 눈물을 흘린다. 아들을 위한 눈물이다.】

부동산활동에 있어서 가장 중요한 것을 한 단어로 요약 정리한다면 '입지'이다. 입지보다 더 중요한 단어가 무엇이 있을지 찾아

보아도 입지만큼 함축된 단어는 없다. 그래서 'There are three things that matter in property: location, location, location. 라는 말이 있는 것이다.

서울 강남역의 토지 100평과 경기 광주역의 토지 100평의 가치는 다르다. 이러한 차이가 발생하는 이유는 부동산의 위치에 따른 차이이고, 이것을 한 단어로 입지라 하는 것이다.

입지(location)는 위치(situation)와 부지(site)의 의미가 포함되어 있다. 위치는 경제적 특성으로 비교 부동산과의 상대적 효율로, 부지는 물리적 특성으로 비교 부동산과의 상대적 기능으로 비교한다. 따라서 좋은 입지를 선정한다고 한다면 경제적 특성이 우수한 위치를 먼저 검토하여야 하고, 물리적 특성을 살펴야 한다.

<표 3-1, 입지의 구분>

입지(location)	위치(situation)	경제적 특성
	부지(site)	물리적 특성

입지를 선택하는 기준은 경제적으로 이윤(profit)을 극대화하는 것이다. 이윤(profit)은 수입에서 비용을 차감한 것이다. 따라서 수입이 입지의 영향을 받지 않는 경우와 비용이 입지의 영향을 받지 않는 경우를 비교할 수 있다. 따라서 주거용 부동산, 상업용 부동

산, 공업용 부동산, 농업용 부동산에 적합한 입지를 선택할 때, 왜 입지 하려는지 알아야 한다.

<표 3-2, 이윤극대화에 따른 비용과 수입의 관계>

수입이 입지의 영향을 받지 않는다.	비용이 최소화되는 입지	이윤극대화 = 수입 고정 - 비용
비용이 입지의 영향을 받지 않는다.	수입이 최대화되는 입지	이윤극대화 = 수입 - 비용 고정

<표 3-3, 부동산 종류에 따른 입지 선정의 기준>

부동산 종류	입지 선정의 기준
주거용 부동산	교통, 문화, 교육 시설 등의 이용 만족도 극대화
상업용 부동산	수입 극대화
공업용 부동산	비용 최소화
농업용 부동산	생산 극대화

『매일경제 2014년 보도자료를 보면, 강남의 한국전력 본사 부지가 현대자동차 그룹으로 매각된 후에, 인근 빌딩의 증여 건수가 급증하였다고 한다. 한국전력의 삼성동 부지가 강남의 랜드마크로 조성된다는 계획이 발표되자, 향후 부동산 가격의 상승을 예상한 주변 빌딩주들이 매각보다는 자녀에게 증여하는 게 낫다고 판단한 것에 기인하는 것이다.』

서울로 인구 집중화가 이루어지면서 도시의 외곽은 점점 확장되었다. 2000년 초반과 지금의 서울 외곽은 다른 모습이다. 운정, 별내, 동탄, 판교 등 전답, 임야였던 지역이 신도시로 개발되었다. 신도시로 개발되는 지역뿐만 아니라 인근 지역의 토지가격도 점점 급속하게 상승하였다.

노무현 정부 때 세종시 개발이 본격적으로 시작되면서, 인근 지역의 토지가격은 수십 배로 가격이 급등하였고, 토지 투자에 관심이 있는 사람들이 전국에서 충남으로 몰려들었고, 세종시 인근 지역의 토지를 매매하였다. 조상 대대로 살던 지역이라 땅을 팔고 부자가 된 사람들도 있었겠지만, 발 빠르게 전동면, 장군면, 금남면, 연동면 같은 외곽지역의 토지를 사고판 투자자들도 부자가 되었다. 이들은 입지의 중요성을 알고 있었다.

지금 경기도 남양주시 왕숙지구, 하남시 교산지구, 인천 계양지구, 고양 창릉지구, 부천시 대장지구 등이 3기 신도시 지역으로 개발되고 있다. 시간이 갈수록 인근 지역의 토지가격은 상승할 것이다.

23. 부동산 가격의 차이는 왜 발생하는가?

토지의 가치는 토지로부터 생산된 재화의 가치와 투입된 비용의 차이이다.("Land value is the difference between the value of what is produced on the site and the cost of producing it there.")

생산된 제품의 시장가격(Value of finished output) = 1억 원
제품 원가(value of production) = 9,000만 원
원료비 등(raw materal etc) = 4,000만 원
인건비 등(labor etc) = 5,000만 원
판매 이윤(gross margin) = 1,000만 원
- 임대료 등 기타 비용(cost of capital) = 900만 원
- 잔여 가치(residual:available to pay land rent) = 100만 원

공장을 임대하여 사업을 하는 '갑'은 위와 같은 현금흐름이 발생하였다고 가정하면 최종적으로 '갑'이 손에 쥐는 현금은 100만 원이다. 100만 원의 수익을 창출하였다는 것을 공장의 소유주인 '홍길동'이 알았다.

홍길동은 '갑'에게 임대료를 100만 원 올리겠다고 통보하였다.

'갑'은 잔여 가치가 있으므로 기꺼이 '100만 원'을 올려 주었고 계속 사업을 지속하여 나간다. 만약에 잔여 가치가 0원인데 '홍길동'이 '갑'에게 공장 임대료를 100만 원 올리겠다고 한다면 사업 손실을 감수할 수 없으므로 '갑'은 미련 없이 사업을 정리할 것이다.

<그림 3-1, 제조업 일반 과정>

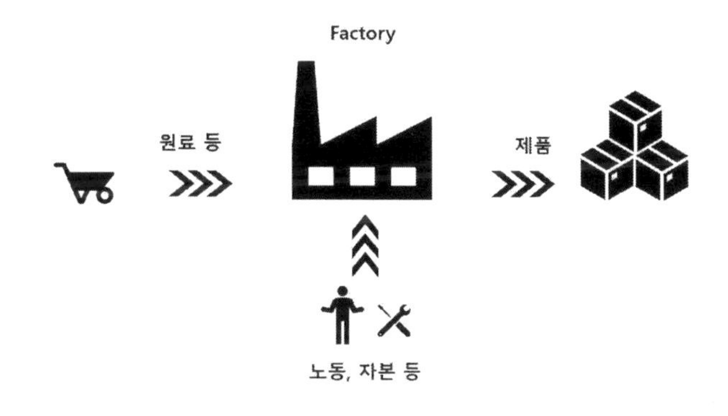

'을'이라는 또 다른 사업자가 '홍길동'을 찾아왔다. '을'은 자기가 사업을 하면 잔여 가치를 200만 원 만들 수 있으므로 '홍길동'에게 공장을 쓸 수 있도록 요구하였고, '홍길동'은 '갑' 대신에 더 많은 임대료를 주는 '을'에게 공장을 사용하도록 하였다.

부동산 사용자(임차인)가 부동산 소유자(임대인)에게 사용료를 전달하는 과정을 위의 내용처럼 설명할 수 있다. 이러한 사용료를 지대(임대료)라고 하는 것이다. 같은 부동산이라 하여도 부동산을 어떻게 활용하는가 따라서 잔여 가치의 차이가 발생할 수 있다. 따라서 잔여 가치를 최대한 만들어 내는 사용자가 그 부동산을 사용하게 되는 것이다. 높은 임대료를 지불할 수 있는 사람이 부동산을 사용한다는 것이다. 이러한 논리의 이론적 배경은 입찰지대 이론에서 나온 것이다. 입찰지대 이론으로는 다음 그림과 같이 도시지역을 설명한다.

<그림 3-2, 동심원 도시구조>

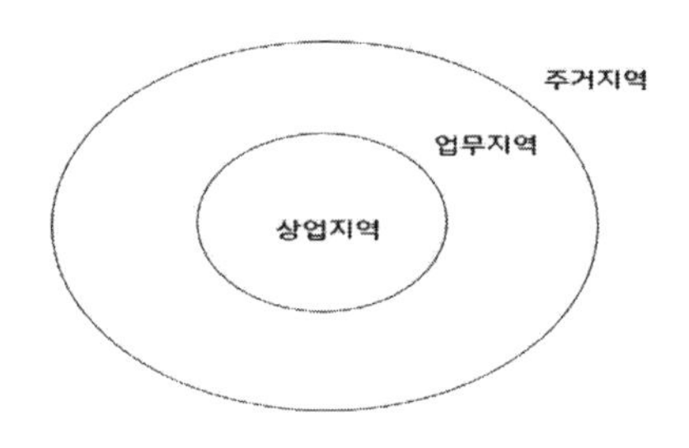

일반적으로 도시에서 토지가격이 가장 비싼 곳은 상업지역이다. 도시 중심부 또는 전철역을 중심으로 상업지역, 업무지역, 주거지역으로 구분되어 있다. 같은 지역의 토지라 하여도 기준점을 중심으로 토지의 용도와 가격이 구분되는 것은 사용료를 감당할 능력에 따라 자연스럽게 형성되는 것이다.

입지가 좋은 상업지역에 건물을 소유한 임대인 홍길동에게 임차인 '갑'과의 임대차 계약이 종료하면, 더 많은 임대료를 줄 터이니 자기하고 임대차 계약을 요구하는 '을'이 있다.

이러한 현상을 Gentrification 현상으로 이해하여 임차인 '갑'에 대한 사회적 동정이 있다. 임대인 입장은 '을'과의 계약을 포기하기 쉽지 않다. 새롭게 점포사업을 준비하는 '을' 입장에서도 성공을 위해서 꼭 하고 싶은 입지가 있다면 홍길동을 만나서 임대료 더 주겠다는 협상을 기꺼이 하고자 하는 것이다. 높은 임대료가 부담되어 실패한다면 그것은 '을'의 경영 판단에 대한 착오가 원인이 되는 것이다.

전국에서 가장 비싼 땅은 서울 중구 충무로 1가에 있는 부지로 19년째 1위를 기록하고 있다. 명동 상업지역 토지로 평당 공시가격이 2억원 내외이다. 이러한 가격이 언론에 보도되면 대부분 어이없다고 생각하지만, 그러한 가격에도 임대료를 지불하고 사업하는 사용자(임차인)들이 있다는 것이다.

신도시가 형성되면 상업지역, 업무지역, 주거지역으로 도시계획에 따라 건축물이 들어선다. 부동산 투자하는 투자자라고 하면 1순위로 검토해야 하는 지역은 가장 비싼 땅인 상업지역이 되어야 할 것임에도 불구하고, 많은 사람이 상업지역이 아닌 주거지역인 아파트 투자에 관심이 집중되어 있다. 사람들이 상업지역이 아닌, 아파트 투자에 관심을 가지는 것은 2가지 이유로 해석할 수 있다. 돈이 없이시가 첫 번쌔이고, 눌째는 위험을 회피하는 행동이다. 좋은 땅, 좋은 건물, 좋은 주택들의 가격은 높은 것이고, 그러한 지역의 부동산을 갖고 싶어 하는 것이 사람 맘이다.

24. 비싸고 싸고, 그 시작은 임대료이다.

지대(地代,rent)는 어원이 지불하다는 뜻의 라틴어 rendita에서 유래한 것이다. 가격이 올라도 단기간에 공급을 증가하는 것은 거의 불가능하다. 부동산과 같이 수요에 비교해 공급이 비탄력적인 것은 대부분 초과이윤이 발생한다. 앞의 그림에서 보았듯이 상업지역과 같은 토지는 제한적이다. 따라서 초과이윤은 비탄력적이고 유리한 입지로 인해서 생기는 것이다. 지대에 대한 정의는 아래 <표 3-4>처럼 다양하게 표현한다.

지대(임대료 또는 사용료)는 부동산의 가치를 판단하는 기준이 된다. 가격은 사고파는 것에 대한 가치를 돈으로 표현한 것이다. 어떤 부동산의 가치에 비해 가격이 낮다고 생각하게 되면 수요가 늘어난다. 반대로 생각하게 되면 사고자 하는 사람들이 줄어든다. 즉 투자자들이 늘어나고 줄어들고 하는 이유는 지대에서 찾을 수 있다.

가격에 대한 가치 판단을 하기 위해서 지대가 있어야 한다. 이 지대는 계약하면서 발생하고, 현재 시점부터 특정된 미래까지의 확보된 수익이다. 사람마다 자기들이 요구하는 투자 수익에 대한 요구 기준이 다르다. 어떤 사람에게 만족스러운 지대가 되기도 하지만, 다른 사람은 그렇지 않은 것이다.

<표 3-4, 지대의 종류와 내용>

종류	내용
경제적 지대 (economic rent)	토지의 낮은 공급탄력성으로 기인한 전용수입 이상의 초과 소득
입지 지대 (location rent)	위치에 따른 접근성 차이에 따라 비용 격차가 발생하여 나타나는 소득
입찰 지대 (bid-rent)	제일 높은 지대를 지불할 수 있는 업종이 부동산을 점유
차액 지대 (differential rent)	생산성의 차이에 의한 초과 수입이 입찰 경쟁에 따라 지주에게 귀속
독점 지대 (monopoly rent)	어떤 토지를 이용하여 소비자들의 인기를 가지고 있는 희귀농작물을 경작하여 엄청난 수익을 창출하였다면 이 가격은 독점가격이 되는 것이다. 농산물의 판매가격은 시장의 구매 욕구와 지불 능력에 따라 결정된다. 이러한 독점가격에 따른 초과이윤의 일부 또는 전부를 소유자가 가지고 가는 것이 독점지대이다.
절대 지대 (absolute rent)	지대가 0이라 하더라도 지주는 그 땅을 놀릴지언정 무료로 임대하지 않는다. 이처럼 최악의 토지라도 임대할 때 지불해야 하는 것을 절대지대라 한다. 토지소유권 때문에 발생하는 기본적인 지대라 할 수 있다.

이를 다음과 같은 식으로 정리한다.

가격(가치) = 지대/자본환원율

자본환원율은 토지를 매입하면서 발생하는 미래 시점의 지대를 현재 시점으로 가지고 오는 할인율이다.

대부분 현대인은 대학 졸업하고 열심히 사회생활을 한다. 더 많은 월급을 받고자 노력하고, 명함을 바꾸어 가면서 몸값을 올리고자 한다. 본인이 능력을 극대화하여 더 좋은 기업체에 이력서를 내밀지만, 기업체에서는 대부분 관심이 없다. 현대인들이 하루하루 바쁘게 살고 있지만, 들어오는 수입은 늘 기대 이하이다. 이런 일은 앞에 언급한 지대 이론으로 설명할 수가 있는 것이다. 본인의 능력(지대)이 다른 사람보다 월등히 높지 않다는 것이다.

보통 사람이 평생 벌어도 못 버는 200억 원이란 돈을 손흥민 축구선수는 1년에 번다. 이유는 하나다. 세계에서 공을 제일 잘 차는 사람이기 때문이다. 그리고 그 사람을 쓰고자 하는 다른 누군가는 200억(지대) 원을 기꺼이 주는 것이다.

부동산을 사고파는 행위는 살아가면서 어쩌다 한번 하는 것이 일반적이다. 어떤 사람은 부동산을 사고판 경험이 평생에 걸쳐 없을 수도 있다. 그리고 부동산을 사고팔았던 경험이 있다면 대부분 아파트이다. 그것도 살면서 한두 번 정도이다. 비주거용 부동산을 사고파는 경험이 있는 사람은 극소수이다. 상업용 건물(빌딩)을 사고판 경험은 더 극소수이다.

당신이 집 밖으로 나와보면 수많은 부동산을 볼 수 있다. 투자할 만한 매물을 인터넷으로 검색하면 수많은 부동산이 새로운 임자를 기다리고 있다. 특정 가격으로 부동산을 팔고자 하는 사람들과 사고자 하는 사람들이 있다. 이러한 부동산에 대한 모든 투자가 좋은 것이 아님에도 불구하고 매물로 올라온 부동산은 투자가치가 있다고 판단한 사람들이 사는 것이다.

제대로 된 부동산투자는 당신과 당신 가족 모두가 인생을 편안하게 살 수 있는 밑거름이 되지만, 실패하는 경우 인생 자체가 망가지고 가족이 해체되는 모습을 주위에서 많이 본다. 부동산투자에 있어서 많은 사람이 실패하는 근본적인 이유가 무엇인지 고민해보면 인생과 비슷한 점을 발견한다.

25. 불로소득이 발생하는 이유는 무엇인가?

【사례 ; 강형근(58세, 남)은 결혼 전까지 돈암동에서 살았다. 1993년 결혼을 하고, 1억이 조금 넘는 가격으로 분당 신도시에 신혼집을 마련하였다. 주택자금은 은행에 있다가 정년퇴직한 아버지의 도움을 받았다. 근무하는 제일모직이 강남지역에 있었고, 분당에서 출·퇴근을 했다. 결혼하고 두어 달 뒤에 결혼 기념 '집들이' 하였다. 친구 대부분은 미아리 고개가 있는 돈암동, 길음동 일대에 살고 있었다. 분당까지 오는데 교통도 불편하고 너무 멀었다면서 친구들 불만이 많았다. 강남까지 출퇴근하는데, 불편하지 않냐면서 걱정한다. 그 돈으로 강북에 아파트나 사지, 뭐하러 분당까지 왔냐고 한다.

그렇게 30년이 지났다. 분당에서 이사를 두 번 하였다. 2022년 퇴직을 한 강현우는 분당 아파트를 팔고, 결혼 전까지 살았던 강북으로 이사를 하였다. 어릴 적에 살던 동네는 재개발되어 길음뉴타운 아파트로 바뀌었다. 그곳에서 30년 동안 사는 친구들하고 옛날 이야기한다. 분당에서 30년 산 것은 정말 운이 좋았다는 생각이다. 친구와 자기는 아파트 한 채를 가지고 있었지만, 자산 규모가 다른 것이다.】

일반적으로 토지는 비옥도에 따라 생산성이 다르다. 이것을 설명하는 표는 다음과 같다. 같은 노동력과 비용을 투입하여도 산출되는 생산량은 토지에 따라 다르다는 것이다. 벼농사를 경작할 수 있는 토지가 A. B. C. D가 있으며 각각의 토지에서 생산되는 쌀은 1,000kg, 800kg, 600kg, 400kg이다. 투입된 비용에 대비하여 생산되는 양이 다르므로 kg당 생산비용이 다르다.

시장에서 수요가 1,000kg의 쌀이 필요하다고 하면, B, C, D의 토지는 벼농사에 대한 필요성이 없어 개발할 여지가 없는 것이다.

<표 3-5, 곡물과 시장가격>

	A 등급	B 등급	C 등급	D 등급
투입비용	100만원	100만원	100만원	100만원
생산량	1,000kg	800kg	600kg	400kg
단위생산비용	1,000원	1,250원	1,667원	2,500원
시장수요				
1000kg	0			
1800kg	*1,000 x 250*	0		
2400kg	*1,000 x 667*	*800 x 417*	0	
2800kg	*1,000 x 1,500*	*800 x 1250*	*600 x 833*	0

B의 토지에서 벼농사를 위해 개발하면 생산비용이 1,250원이고 시장가격이 1,000원이므로 사업손실이 발생한다. 쌀에 대한 시장의 수요가 증가하여 1,800kg이 필요하게 되었다고 한다면, 시장가격

은 자연스럽게 1,250원으로 상승하였다. 따라서 사업손실이 없게 된 B등급의 토지가 개발되어 벼농사를 짓게 되는 것이다. 시장가격이 1,250원이 되었으므로 A등급 토지에서 농사짓던 사람은 kg당 250원의 추가 소득을 얻게 된다. 이런 식으로 시장수요가 늘어남에 따라 B. C. D 등급의 토지가 순차적으로 벼농사 지역으로 바뀌어 가는 것이며, A지역에서는 지대가 늘어나고, 지대가 늘어남에 따라 토지가격의 상승이 발생하는 것이다. A라는 지역이 극히 제한적이라고 하면 토지가격의 상승은 더 가파르게 상승할 것이다.

인구가 증가하여 비옥도가 낮은 토지가 경작되어 감에 따라 지대는 계속 상승함에 따라 지가는 상승하게 된다. 부동산 소유자는 자연스럽게 부를 축적한다. 소유자의 노력 없이 지대나 지가의 상승이 발생하였으므로 불로소득[4]이라고 하는 것이다.

이를 현재 시점으로 바꾸어 보면 서울이라는 도시에 인구가 증가함에 따라 도시가 점점 외곽으로 확장되어 간다. 서울이라는 도시가 강남으로 확장되고 분당, 일산, 중동, 산본. 용인, 판교 등으로 주변 신도시로 연결 확장되어 감에 따라 서울에 있던 상업지역, 주거지역, 업무지역 등의 부동산 가격이 상승하게 되며, 도시에 살던 원래의 토지소유자는 자연스럽게 부를 축적하게 된다. 이렇게 증가한 부동산 자산을 불로소득으로 보는 것이다.

---

4) 불로소득의 개념을 지대 이론에서 찾는 근거

서울로 인구가 모여 강남개발이 되었고, 서울의 외곽이 점점 커지게 되었다. 서울 도심의 부동산이 가격이 상승하는 것과 같이, 순차적으로 서울 외곽의 부동산 가격도 상승하였다. 이러한 가격상승 여파는 수도권으로 확장되었다. 인구는 서울과 외곽도시로 점점 모여들었다. 전철과 도로 시설의 확장에 따라 나중에는 경기도 전체로 부동산 가격의 상승이 이루어졌다. 이러한 모습은 서울만 아니라 전국적으로 일어났다. 부산, 인천 등 외에도 5개 광역시, 혁신도시, 지방의 주요 도시에서 비슷한 모습으로 가격 상승이 발생하였다.

인구가 모이고 늘어나는 지역은 거의 100% 부동산 가격 상승이 일어난다. 가격이 더 빨리 급격한 상승을 보이는 지역과 완만한 상승을 보이는 지역으로 구분되는 것이지, 불로소득은 강남에 사는 또는 서울에 사는 일부 부자들에게만 해당한 되는 것이 아니다. 아파트, 상가, 건물, 토지 등 부동산을 소유하고 있는 모든 국민의 자산 소득을 증가시켰다. 이러한 가격의 상승으로 대한민국의 국부(國富)도 증가하였다.

부동산에 대한 불로소득이 나쁘다고 비난을 하는 사람들이 있다. 행여 타인의 부동산 가격 상승이 본인이 가지고 있는 부동산보다 더 많이 상승하여 배가 아픈 것일 수 있다. 아니면 부동산투자에 관심이 없이 살다가 남들이 부동산투자로 자산을 일구는 것에 대한 질투심일 수 있다.

정치인들은 부동산 가격 상승을 불로소득이라고 하면서 세금을 강화하겠다고 한다. 대부분 부동산으로 불로소득을 이루고 있는 계층은 정치인들을 포함하여 사회, 문화, 교육, 기업 등등 곳곳에 있는 사회 지도층이다. 일반적으로 성공하였다고 하는 사람들이다. 그들은 최고급 주택과 아파트에 거주하며, 많은 부동산으로 소득을 창출하는 사람들이다. 그러면서 부동산으로 자산을 증식하는 것이 나쁜 것이라고 규정하는 것 자체가 모순에 빠지는 것이다.

서민들은 돈이 없어서 부동산을 살 여윳돈도 없고, 개발에 대한 정보도 없고, 금융규제로 돈을 조달할 방법도 없다.

부동산으로 이루는 불로소득이 없앨 방법은 있는지 고민해봐야 한다. 부동산으로 인한 개발소득을 국가에서 가지고 가면 해결된다는 주장이 있다. 그렇다면 부동산 시장은 거래가 없어 붕괴할 가능성이 있다. 더 큰 사회적 혼란이 야기 될 것이다.

26. 부동산 계급사회는 원래 있었다.

주택 계급(Housing Class)이론은 1967년 미국의 사회학자 존 렉스(John Rex)와 로버트 무어(Robert Moore)가 출판한 'Race, Community & Conflict'에서 처음 사용하였다. 현재 사는 주택의 소유 여부와 지역이 한 사람의 사회적 계급을 규정하는 구성요소가 되어 사회계층을 나눌 수 있다는 이론으로 ①주택 전체를 완전히 소유하는 사람 ②저당 있는(mortgaged) 주택의 소유자 ③공공주택 임차자 ④개인주택 전체 임차자 ⑤대부로 주택을 구입하고 방을 세 놓은 소유자 ⑥셋방으로 사는 거주자로 하여 6계급으로 구분하였다.

인터넷에 매년 새롭게 발표되어 떠도는 우리나라 부동산계급은 <표 3-6>과 같으며, 부동산 가격을 기준으로 분류하였다. 부동산 가격의 변화에 따라 지역에 변동이 있다.

2020년을 전후하여 젊은 세대들은 부모로부터 물려받은 자산이 '사회적 계급'을 결정한다는 '수저론'을 만들었다. 부모 자산의 보유 정도와 구성에 따라 금수저, 은수저, 동수저, 흙수저의 4단계로 구분하고 있으며, 위에 언급한 '주택 계급론'과 함께 기존 사회를 풍자하고 있다.

<표 3-6, 부동산계급 구분>

계급	지역
왕족	강남, 서초, 한남
영의정	여의도, 동부이촌, 잠실, 성수, 과천
양반	용산, 송파구, 목동, 판교, 둔촌, 성동구
첨지	강동구, 동작구, 광진구, 중구, 종로, 분당구
거상	서대문구, 성북구, 영등포구, 해운대구
농민	양천구, 노원구, 강서구, 광교, 광명시
평민	강북구, 관악구, 도봉구, 동탄, 평촌, 수지
백정	중랑구, 금천구, 송도, 구리
망나니	일산, 기흥, 김포, 세종, 기타 도시

<표 3-7, 자산에 따른 수저 구분>

수저 구분	내용
금 수저	자산 20억원, 또는 가구 연 수입 20,000만원
은 수저	자산 10억원, 또는 가구 연 수입 8,000만원
동 수저	자산 5억원, 또는 가구 연 수입 5,500만원
흙 수저	자산 5천만원 미만, 또는 가구 연 수입 2,000만원 미만

부동산은 인류가 살아가는데 필수재이며, 예전부터 현대사회에 이르기까지 사회의 계급에 따라 부동산 소유 여부가 정해져 왔다. 계급에 따라 부동산 소유 여부가 결정된 것인지, 또는 부동산 소유에 따라 계급이 결정된 것인지는 논란의 여지가 있지만, 부동산 소

유와 계급사회는 뗄 수 없는 관계로 인류가 발전해 왔다.

어떤 직업에 있던지 그 분야에서 성공하여 큰돈을 벌었다고 하면 어김없이 건물을 사던지, 강남지역으로 이사 간다. 건물주 또는 강남에 거주한다는 것은 현재 사회에서 성공을 이야기하는 상징적인 행위이다. 현금을 가지고 있는 부자들도 많지만, 대부분 부자는 현금을 가지고 있기보다는 부동산 소유를 더 선호하고 있다. 현금을 가지고 있어 보았자 시간이 흐르면서 현금 가치가 떨어지기 때문이다.

각종 부동산 정책은 '부동산을 가진 자'와 '가지지 못한 자'로 분류하였고, '많이 가진 자'와 '하나 가진 자'로 구분하였다. 부동산을 가진 자들에게 불이익을 주겠다고 만들어지는 각종 정치적·법적 규제는 이러한 계급을 더 심화시켰다.

시간이 지나면 지날수록 이러한 부동산계급 사회가 더 가파르게 만들어질 가능성이 있다. 계층 간의 이동은 점점 더 어려워질 것이다. 미래의 모습을 그린 영화를 보면, 부동산으로 인한 부익부 빈익빈이 더 심한 모습이 묘사되어있다.

사람은 공간에서 살아야 하고, 공간은 부동산이다. MZ세대들은 공간에 대한 사용가치를 더 중요하게 생각하는 세대이다. 그 가치를 누군가는 재산권으로 가지고 있다.

대기업을 다니는 사람과 그렇지 못한 사람, 전문직에 있는 사람과 그렇지 않은 사람, 사업을 하여 사업소득이 있는 사람과 근로소득자로 사는 사람 등등으로 구분하여 보면 다들 열심히 살았지만 명함의 차이로 인하여 평생 벌어들이는 금액의 차이는 크다. 부동산이 아닌 다른 요인으로 경제적 수입의 차이가 발생하고, 신분의 차이가 은연중에 나타나 사회적 계층으로 구분되는 것은 우리 주변에 흔히 볼 수 있는 것이다.

안정적인 직장에서 큰 걱정이 없이 살아가는 고소득을 가진 사람들과 과거에 부동산으로 자산을 이룬 기성세대들은 앞으로도 충분히 잘 살 것이다. 그럼 지금 그렇지 못한 사람들이 부동산으로 불로소득을 창출하고자 하는 행태를 잘 사는 그들이 비난할 수는 없다.

부동산 계급사회를 없앨 방법은 없다고 본다. 이상적인 사회로 소설에서나 볼 수 있는 사회인 것이다. 톨스토이의 '부활'이라는 소설에서 토지를 공동소유로 하는 것은 소설이라서 가능한 것이다. 그러한 모습이 발전하여 러시아 혁명으로 이어져, 사회주의 국가가 나타났다. 하지만 불로소득이 없어졌다는 이야기는 들어보지 못하였다. 부동산 계급사회가 인류가 사는 동안 없어질 수 없다. 미래에서는 더 심할 것이다. 부의 시작점으로 대체 할 수 있는 다른 어떤 것이 나타날 수도 있을 것이다. 하지만 현재를 살아가는 우리로서는 예측 불가이다. 그렇다면 부동산이 답이다.

27. 도시들은 어떻게 만들어지는 것인가?

【사례 ; 정이현(60대 중반, 남성)은 경기도 여주에서 태어나, 평생을 살아왔다. 일제강점기 시절, 면서기를 하였던 할아버지 그리고 외 아들이었던 아버지 덕분에 형제 7명은 많은 부동산을 상속받을 수 있었다. 30년 전에 다른 형제들은 상속받은 여주의 토지와 집, 기타 부동산을 전부 팔고 서울과 부산으로 이주하여 살았지만, 정이현은 고향을 떠나지 않고 양계장을 하였다. 아들과 딸을 키우고 서울에서 대학을 졸업시켰다.

세월이 흘러 여주와 이천 일대의 고속도로가 더 확장되었고, 교통망이 좋아졌다. 2022년 어느 날 물류센터가 필요한 기업에서 찾아왔다. 양계장을 100억 원에 팔라는 제안을 받았다. 어떤 선택을 할 것인지 고민하면서 필자에게 전화하였다.】

도시가 상업지역, 업무(공업)지역, 주거지역으로 형성되어가는 과정은 크게 임대료 지불 능력에 따른 경제적 요인, 자연 발생적으로 변화에 적응하는 생태학적 요인, 공공기관의 도시계획에 따른 공공 복지적 요인의 3가지 요인으로 본다.

위 3가지 요인은 서로 복합적으로 작용하여 도시가 발전한다.

청계천, 합정동, 익선동, 연남동, 송파동 등등 서울 곳곳에 주거단지가 상업지역 또는 업무지역으로 바뀌어 가는 것을 볼 수 있으며 이러한 것은 경제학적·생태학적 요인이 근거하는 것이다. 서울 근교의 신규 택지들은 공공 복지적 요인에 따라 도시의 외연이 확장되는 것이다.

도심의 심장부에 해당하는 곳으로 지역은 한정되어 좁은 공간을 점유한다. 금융, 상업, 업무, 문화, 교통 등의 비업무지역으로 특화된 입지로 도시의 중추 관리 기능으로 집중된 곳을 중심업무지구(CBD:Central Business District)라 한다.

도시로 인구가 집중되면서 모든 기능이 하나의 중심핵에 집중할 수 없으므로 신도시 개발, 교통수단의 발달, 주택 부족, 소득 차이 등으로 인하여 도시구조가 다핵화되어가는 다핵심 구조와 대도시권 모형이 현대의 도시형성과정을 잘 설명 해주고 있다.

합정동, 익선동, 북촌, 경의선 숲길 등의 지역에 다양한 카페와 공방, 음식점 등이 들어서면서 핫한 공간으로 바뀌어 사람들에게 인기 있는 지역이 되었다. 주거용 건축물을 개조하여 상업시설로 바꾸었고 부동산의 가치는 급상승하고 있다. 그 누구도 관심을 가지지 않은 지역이 시대가 변화함에 따라 용도가 변해가는 중이다. 서울 수도권의 임야였던 곳이 대형화된 기업형 빵 공장들과 카페로 개발되어 많은 사람이 방문하고 있다. 예전 같으면 거리가 멀다는 이유로 개발할 생각을 하지 못한 지역이었다.

서울의 생활권은 인천, 의정부, 수원, 안양, 구리, 일산, 김포, 용인, 수지, 기흥, 파주, 이천, 남양주 등이고, 주말 또는 계절적인 생활공간은 강원도, 충청도로 확장되었다.

이렇게 도시가 확장되는 것은 교통시설이 점점 발달하면서 자연스럽게 외곽으로 연결되는 것이다. 교통의 발달로 서울의 상업, 업무, 금융 등이 더 집중되어 지방의 부동산의 가치가 떨어질 수 있다고 보는 전망이 있고, 반대로 서울에 살던 사람들이 신도시로 이주함에 따라 서울 외곽의 부동산의 가치가 상승한다고 보는 전망도 있다.

지난 수십 년 동안 서울로 사람들이 몰려들었다. 서울의 부동산 가치는 계속 상승하였다. 그 이유는 지방에 있던 사람들이 계속 일자리를 찾아 이주했기 때문이다.

초고령화 사회가 되면 금융, 업무, 의료, 문화 등이 서울에 집중되어 있으므로 나이를 먹어 늙은이가 되면 서울에 살아야 한다고 한다. 이 말이 맞는 것인가? 맞는 말일 수도 있지만, 아닐 수도 있는 것이다.

이러한 주장은 4차 혁명으로 들어가는 사회를 잘 못 이해하고 있을 수 있으므로 단정하기 어렵다. 비대면 사회, AI 사회, 비노동 사회는 탈도시화가 진행될 수도 있기 때문이다. 우리는 살면서 부딪히는 많은 것이 당연할 것으로 생각하지만, 그렇지 않다는 것을 수없이 본다. 아직 어떻게 될지 아무도 예측할 수 없는 것이다. 은퇴하고 지방으로 가는 Baby-boomer 들도 많다.

【사례 ; 박철민(60대 중반, 남성)은 연세대를 졸업하고, 공기업의 직원으로 근무 중에 1998년 IMF 사태를 맞이했다. 구조 조정 속에 선배들이 옷 벗는 것을 보았고, 근로소득의 한계를 알고는 바로 직장을 그만두었다. 그의 자발적 퇴직에 대해서 주위 사람들은 수군대며 잘못된 선택으로 질타를 했다.

스티커 사진관, 맥주 전문점, 식당을 하였지만 망하였다. 계속된 실패를 통해서 입지의 중요성을 배웠다. 버스 정류장이 있는 청량리 로터리에 있는 건물 1층 상가를 권리금 1억5천만 원 주고 계약하였다. 임대료도 높았지만, 바로 앞에 버스 정류장이 있어 입지가 좋았다. 의류 판매점 사업을 하였다. 1년도 지나지 않아 이명박이 서울 시장이 되었고, 버스 정류장이 없어졌다. 버스전용차선 제도가 생긴 것이다. 권리금을 1억 5천만 원인데, 버스 정류장이 사라진다는 것은 단 한 번도 생각하지 않았던 변수다. 또 망했다. 그렇게 도전 하고 망하고 하면서 사업에 대한 감각을 익히고 부동산 입지의 중요성을 몸으로 터득하면서 배웠다.

업종에 대한 수많은 고민 끝에 화장품 사업을 해보자고 결심했다. 3호선 ㅇㅇ역 앞에 15평 내외의 상가1을 계약하였다. 젊은이들이 많은 로데오 거리라서 장사가 잘되었다.

어느 날 상가1하고 30m 정도 떨어진 상가2가 공실로 나왔고, 건물주를 만나 임대차 계약을 하였다. 상가1하고는 다른 화장품 브랜드로 장사하였다. 상가3이 또 공실로 나왔다. 이번에도 계약하였고, 기존 두 개와 다른 화장품 브랜드로 매장을 열었다. 그렇게 상가4, 상가5, 상가6까지 점포를 늘여 나갔다. 결국 OO역의 로데오 거리에 있는 화장품 점포 6개는 전부 박철민씨의 점포가 되었다. 점포사업은 성공을 하였고 돈을 벌었다.

돈을 벌자 건물을 사고 싶은 마음이 생기었다. 임차인이 아니라 임대인이 되고 싶었다. 건물주가 되는 계획을 세우면서 30억 원의 현금을 들고 투자할 곳을 찾아다니다가 필자를 찾아왔다.

호주로 부부가 단기 어학연수를 받으러 갔다. 프랑스에 부부가 여행을 갔다가 박물관을 갔는데 영어가 잘 안 들려서 자존심에 상처받았다고 한다. 3개월 예정으로 어학연수를 핑계로 놀러 간 것이다. 3개월 놀다가 와도 통장에 돈이 더 쌓여 있는 구조가 되었다.】

부자의 기준은 무엇인가? 부자가 아닌 우리는 정기적인 계획에 따라 소비행위를 한다. 그것도 아끼어야 한다. 정기적인 소비행위가 아니라, 갑자기 자존심 상했다는 이유로 외국 생활 3개월을 즉흥적으로 부부가 한다. 비정기적 소비행위이다. 그렇게 돈을 쓰고 와도, 점포사업과 건물에서 받는 임대료로 인해 현금이 더 생긴다. 소비와 관계없이 수입이 더 많아지는 시스템이다. 여기까지 오기 위해 수많은 갈등과 절망, 그리고 위험이 있었지만 모든 것을 극복하고 부자가 되었다. 40대 초반에 공공기업을 그만두고 도전한 선택은 그의 삶을 바꾸어 놓은 것이다.

부동산 투자가 모두 성공하는 것이 아니다. 실패하여 삶이 비참해지는 경우도 비일비재하다. 부동산 투자가 어려운 이유 중의 하나이다. 박철민의 첫 번째 성공은 건물주가 아닌 임차인으로 성공한 것이다. 서울이 확장되면서 신도시가 생기고, 신도시와 서울이 연결되는 역에는 비교적 젊은 세대들이 많이 있다는 것을 파악한 것이다. 그리고 그 지역에서 화장품이라는 점포 사업을 통해서 돈을 번 것이다. 이것도 실패를 통해서 배운 경험이 있었기에 가능하였다.

부동산은 임대인과 임차인이 늘 부딪힌다. 임대인이 아니라면 임차인으로 부동산을 잘 활용하여 돈을 버는 방법도 있는 것이다. 점포사업으로 돈을 버는 임차인들은 임대인을 우습게 보는 경우도 의외로 많다. 부동산을 매입하느라 들어간 자금으로 차라리 임차하여 사업을 하는 것이 더 지혜로운 선택이라는 것이다.

예를 들어 OO 지역의 3층에 30평 하는 상가를 5억 원에 매입하였다고 하자. "갑"은 구매비용 중에서 2억 원은 은행 대출을 받았다. 그리고 "을"에게 보증금 5천만 원을 받았다. "을"은 보증금을 제외하고 인테리어 및 기타 비용으로 1억5천만 원이 들었다. 2

억 5천만 원이 투자되어 소유권을 가지고 있는 "갑"하고, 2억 원이 투자되어 점포사업을 하는 "을"이다.

우리는 "갑"과 "을" 중에 하나를 선택할 수 있다. 물론 둘을 다 선택할 수 있다. 내 건물에 내가 직접 점포사업을 하면 된다.

부동산이 부의 시작점이라고 생각하였다면 그러한 생각은 부동산을 소유하여야만 되는 것으로 생각하였을 것이다. 부동산의 소유권은 점유, 사용, 처분권이다. 임차인으로 사용권을 가지고 성공하는 방법도 분명히 있다. 사용권에 대한 인식을 바꿀 필요가 있다.

28. 상권분석에 대한 이해

28-1. 상권분석이 무엇이며 누가 하는가?

【사례 ; OO 지역에 신도시가 형성되었다. 상가투자에 관심이 많았던 김호식(55세, 남)은 분양사무실을 방문하여 상담을 받았다. 다른 지역보다 상업 용지 비율이 상대적으로 적으므로 투자가치가 있다는 언론사의 보도자료를 보여주었다. 보도자료는 부동산 전문가라는 사람이 인터뷰한 것이다. 김호식은 없던 신뢰가 생기었고, 그들이 하는 말을 믿었다. 그리고 분양 계약하였다. 시간이 흘러 준공되었다. 임차인을 구하여야 했다. 시간이 지나도 임대는 되지 않았다. 걱정스러운 마음에 현장을 가보면 대부분 공실이었다. 중개업소를 제안하는 적정 임대료로 투자 수익을 계산하여 보니 3%가 안 된다. 어이가 없는 일이 발생한 것이다. 김호식은 상업 용지가 적고 상권이 좋을 것이라는 판단이 잘못된 것임을 알았다. 언론 보도자료가 미끼인 것을 너무 늦게 알았다.】

갑은 치킨집을 하고자 한다. 갑은 예상 매출액이 얼마나 될지 알아보고자 했고, 상권분석을 해보고자 하였으나 기본 데이터를 얻기가 거의 불가능하였다. 잘 될 것이라는 프랜차이즈 업체의 말만 듣고 의사결정을 하여야 했다. 프랜차이즈에서는 각종 숫자를 보여주었고, 계약을 유도하였다. 그렇게 프랜차이즈 치킨집을 운영하였고, 6개월이 지났다. 예상한 것보다 장사가 안되었다. 임대료와 직원 급여, 그리고 프랜차이즈에 물품비, 및 기타 비용을 전부 내고 나면 남는 돈이 없다. 본인의 인건비도 벌기가 어려웠다.

『19일 한국부동산에 따르면 지난해 11월 전국 상업·업무용 부동산 거래량(오피스텔 제외)은 총 1만 6,398건으로 나타났다. 전월 1만2747건 대비 28.6% 늘었다. 희소성이 높은 신도시 상업시설에 시장의 관심이 많다. 상업 용지 비율이 전체의 1.5%인 00 신도시에서 지난 7월 공급된 '000'은 하루 만에 110실이 모두 계약을 마쳤다. 비슷한 시기 인천 00 신도시에서도 '000' 상가가 단기간 완판에 성공했다. 00 신도시는 상업 용지 비율이 1.12%(1단계 기준)로, 평균 상업 용지 비율이 2.17%인 2기 신도시에서도 비율이 낮은 지역으로 꼽힌다. 업계 전문가들은 "상업 용지 비율이 낮다는 건 일대의 수요를 특정 상권이 독점한다는 의미"라며 "같은 업종 사이의 경쟁이 상대적으로 덜하고, 조성 초기 상가 입주자는 선점 효과를 기대할 수 있다"라고 말했다.』

상권(Trade Area)은 다양하고 광범위하며 복합적 의미를 가진 단어이다. 일반적으로 상업시설에서 고객을 유인하는 지리적 영역으로서 소비자가 상거래를 하고자 하는 공간적 선호의 범위를 상권의 의미로 한다. 업종이 가장 유망한 지역을 지칭하는 용어로서 상권은 대상 점포와 반복적으로 접촉하는 지역을 의미하는 용어로 사용하는 것이다.

상권에 대한 개념은 복합적이며, 다양한 해석이 가능하므로 현실적으로는 이러한 공간적 범위나 경계를 정확하게 구분하는 것이 어렵다. 상권이 업종, 규모, 업태, 입지 등에 따라 이질적이면서 동시에 복합적인 수급이 나타나기 때문이다. 단순히 거리로서 나타나는 것이 아니라 이동에 따른 거리, 비용, 시간 등의 물리적 요인뿐만 아니라, 이동 경로에 대한 선호, 상품 만족 등의 심리적 요인도 함께 작용하는 것인지라 상권을 구획하게 되면 아메바 형태로 상권이 나타난다.

상권은 점포사업을 운영하면서 없어서는 안 될 고객들이 있는 한정된 지역적 범위이며, 제품 및 서비스를 구매할 확률이 0이 아닌 범위이다. 이는 상권을 바라보는 시각을 점포사업자의 경우에는 사업을 성공적으로 하기 위한 입지적 조건으로 해석되지만, 소비자 측면에서는 상품을 구매하고자 하는 동기부여를 시켜주는 지리적 한계이다.

상권의 수준이나 규모에 영향을 주는 요인들로서는 상업용 부동산의 유형, 규모, 인지도, 점포사업의 종류 및 다양성, 판매가격, 서비스, 배후지 및 인구의 특성, 인구 밀도 및 점포 밀도, 경쟁점포의 유무, 소비자의 소득수준, 교통시설, 접근성, 가시성, 지역의 특성,

입지 환경, 등 수많은 요인이 복합적으로 작용한다. 상권분석은 상권에 영향을 주는 요인들을 분석하여 점포사업을 준비 또는 운영하는 과정에서 부딪히는 의사결정에 도움을 받고자 하는 것이다.

사업은 수익을 창출해야 한다. 사업 아이템이 대상 지역에서 수익을 창출할 수 있는지 없는지에 대한 기본적 판단이 상권분석이므로 점포사업에 있어서 절대적인 필요과정이다.

<표 3-8, 상권분석의 필요성>

상권분석의 필요성	사업 아이템이 특정 지역에서 적합한지 판단할 수 있다.
	예상 방문 고객을 추정하여 점포사업에 대한 손익계산을 할 수 있다.
	마케팅 전략을 수립할 수 있다.
	점포사업에 대한 시장의 변화 모습을 파악할 수 있다.

창업은 임대차시장에서 작용하는 것이다. 상권분석 과정을 통해서 시장 임대료가 타당한지 검토하여 손익계산을 할 수 있다. 점포사업에 대한 업종 선택 및 매출액 분석은 임대인이 하는 것이 아니라 임차인이다.

임대인의 입장에서의 상권분석은 임대 수익에 대한 안정성 여부를 검토하는 과정의 하나로 검토될 수 있다. 그러나 임대인은 시장 임대료에 대한 안정성은 이미 검토가 끝나서 건물을 취득하고 보유하는 것이다. 따라서 임대인에게는 상권분석이 절대적인 것이 아니다.

은퇴 후 퇴직금으로 상가를 하나 매입하고자 하는 '갑'과 은퇴하면 퇴직금으로 치킨 전문점을 하고자 하는 '을'이 있다. 상가투자를 하여 임대료를 받아 생활비를 벌고자 하는 '갑'은 상가를 사기 전에 상권분석을 하여야 하는지 고민하고 있다. 점포사업인 치킨 전문점을 통한 사업 수익으로 생활비를 벌고자 하는 '을'도 상권분석을 해야 하는지 고민하고 있다. 이러한 고민은 상권분석을 한다면 목적에 따라 분석 내용 및 조사 방법이 달라질 것이다.

상권에 영향을 주는 요인들은 정적이지 않고 동적인 성질을 가지고 있다. 교통시설의 발전으로 접근성과 근접성이 좋아지면 상권이 확장되지만, 반대로 도로에 장애 요인이 발생하면 상권은 축소된다. 손님 유인력이 뛰어난 대형 상업용 시설이 인근 지역에 유치되는 경우 상권의 변화는 긍정적 요인과 부정적 요인이 함께 작용한다. 이러한 변동요인은 수많은 요인에 의하여 발생하므로 미래시점에 대한 상권의 수준과 규모에 대해서 정확한 예측 및 분석은 사실상 어려울 수밖에 없다. 따라서 상권분석이라는 것은 현재 시점에서의 조사과정이며, 단기간의 미래에 대해서만 예측할 뿐이다.

【사례 ; 강은희(47세, 여)는 미주지역에서 소고기를 수입하여 국내에 공급하는 유통사업을 하고 있다. 국내의 대형 정육식당 및 프

랜차이즈 사업자들이 고객들이다. 출하 물량을 보면 자연스럽게 어느 식당이 잘되는지, 어떤 프랜차이즈가 잘 되는지 알 수 있었다. 유통업을 하지만 요리하는 것도 좋아했다. 일찍이 한식·중식 조리사 자격증도 가지고 있다. 요식업에 뛰어들고 싶은 마음이 있었다. 고기를 직접 조달하므로 본인이 하면 승산이 있을 것처럼 보였다. 원가에 식자재가 공급되는 것이니 경쟁력도 있는 것이다.

광명시에 있는 식당을 소개받았다. 100평 정도의 점포가 장사가 안돼서 매물로 나온 것이다. 대충 계산하여도 인테리어 비용이 2억 정도인데, 그대로 인수하므로 이를 아낄 수 있었다. 권리금이 없었다. 임대차 계약을 하고 인수하였다. 그렇게 요식업으로 뛰어들었다. 고기는 직접 유통하는 것이라 최고 품질로 손님들에게 내놓았다.

3개월 정도 잘되는 것 같더니 손님이 줄어들기 시작하였다. 그렇게 시간이 흘러 6개월이 지나면서 적자가 나기 시작하였다. 최고의 품질, 가격 경쟁력이 있는데 왜 장사가 안되는지 아무리 봐도 이해하기 어려웠다. 전문가를 지인으로부터 소개받았고, 이런저런 이야기에 자기가 실패한 원인을 알았다. 업종과 지역이 맞지 않은 것이었다. 고급 소고기 식당과 동네가 어울리지 않은 것이었다. 상권분석을 하지 않은 것이 실패 원인이었다.】

28-2. 상권을 구분하는 기준은 무엇인가?

【사례 ; 김호경(37세, 여)은 카페를 하고 싶지만, 점포사업에 대한 경험과 지식이 전혀 없어 프랜차이즈 업체를 찾아 상담하였다. 가맹비와 예상 인테리어비용, 그리고 가맹사업을 통해서 물품 구매에 대한 상담을 받았다. 점포를 개설할 수 있는 지역에 대한 소개도 받았으며, 김호경이 다른 지역에서 직접 점포를 알아보고 프랜차이즈 계약하여도 된다는 안내를 받았다.

프랜차이즈 가맹업체로 사업을 시작하는 이유는 딱 하나이다. 점포 사업에 대한 경험이 없기 때문이다. 망할 수 있다는 위험을 피하고 싶은 것이다. 이미 검증된 사업이므로 망할 가능성이 없다고 보는 것이고, 프랜차이즈 회사에서 성공을 약속하기 때문이다.

지역에 대한 상권분석 보고서를 받았다. 유사한 카페가 몇 개 있는지, 카페를 개설하면 얼마나 매출액이 나올지, 대상 점포에 대한 보증금과 임대료, 그리고 가맹비와 인테리어비용, 그리고 매월 비용 제하고 손에 쥘 수 있는 금액이 숫자로 되어 있다. 대상 점포를 기준으로 반경 1km, 2km 내에 거주하고 있는 주민 인구가 얼마나 되는지, 교통시설은 어떤지, 5km 떨어진 곳에 2,000여 세대가 새로이 조성되어 인구가 늘어날 거라는 긍정적인 전망도 있다.

돈을 벌 수 있을 것이란 상권분석 보고서를 보고는 가맹계약을 하였다. 돈을 벌 수 있을 것이란 희망이 생겼다. 건물주를 만나 임대차 계약하였다. 퇴직금은 대부분 프랜차이즈 업체로 인테리어 비용과 가맹비, 초기 물품비용으로 집행되었다. 임대인에게 건넨 보증금은 나중에 돌려받는 것이고, 임대료는 장사해서 주면 되는 것이라서, 부담이 되지 않았다. 대부분 창업비는 프랜차이즈 가맹비였다.

1년 뒤, 사업이 안되어 힘든 상황이 되었다. 가맹계약 조항에 따라 다른 업종으로 변경할 수 없다. 변경이 된다고 하여도 손실이 너무 커서 결정하기 어렵다. 임대차 기간은 아직 남았다. 임대료가 밀리기 시작한다. 장사 여부와 관계없이, 프랜차이즈 회사에서 물품을 계속 사야 한다. 돈 벌 줄 알고 프랜차이즈 가맹하였는데, 프랜차이즈만 돈 벌고, 자기는 빚만 생기었다.】

프랜차이즈를 믿고 가맹하여 사업을 하는 것이다. 그랬는데 망했다면 가맹점주 책임도 있지만, 프랜차이즈 사업을 하는 사업자들에게도 근본적인 책임이 있는 것이다. 그러나 우리나라에서 그런 책임을 지는 회사를 찾아보기 어렵다. 프랜차이즈 사업체의 수익 모델은 물류와 유통사업이 본질이다. 가맹사업은 프랜차이즈란 이름으로 물류사업을 숨긴 것이다. 가맹점주의 성공을 위한다면 점포개설 숫자를 자랑하면 안 된다. 상권이 안 좋은 지역이나, 매출이 안 나와 실패할 것 같은 지역의 점포는 개설되지 않아야 한다. 그래도 개설되었다면 그에 대한 책임은 프랜차이즈 본부에 있는 것이다. 상권분석을 정확히 하였다면 망하는 가맹점은 있을 수가 없는 것이다.

사람들이 서울 외곽에 있는 쇼핑몰을 가서 옷을 사고, 원거리에 있는 맛집을 찾아서 식사하고 온다. 상권분석에서는 이를 점포 이용에 대한 효용으로 해석한다. 고객들은 점포와의 거리가 멀어지면 멀어질수록 점포에 대한 인지도는 약해지며, 방문하고자 하는 동기 부여도 작아지게 된다. 즉 점포에 대한 효용은 소비자 거주지로부터 점포까지의 거리에 반비례하고 점포의 규모에 비례하는 것으로 결정된다고 제시하는 것이다. 이를 식으로 정리하면 다음과 같다.

$$\text{점포에 대한 효용} = \frac{\text{면적}^{x}}{\text{거리}^{y}}$$

x와 y은 고정된 값이 아니다. 교통시설의 발달, 소비패턴의 변화, 시대 가치관의 변화 등의 요인뿐만 아니라 금융업, 요식업, 쇼핑몰 등에 따라 가변적인 변수이다. 따라서 매개변수 x와 y값은 특정 지역에 대한 소비자의 점포선택과 관련된 조사 결과로부터 산출된다. 이 값은 점포선택에 있어서 점포 규모와 거주지로부터 점포까지의 거리 각각에 대한 소비자의 상대적인 중요도를 반영한다고 할 수 있다. 즉 y값이 x값에 비해 큰 것으로 나타나면 그 사람은 점포의 크기보다는 거리를 중시하는 것이다. 반대의 경우에는 점포의 크기 또는 시설 등을 더 중시하는 사람이다. 이러한 값은 남녀노소가 다 다를 것이고, 개인의 성향일 뿐이다. 거리가 멀어도 맛집을 찾아다니는 사람들이 생기는 이유이다.

창업하고자 하는 '갑'은 아직 어떤 업종을 할지 고민하는 중이다. 어떤 지역에서 주민들에 대한 요식업과 의류 판매 업종에 대한

x와 y값을 조사하여 보니, 요식업의 x값이 의류업보다 2배가 높았다. 이 지역에서 x와 y값을 '갑'이 알았다면 의류업보다는 요식업을 선택 하여야 한다.

사람은 그 지역 내에 선택할 수 있는 수많은 점포의 하나를 방문하는 것이다. 거리가 멀어도 맛집을 찾아가는 사람들이 있고, 같은 업종이면 크고, 멋진 점포를 방문하는 이유는 사람마다, x와 y값이 다르기 때문이다. 프랜차이즈 사업의 마케팅 전략 핵심은 이러한 점을 이용하는 것이다. 창업을 하는 사람들은 이러한 점을 염두에 두고 지역조사를 하여야 한다.

소자들은 거주지역을 중심으로 근거리, 부도심, 도심의 순으로 쇼핑의 범위를 넓혀간다. 반면에 같은 브랜드라 할지라도 점포가 위치한 입지의 환경 특성에 따라 점포를 방문하는 고객들의 빈도수와 매출액에 차이가 있다. 더군다나 요즘 같은 현대사회에서는 거리에 대한 저항감보다 교통시설의 발달, 가치관의 변화, 비대면 사회, IT의 발전 등 사회에 여러 요인이 소비자들의 구매패턴에 영향을 주어 예전과는 상당한 부분이 다르다.

서울 을지로에 공실인 상가가 있어, 이 점포를 얻어서 음식솜씨가 좋은 어머니의 도움을 받아 순대국밥 전문점을 차리고자 한다. '을'은 시장조사를 하고자 한다. 을은 제일 먼저 점포를 방문할 그 지역의 인구들에 대한 성향과 매출에 영향을 주는 요인들을 찾고자 할 것이다.

상권의 범위와 정의도 시대의 변화에 맞게 새롭게 정의되어야 하며, 전통적인 상권분석 방법에 대한 재해석이 필요한 때이다. 대형 쇼핑 시설뿐만 아니라 동네에 있는 작은 점포라 할지라도 상권 분류는 고객을 유인하는 공간적 범위가 어느 정도인지를 파악하는 것이므로 아주 중요하다.

일반적인 상권의 분류는 <표 3-9>와 같이 정리하지만, 어느 하나로 특정 지역에 대한 상권을 결정하는 것이 아니다. 이러한 기준 외에도 상권의 분류는 소비패턴에 따라 계속 바뀌어 간다. 특히 마케팅 차원에서 새롭게 용어가 만들어진다. 따라서 하나로 정의하고 이야기하는 것은 어불성설이다.

어떤 상권으로 분류하여 상권분석을 하여도 점포사업에 있어서 기본이 되는 상권의 분류는 매출에 따른 분류이다. 이유는 하나이다. 점포사업은 매출이 발생하지 않는다면 의미가 없기 때문이다. 따라서 업종에 따른 예상 매출을 알아보는 상권분석을 가장 우선하여야 하며, 나머지 상권분석은 점포가 위치한 지역의 환경 분석 또는 마케팅 분석자료들로 매출액을 추정하는 보조자료이다.

예상 매출을 어떻게 파악할 것인지가 현실적으로 어려운 것이다. 빅데이터 자료를 통해 미래 시점의 매출에 대한 기초분석 자료들이 나오지만, 오류가 있으므로 참고자료일 뿐이다. 정량적으로 계산을 할 수 없는 수많은 요인이 점포사업의 매출에 영향을 주기 때문이다. 점포사업에 대한 환경·마케팅보고서를 점포에 대한 상권 분석 보고서로 착각한 보고서들이 공공기관, 민간 프랜차이즈 업체 관계없이 비일비재한 이유는 이러한 것에 기인한다.

<표 3-9, 상권의 분류 및 내용>

상권의 분류	상권의 명칭	내용
지역에 따른 분류	점포상권 (근린형)	가장 작은 상권을 구성하며, 고객과 점포 간에 연결되는 예상 동선에 따라 집객 효과가 달라진다. 그래서 입지가 가장 큰 영향을 준다. 일반적으로 근린형 상권이라 한다.
	지역상권 (지역중심형)	점포 입지가 속하는 상업지역이 포함된 상권으로 대형 상업시설, 브랜드 매장, 유사 업종의 점포들이 밀집하여 상권의 크기가 어느 정도 확보된 상권으로 도보로 이용을 하나 간혹 교통시설을 이용하더라도 심리적 거부감이 없어야 한다.
	광역상권 (도심형)	도시 내에서 상권 자체가 하나의 장소로 되어 있는 상권으로 대부분 주요 교통시설 연계망이 구축되어 있어 원거리의 불특정 다수의 유동 인구들로 인해 상업 기능이 우수한 상권이다.
입지에 따른 분류	중심가상권	도심의 상업과 업무기능이 가장 활발한 상권이다. 금융·쇼핑·관(官)이 밀집되어 있고, 교통시설의 연계성이 아주 우수한 지역으로서 주변 지역으로부터 인구들의 유입이 편리하므로 대규모의 외부 집객 효과가 뛰어난 상권이다.
	역세권상권	역을 중심으로 발달하는 상권을 일반적으로 지칭한다. 역이란 특성으로 인하여 흐르는 동선이

		주로 나타나기도 하므로 역세권에 유입되는 인구수는 많을지라도 집객 효과는 떨어지는 경우가 많다. 역을 중심으로 포진된 지역의 특성에 따라 지역마다 독특한 특징이 나타난다.
	단지내 상권	배후 세력이 아파트 단지 거주민들이 중심이 되며, 일부 외부에서 유입이 되기도 하지만 희박할 뿐만 아니라 연속성이 없는 방문이다. 따라서 수요 창출의 지속적 증가가 없으므로 상권의 확장에는 한계가 있을 수밖에 없다.
	대학가상권	대학생을 대상으로 하는 상권으로 젊은 세대의 문화가 상권을 지배하고 있는 경우가 많다. 대학가 주변에 배후 세력의 여부에 따라 혼합된 대학가 상권이 형성되기도 한다.
	주택가상권	주거지역에서 가장 많이 보이는 상권으로 거주 인구들의 소득수준·연령층·지역 환경 등에 따라 주택 상권의 특성이 나타나게 된다. 주민들의 동선을 따라 상가들이 입점함에 따라 스트리트형 상권을 가지게 된다.
	오피스상권	업무지역을 중심으로 형성된 상권으로 점심시간, 퇴근 시간에 유동 인구들이 급속하게 증가하며 주로 식·음료업이나 유흥업소들이 밀집되어 있다. 업무지역이므로 주중에 상권이 활발하나, 주말에는 상권이 급속도로 소멸하는 경우가 많다.
목적에 따른 분류	목적형 상권	목적형 상권은 고객이 소비·구매 행위의 목적을 정하고 방문하는 지역을 의미한다. 이러한 지역의 방문 고객들은 뚜렷한 목적을 가지고 구매행위를 한다. 목적형 상권은 상권의 팽창이 제한적이어서 고객을 유인할 다양한 마케팅을 하여야 한다. 목적형 상권에 입점한 업종들은 주(主)

		부동산의 손님 유인 능력에 따라 상권이 제한적으로 정해질 수밖에 없다. 결과적으로 주(主) 부동산으로 유입이 되는 사람들의 목적이 뚜렷함으로 그 목적을 제외한 다른 구매 행동이 일어날 가능성은 작다.
	무목적형 상권	유동 인구들의 동선이 뛰어난 지역으로 계획적인 구매·소비가 발생하기보다는 충동적인 구매·소비행위가 발생하는 상권이다. 무목적형 상권은 고객들의 거주지역이 광범위하게 분포되어 있다. 따라서 집객 효과가 뛰어날 뿐만 아니라 불특정 다수의 유동 인구가 풍부하다.
	혼합형상권	가장 많은 상권의 모습이 혼합형이다. 간혹 혼합형 상권이 어느 한쪽의 성격이 강하게 나타나기도 하지만 그것에 대한 구분의 기준이 없다.
매출에 따른 분류	1차상권	특정 점포에서 발생하는 매출액의 평균 65~75%를 발생시키는 고객들이 거주하는 공간적 범위를 말한다.
	2차상권	특정 점포에서 발생하는 매출액의 평균 15~25% 정도를 발생시키는 고객들이 거주하는 공간적 범위를 말한다.
	3차상권	1차·2차 상권에 포함되지 않은 나머지 지역
on-line에 따른 분류	온라인상권	비대면으로 제품에 대한 구매행위만 신속히게 이루어지는 상권이다. 지역적 공간 범위에 대한 상권은 의미 없다. 전통적 상권의 개념이 바뀌게 되는 요인이다.
	오프라인 상권	식음료, 쇼핑, 엔터테인먼트 등의 소비행위에 대한 전 과정을 오감으로 즐기는 전통적 상권이다.

빅데이터 분석을 하다 보면, 검색어와 매출액이 비례한다는 자료가 있다. 대부분의 상권분석 전문가들과 프랜차이즈에서 이러한 점을 강조하고 있다. 그렇다면 전통적으로 유동 인구가 많은 지역이 그렇지 않은 지역보다 매출액이 더 많다는 것과 다른 주장인지 생각해봐야 한다. 유동 인구가 많은 지역에 있어도, 검색어가 많은 업종이라고 하여도 실패하는 사업자들이 어마어마하다는 것이다.

【사례 ; 현대에 근무하다 명예퇴직을 한 김성우(50살, 남자) 부부는 맞벌이 부부다. 배우자는 삼성에서 근무한다. 김성우는 명예퇴직하였다. 은퇴하기에는 젊은 나이라 생각하였다. 이런저런 고민 끝에 강남에 있는 창업컨설팅 업체를 방문하여 상담하였다.

프랜차이즈 업종으로 K 지역에서 영업 중인 OO 보쌈을 소개하였다. OO 보쌈은 김미애 부부가 시작하여 1년이 지나고 있었다. 계약기간 3년 중에서 1년이 지난 것이다. 점포는 약 55평 정도 되었다. 프랜차이즈를 소개한 창업컨설팅 업체는 김성우에게 김미애의 남편이 암이 있어서, 병간호를 해야만 되는 상황으로 설명하였다. 김성우가 권리금 2억 원에 인수하면 현재 어느 정도를 벌 수 있는지에 대한 숫자를 보여주었다.

권리금에 대한 합의가 이루어지자 김미애는 임대인을 만났고, 동의를 요구하였다. 임대인은 임대료만 받으면 되는 것이므로 김미애가 하든, 김성우가 하든 상관이 없었다. 다시 3년짜리 임대차계약서를 작성하였다. 배우자는 남편을 도와줄 시간이 없었다. 김우성은 식당에서 일하는 아주머니들과 호흡을 맞추어야 했다.

그렇게 6개월이 지났고, 장사는 시간이 갈수록 안되었다. 보쌈에 대한 식자재 관리 및 요리에 대한 지식도 없고, 아주머니 관리 능력도 부족하고, 영업에 대한 마케팅을 어찌할지 몰랐다. 주방과 홀에서 일하는 아주머니들이 상전이었다. 본인은 계산대에 서서 계산만 할 뿐이다. 그렇게 1년이 지났다. 퇴직금은 전부 임대료와 아주머니들 급여로 다 나갔다. 다시 6개월이 지나고, 1년이 지났다. 빚이 늘어났다.

김성우의 아내는 밑 빠진 독이라 판단하여 선을 그었다. 김성우는 신용대출을 받아서 월급과 임대료를 냈다. 3년이 지나서 계약이 종료되었다. 다행히 원상회복하지 않은 상태에서 박병호에게 넘겨줄 수 있었다. 원상회복 비용은 8천만 원이었다. 이 비용이 발생하지 않아서 안도하였다. 김성우는 퇴직하고 불과 3년 만에 퇴직금 전부를 날리고 빚이 1억3천만 원이 되었다. 박병호는 권리금 없이 인수하였다. 박병호는 프랜차이즈 가맹사업이 아닌 요식업으로 직접 창업을 하였다.】

28-3 상권분석에 대한 접근은 어떻게 할 것인가?

상권의 구획이 <그림 3-3>의 좌측처럼 단순히 circle로 정형화된 모양으로 나타나는 것이 아니라 그림의 우측처럼 아메바 형태이다.

<그림 3-3, 상권 모양>

그러므로 상권조사는 눈으로 하는 것이 아니다. 어떤 지역에서 점포사업을 하는 사람의 능력과 감각, 경험, 적용, 이해는 사람마다 다르다. 상권조사는 손과 발로 하는 것이다. 동선에 대한 감각을 발로 익히고, 눈에 보이는 것을 손으로 기록해야 한다.

<그림 3-4, 상권분석 자세>

상권은 늘 변화무쌍하므로 기존에 만들어 놓은 상권분석 자료들은 오류가 있을 수밖에 없고, 데이터에 대한 해석과정에서 작성자의 주관적 견해가 들어가 있는 것이다. 더군다나 분석과정이란 것이 과거에 집중되어 있다면 미래 시점의 수익을 분석하기는 어렵다. 과거 자료에 대한 선택을 버리고, 최대한 현재 시점의 자료를 모아야 한다. 특히 마케팅과 상권분석이 다른 것임을 반드시 인지

하여야 한다.

일반인들이 점포사업을 하기 위한 상권조사의 기초과정은 대부분 다음의 순서를 따른다. 이런 조사에 대해 3단계로 정리하였지만, 점포사업자의 개별 필요(need)에 따라 단계를 더 세분화할 수 있다.

<표 3-10. 상권조사 단계>

기초 상권조사 단계	조사 내용
1단계(1'st survey)	거리, 교통량, 배후 세력, 유동 인구 등의 자료 수집
2단계(2'nd survey)	업종 현황, 임대료 현황, 동선 분류, 입지분석
3단계(3'rd survey)	경쟁업종 매출액 추정, 본인 사업 매출액 추정, 손님 유인 요인 분석, 경쟁력 비교검토, 내적·외적 영업요인 비교분석, 마케팅 분석

상권분석이 상권의 공간적 범위를 구획하고, 구획된 공간적 범위에서 발생 가능한 예상 매출액을 분석하여 나가는 과정이라 한다면, 분석에 대한 접근방법은 다음과 같이 3가지로 정리한다.

공간독점접근법(spatial monopoly)은 특정한 점포 인근에 사는 주민들은 가장 근접한 점포를 이용한다는 가정을 전제한다. 주민들 100%가 가장 가까운 점포에 할당된다는 이론으로 접근하는 것이다. 따라서 얼마나 많은 매출을 올리는가? 하는 양적인 측면보다는 어떤 사람들이 방문하는가? 에 대해 더 관심을 가지게 된다.

<표 3-11, 상권분석 접근방법>

상권분석 접근방법	내용
공간독점 접근법	하나의 시설에 독점적인 상권이 형성되는 것으로 1차 상권으로 존재
시장침투 접근법	공간에 따라 하나의 시설에 대한 이용 비율의 차이를 인정하여 1차와 2차 상권으로 분류
분산시장 접근법	특정 대상들을 표적으로 하여 이루어지는 상권

시장침투접근법(market penetration)은 거래하는 구역 범위 내 고객의 비율에 중점을 두고 있으므로 잠재고객의 수에 대한 자료가 필요하다. 고객의 위치정보들과 통행시간, 경쟁 소매시설, 장애물, 동선 효과 등등의 분석자료를 기초로 점포로 고객이 오는데 무엇이 중요한지를 다중회귀모형으로 아래와 같이 파악할 수 있다.

$$y = b_0 + b_1 x_1 + b_2 x_2 \cdots b_n x_n$$

$y =$ 시장점유율, $x =$ 독립변수, $b =$ 회귀계수

(독립변수의 예 : 가구 수, 영업면적, 대중교통 수, 영업시간, 인접도로 수 등)

예를 들어 A라는 치킨 전문점의 시장점유율이 13%, 한 사람당 20,000원으로 조사되었다. 이 동네에 인구가 1만 명이 있다고 한다면 총매출액의 예상 수치는 10,000명 x 20,000원 x 0.13 = 26,000,000원이다.

분산시장접근법(dispersed market)은 나이, 소득, 교육, 가족 형태 등을 토대로 서로 유사한 집단을 묶어서 행동 측면에서 조사하는 기법이다. 최고급 주택, 고가의 차량, 명화, 고급실버타운 등에 대한 상권을 분석하는 경우 적용된다. 대부분 거리에 대한 요인을 배제한다.

【사례 ; 창업을 준비하는 전은경(48세, 여)은 상권분석을 통해서 업종과 입지를 선택하고자 하였다. 입지를 선택하고 나서 업종을 정할지, 아니면 업종을 정하고 나서 입지를 선택할 것인지에 대한 고민은 상권분석을 하는 과정에서 자연스럽게 결론이 날 것으로 생각하였다. 상권분석을 통하면 특정 업종에 대한 예상 매출액을 알 수 있고, 예상 매출액을 알면 감당할 수 있는 임대료와 비용을 추정할 수 있는 것이나.

여기저기서 전문업체에 도움을 요청하였다. 인터넷 검색해서 유료 자료를 받아보기도 하였지만, 대부분 환경적 분석이 대부분이었다. 특정 업종에 대한 마케팅보고서들이 대부분인지라, 창업을 준비하고 있는 본인에게는 의미 없는 보고서였다. 현재 사업을 하는 사업자 중에서 매출액 감소가 발생하여 고민하는 사람들이 많다.

이들을 대상으로 한 마케팅 자료가 상권분석보고서라고 하는 것이다. 자신이 고민하는 것하고는 맞지 않았다.

매출액을 추정하기에는 자료들이 빈약하였다. 대부분 오류가 많았고, 적당히 짜깁기된 보고서임을 금방 알았다. 돈 주고 받아본 자료들을 신뢰하기 힘들었다. 어떤 것은 공개된 빅데이터를 이용하여 예상 매출액을 분석하기도 하였다. 그러나 공개된 빅데이터도 매출에 직접적인 데이터가 아니다. 대부분 환경 요인에 대한 것이다. 이것을 가지고 뜬구름 잡기식으로 매출액을 추정하는 것이다. 그럴싸하게 만들어진 보고서일수록 허수가 보였다. 보고서 작성자가 어떤 방향으로 쓸 것인지 따라 긍정적으로 볼 수도 있고 부정적으로 볼 수도 있음을 알았다. 숫자들이 제시되었지만, 말장난이었다. 무료 보고서는 허술하기 짝이 없고, 유료 보고서도 누가 봐도 장밋빛 보고서였다. 쓸데없는 짓에 시간과 돈을 버린 것이다.

이런저런 시행착오를 겪고 A 아이템에 대한 프랜차이즈 업체와 상담을 하였다. A 아이템으로 200여 가맹점을 유치하였다. 점포개설 담당자는 현재 가맹점들의 매출액을 보여주면서 설명하였다. 돈 벌 수 있다고 유혹하였다.

그러나, 매출이 평균 이하인 곳은 얼마나 되는지, 그리고 그 점포들의 매출액은 얼마인지, 그리고 가맹했다가 망한 점포는 얼마나 되는지, 망한 이유가 무엇인지 물어보고 싶었지만 차마 물어볼 수 없었다. 직원이 말하는 것은 상권분석 보고서가 아니라 회사홍보자료에 더 가까웠다.

결국 상권분석을 하기가 쉽지 않다는 것을 알게 되었다. 시장 및 환경 분석을 통해서 대략적인 추측에 의한 감성적 보고자료들 뿐이었다. 상권분석보고서가 아니라 환경분석보고서가 대부분 시장에 돌아다니고 있다는 것을 알았다. 미래 시점에 대한 매출액에 객관적이고 논리적이며 합리적인 상권분석 보고서를 보고자 하였으나 없다는 것을 알았다.

전은경은 전문가와 상담하고 나서 내린 결론은 본인의 사업 능력이 일단 있어야 한다는 것이었다. 남이 돈 벌어주는 것이 없다는 것이다. 결국 사업에 영향을 주는 환경분석을 제대로 하기로 하였다. 업종에 대한 매출액 조사는 어차피 감성적인 숫자와 뜬구름 잡기로 가야 한다면 선택할 수 있는 것은 환경적 요인을 최대한 객관적으로 조사하는 것 외에는 딱히 없었다.】

코로나로 인한 장기간의 비대면 사회는 인터넷의 쇼핑문화를 더욱 확장하였다. 상업용 부동산에 일대 변화가 오고 있다. 상가의 기능은 기본적으로 먹고, 마시고, 쇼핑하고, 노는 공간적 장소지만, 먹고, 마시고, 쇼핑하는 역할은 줄어들고 있다. 노는 공간만 살아남고 있다. 노는 공간은 자기만의 시간을 보낼 공간확보이다. 새로운 부동산 기치 사슬에 내한 이론이 나와야 한다.

고령화 사회와 맞물려, 건물주가 직접 점포사업을 해야 하는 사회가 오고 있다. 임대료 받고 살기가 어려운 세상이 된 것이다. 공간시장에서 임대료를 지불하고 자영업을 하는 것은, 이제 경쟁력이 없어진 사회이다. 이러한 변화는 공간시장에 새로운 BM이 나올 수 있다.

예비타당성조사는 국가재정법 제38조 및 같은 법 시행령 제13조의 규정에 따라 대규모 신규사업에 대한 조사이다. 기획재정부에서 해당 기관에서 실시한 경제성 평가와 더불어 정책성, 지역 균형발전, 기술성 평가를 고려하여 종합평가를 시행하고, 이를 통해 사업실시 여부를 결정한다. 예비 타당성은 정부 재정이 투입되는 대형 사업의 경제적 타당성을 따지는 제도로, 김대중 정부 때인 1999년 도입됐다. 국가재정법에 따라 총사업비가 500억 원 이상이면서 국가 재정 지원 규모가 300억 원 이상인 건설사업 등은 반드시 예비 타당성을 거쳐야만 한다.

다만 지역 균형발전이나 긴급한 경제·사회적 대응 등을 위해 필요한 경우에는 예비 타당성이 면제된다. 2022년 2월까지 예비 타당성 면제 사업 규모가 106조 원에 근접하게 집계되면서 논란이 되었다. 반면에 수익성이 보장된다고 하여 예비 타당성을 통과한 사업들도 막상 결과를 보면 수익성이 떨어지는 바람에 국민 세금이 잘못 투입되었다는 비판을 받는 경우가 많다.

예비 타당성을 할 것인가? 면제해 줄 것인가? 하는 문제는 정치적인 문제들로 엮여 있다. 예비 타당성을 통과하였음에도 수익성이 없는 사업으로 결과가 나타나 국민으로부터 질타를 받는 경우가 많다. 신도시 택지지구 개발사업도 예비 타당성 조사 후, 상업용지를 정하는 것임에도 불구하고 과잉 공급이 되는 경우가 비일비재하다.

4장

사고, 팔고, 빌리고, 부동산 시장

29. 임대인과 임차인은 무엇을 협상하는가?

【사례 ; 이응서(48세, 남) 부부는 택지개발이 이루어진 신도시 지역에서 오징어 전문식당을 하였다. 부족한 사업자금은 형제들에게 빌렸다. 노심초사하는 마음으로 사업을 준비하였다. 프랜차이즈를 찾았고, 상담을 받았다. 담당 직원이 점포 보러 오라 하면 오고, 가라 하면 갔다.

그렇게 3~4번 다니다가 새로 신축된 건물 2층에서 장사하기로 하였다. 임대료는 좀 부담스러운 금액이었지만, 프랜차이즈 직원은 적극 권유 하였다. 임대차 계약을 진행하였다. 미분양된 상가라서 임대료 협상하는 과정에서 Free Rent를 시행사가 제시하였다. 임대료를 낮추어 주는 대신에 Free Rent를 6개월 주겠다는 것이다.

이응서는 6개월 임대료가 없다는 것이 신기했다. 그렇게 장사를 시작하였다. 직원 4명하고, 부부가 열심히 하였다. 임대료가 없으니, 통장에 돈이 쌓이는 것이 보였다. 4개월 정도 지났을 때, 김학원이라는 사람이 상가를 분양받았다. 임대인이 시행사에서 김학원으로 바뀐 것이다. 다시 계약서를 작성하였고, 시행사는 이응서 통장으로 2개월에 해당하는 임대료를 입금하여 주었다. 10개월이 지났다. 6개월 Free Rent가 있었으니, 제대로 임대료를 낸 것은 4개월이다. 10개월 장사하면서 알았다. 대충 계산하여도 임대료가 부담되는 금액이다.

이웅서는 점포를 권리금 2억으로 하여, 강남에 있는 창업컨설팅 업체에 의뢰하였다. 2억 이상은 다 가지라고 하였다. 김진욱이라는 사람을 소개하였다. 김진욱은 2억5천을 권리금으로 주었다. 5천만 원은 창업컨설팅 수수료가 되었다.

이웅서는 6개월 임대료 없이 장사하였기 때문에, 1년 고생한 것 치고는 돈을 많이 벌었다. 이웅서는 인천에 있는 신도시로 옮기어 다시 점포사업을 하였다. 마찬가지로 Free Rent를 받는 조건이었다. 장사보다는 권리금에 더 관심이 많은 사람이 되었다. Free Rent가 끝나기 전에 권리금 받고 점포를 넘길 생각이다.】

비대면 사회, IT사회, 1인 창업 열풍이 불면서 공유 오피스(coworking space)가 최근에 인기몰이하고 있다. 업무 공간은 구분하지만, 회의실, 미팅룸, 화장실, 휴게공간 등은 공용으로 두어 부대비용을 절약하고자 고안된 공간 임대 시스템이다. 건물의 공실률이 높아지면서 이를 임대하여 여러 개의 작은 공간으로 나눠 재임대하는 시스템이고, 새로운 Business Model로 성장하였다. 위워크가 사업화를 통해 거대 기업으로 성공했다. 세계적으로 체인 사업화하며 공유 오피스 시장의 규모를 늘려 관심이 집중되었다.

위와 같은 사업이 일어나고 있는 시장은 부동산 Space Market에서 발생하는 것이다. 부동산 시장에서 임대인과 임차인이 만들어 내는 시장은 <그림 4-1> 와 같다.

<그림 4-1, 공간시장>

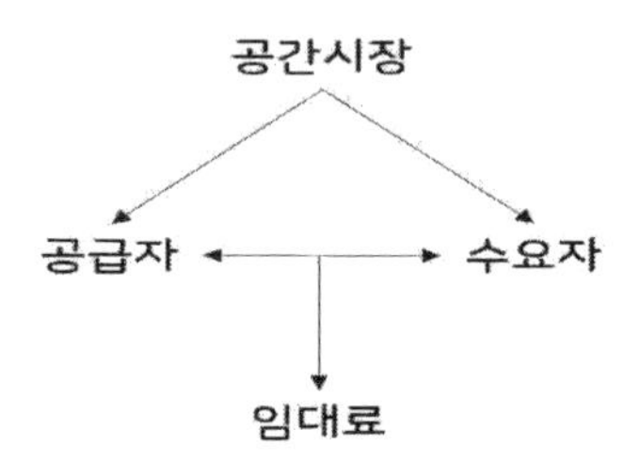

일반적으로 부동산을 사람이 살아가고 있는 공간(Space)에 대한 학문이라고 한다. 이러한 주장은 사람들이 가족들과 거주하며 생활하는 주거용 공간, 경제생활을 영위하기 위한 업무용 공간, 그리고 쇼핑, 문화, 의료 등의 상업용 공간에서 반복적으로 활동을 하면서 삶이 이루어지기 때문이다. 사람들의 이러한 공간에 대한 활용은 반드시 소유권을 가지고 있어야 하는 것이 아니다. 사용자와 소유자가 다른 경우가 일반적으로 발생한다. 이를 부동산의 공간 시장(Real Estate Space Market)이라 한다. 임차인과 임대인이 시장의 거래 주체가 되는 것이다.

거래는 임대료와 사용권을 가지고 이루어진다. 흔히 임대차시장이라고 말하기도 한다. 임대료 분류는 계약 임대료와 시장 임대료로 구분한다. 계약 임대료는 임대인과 임차인이 특정 대상 부동산을 놓고 쌍방 간 협약에 따라 특정된 임대료이다. 이 임대료는 사회적 관습, 인간관계, 시장 참여자의 관심도 등에 따라 정해지기 때문에 상당히 주관적인 임대료로 정해진 비공개성이 강한 임대료이다. 임대차 계약의 주도권을 누가 쥐고 있는가에 따라 어느 한쪽에게 불리한 계약이 발생하는 경우가 있다.

<표 4-1, 임대료 구분>

임대료 구분	내용
계약 임대료	쌍방 간 합의에 따라 맺은 개별적인 임대료
시장 임대료	대상 부동산이 위치한 지역의 평균 임대료
계획 임대료	임대료 양허(rent concession)가 포함한 실질적인 임대료
지급 임대료	임대료 이외에 계약의 세부 조건에 따라 전기, 가스, 수도 등이 포함되는 경우의 임대료
초과/부족 임대료	초과 임대료는 계약 임대료가 시장 임대료를 초과하는 경우, 그 차액을 초과 임대료라고 하며, 부족 임대료는 그 반대의 경우

시장 임대료는 특정 지역의 시장에서 자연스럽게 형성된 임대료이다. 이 임대료는 시장에서 수요와 공급의 만남에서 이루어지는 임대료이기 때문에 비교적 합리적이며, 공개성이 강한 임대료이다. 주변 인근 지역의 비교 임대료에 맞추어 시장 참여자 간의 협의에 따라 정해진 임대료이다. 임대료는 <표 4-1>과 같이 구분한다.

소유권을 가지고 있는 임대인이 가격에 협상의 주도권을 쥐고 있는 경우가 일반적이다. 임대차시장에 공개된 임대차 정보를 인지하고 임대인과 조율하러 온 임차인이므로 임차인이 역으로 협상안을 제안하여 조율하기는 쉽지 않다. 임대인은 사용권을 일정 기간 이전하는 것에 대한 위험을 사전에 계약서에 다 명시하여 회피할 수도 있고, 시장 임대료보다 낮은 경우에는 협상 자체를 거절할 수 있는 것이다. 이 공간시장을 상업용에서는 창업시장으로 이해할 수도 있다.

【사례 ; 사업을 시작하는 이광우(42세, 남)은 강남에 사무실을 구하고자 다녔다. 코로나19로 비대면 사회가 되면서 강남 일대에는 공실이 점점 늘어나고 있다는 보도자료를 보았다. 그래서 임대료가 낮아졌을 것 같아 시장조사를 해보면 별로 낮아지지도 않았다. 건물 가격은 반대로 오르고 있다. 생각보다 임대료가 생각보다 높았다. 코로나19 이전과 비교하여 별 차이가 없다는 것을 알게 되었다.

사무실을 얻으면, 사무실 집기 비용이 만만치 않다는 것을 알았다. 이래저래 고민하는 중에 언론 보도를 통해서 알게 된 공유 오피스를 찾았다. 당장 직원을 두고 하는 사업도 아니다. 공간이 필요하게 되면 그때 사무실을 별도로 얻는 것이 좋겠다고 생각하였다.

상담을 마치고 나오면서 공유 오피스 사업 자체가 꽤 매력적인 사업인 듯 보였다. 공유 오피스 사업자는 임차인이란 것이 의외였다. 건물주도 아니면서 건물주 노릇을 하는 것이다. 건물주가 받는 임대료가 얼마인지도 모른다. 그 차액이 공유 오피스 사업자의 수익이다. 분명한 것은, 공유 오피스 사업자는 자기와 마찬가지로 임차인이라는 것이다.

타인의 부동산을 내가 소유한 것처럼, 권리를 행사한다는 사업 아이디어가 맘에 들었다. 이러한 사업이 공유 오피스에만 있다고는 생각하지 않는다. 부동산 사업을 하기로 방향을 바꾸었다.】

30. 매도인과 매수인은 무엇을 협상하는가?

【사례 ; 이강덕(60세, 남자)은 아파트 3채가 있는 다주택자이다. 1채를 6년 전에 정리하였고, 그 돈으로 상가를 매입하였다. 상가수익률이 6.1%였다. 중간에 한번 임대료를 올렸다. 그런데 아파트를 팔고 나서 문재인 정권이 되면서 아파트 가격이 급등하였다. 아파트를 팔고 상가를 산 것이 잘못 판단한 것처럼 생각이 되었다. 그냥 '가지고 있을 껄' 하는 아쉬운 생각이 들었다.

그러다가 2022년이 되면서 아파트 가격이 하락하였다. 자기가 정리한 지역은 다른 지역보다 가격 하락이 빠르게 진행되었다. 물론 6년 전에 판 가격에 비하면 아직도 오른 가격이다. 가지고 있는 아파트도 '더 떨어지기 전에 팔아야만 하나?' 조바심이 들었다.

6년 전에 매입한 상가를 매입 가격에 그냥 팔아도, 이미 6년 동안 약 35% 수익을 보았다. 어쨌든 올해가 지나가면 40% 수익을 볼 것이다. 현재 시점에서 아파트를 판다면, 상가투자보다 좋다고 할 수는 없는 것이다.】

문재인 정권에서 아파트 가격이 급등하였다. 그 원인은 다양한 요인으로 분석을 하지만, 어쨌든 급등한 아파트 가격이 윤석열 정권으로 바뀌면서 다시 하락하고 있다. 하락하는 요인도 다양한 요인으로 분석한다. 문재인 정권에서 아파트 가격이 높을 때, 앞으로 더 오를 거라는 주장이 있었다. 윤석렬 정권에서 가격이 하락하자, 더 큰 폭락이 오고 있다는 주장이 있다. 각각 주장에 대한 논리적 근거는 다 있다. 이러한 주장들을 신뢰할 것인지는 선택이다.

지금 사람들은 하락한다면 얼마나 더 하락할 것인지, 하락을 멈추고 반등한다면 언제 반등할 것인지 궁금한 것이지만, 그것은 신의 영역이다. 유튜브는 대부분 대폭락을 이야기한다. 왜 그럴까?

부동산의 소유권 이전을 전제로 금전을 주고받는 행위를 매매라고 한다. 즉 소유권을 사고파는 것이다. 이 시장의 거래 주체는 매도인과 매수인이다.

이러한 시장을 부동산 자산 시장(Asset Market)이라고 한다. 자산 시장은 소유권을 주고받는 것인지라 매수인은 소유권을 확보함으로 발생하는 이익이 있어야 한다. 그러한 기대이익이 없다면 소유권을 가지고 올 필요성을 못 느끼는 것이다.

자산 시장에서는 부동산을 구매하는 매수인의 목적이 있을 것이고, 이러한 목적을 수치화한 것이 기대이익이다. 매도인과 매수인이 만나서 협상을 하게 되면 흔히들 가격에 대한 합의를 보는 것으로 이해하지만, 이는 잘못된 표현이다. 가치를 합의하는 것이다. 가격과 가치는 다른 것이므로 아래와 같이 정리할 수 있다.

<표 4-2, 가격과 가치의 구분>

구분	내용
가격	- 특정 부동산에 대한 교환의 대가로 매도인과 매수인 간에 실제 지급된 금액으로 과거의 값으로 정의한다.
가치	- 특정 부동산이 미래 시점에 창출할 것으로 기대되는 효용을 현재 시점으로 가지고 온 값으로 정의한다.

따라서 매수인은 가치가 있는 부동산을 특정 가격에 매입하고 매도인은 반대로 매도하는 것이다. 여기서 오류가 발생한다. 가치=가격+오차라는 개념이 나오게 되는 것이다. 가치에 관한 판단이 매수인과 매도인이 다를 수 있고, 매수인들 사이에서도 다른 것이다. 이러한 자산 시장을 그림으로 표현하면 아래 <그림 4-2>와 같다.

<그림 4-2, 자산 시장>

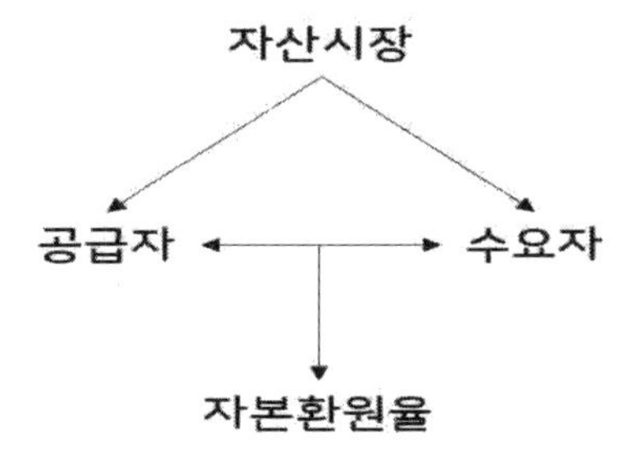

정리하면, 매도인과 매수인이 만나서 가격에 대해 협상을 하는 것처럼 보이지만 그 가격은 가치라는 개념이고, 그 가치는 다시 미

래 시점에 기대되는 이익을 현재가치로 환원하는 자본환원율로 계산한 숫자이다.

결국 매도인과 매수인은 자본환원율에 대한 숫자를 서로 합의한 것이고, 그것이 거래 가격으로 표현된 것이다. 그런데 이러한 숫자는 기대이익이 있어야 계산을 할 수 있는 것이고, 기대이익 없다면 수치로 정리하기가 어려운 것이다.

수익형 부동산의 경우는 시장 임대료와 자본환원율을 기초로 하여 부동산 가격이 적정한지 아닌지 판단을 할 수 있으나, 주거용 부동산은 미래에 발생하는 효용을 어떻게 처리할 것인지 고민해야 한다. 이론적으로는 주거용 부동산은 주거 만족도로 판단한다고 하지만, 실무에서는 시세차익이 목적인 경우가 더 많다. 매입하고 나서 가격이 하락할 것이 예상되는 아파트를 사는 사람은 없을 것이기 때문이다.

그래서 아파트 가격의 적정한 가격은 얼마인지에 대해서는 아무도 이야기할 수 없는 것이다. 매매시장에서 거래가 되는 가격이 가치이고, 그 가치에는 오차가 있는 것이며, 그 오차의 범위가 +/- 어느 정도인지 정확히 계산할 수 있는 사람은 없다.

부동산의 자산 시장을 실무에서는 투자시장으로 이야기한다.

【사례 ; 어느 날 이영욱이란 원생이 수업이 끝나고 쉬는 시간에 질문을 하였다. "교수님, 아파트 가격이 앞으로 어떻게 될 것 같은가요?" "듣고 싶은 말이 어느 쪽인가? 상승하는 쪽이면 가격이 상승해야 하는 이유를 들어 여윳돈이 있으면 빨리 사라고 조언할 것이고, 반대로 하락하는 쪽이면 지금 아파트를 빨리 매도해야 하는 이유를 가지고 조언해주겠다. 한가지 요인이 해석하기에 따라 상승요인도 되고, 하락요인도 될 수 있다."】

예를 들면 세금 규제를 강화하는 정책은 부동산 가격에 하락요인이 되는 것이 정상이다. 문재인 정권에서는 규제를 강화하니, 반대로 아파트 가격이 상승하였다. 이것을 어떻게 설명할 것인가? 상승인지 하락인지 나의 말이 100% 맞을 것이라고 한다면 나는 전문가가 아니라 사기꾼일 것이다.'

내가 뭐라 떠들든 확률은 50%다. 아파트를 하나 가지고 있는 사람과 아파트를 두세 채 가지고 있는 사람과, 그리고 무주택자에 따라 자산 시장에 참가하는 동기부여가 다른 것이다. 따라서 부동산 시장 참여자라 하여도 같은 기준으로 적용할 수가 없다.

무주택인가? 유주택자인가? 그리고 아파트가 있다면 혹시 다주택자인가? 부동산 자산 시장에 공급자로 참가할 것인가? 수요자로 참가할 것인가?"

31. 싸다. 비싸다. 부동산 전망이 안 맞는 이유는?

【사례 ; 신태용(48세, 남)은 인덕원역 인근 아파트에 살고 있다. 동네 주민으로 알고 지내는 비슷한 또래의 '갑'을 공원 산책 중에 만났다. '갑'은 아파트를 팔았다고 한다. GTX 정차역이 발표되면서 아파트 가격이 급등하자 15억 7천만 원에 팔았고, 전세로 이사간다는 것이다. 신태용은 정확하지는 않지만 5억 중반 가격에 아파트를 매입하였기 때문에, '갑'은 10억 정도의 시세차익을 보았을 것으로 속으로 생각하였다. '갑'은 가격이 비정상적이라 하였다. 그러면서 신태용에게도 지금 빨리 팔라고 권유하였다. 그러나 신태용은 생각이 달랐다. 20억은 갈 것으로 생각하고, 20억이 되면 팔 생각을 하고 있다. 가격은 2022년이 되면서 급락하였다. 2023년 후반이 되면서 가격은 8억대로 거래가 되었다.】

같은 부동산의 가격이지만 어떤 사람에게는 높은 가격이지만, 어떤 사람에게는 낮은 가격이다. 자산 시장에 매도인과 매수인이 만나서 자본환원율을 서로 합의하여 정해진 가치가 가격이라고 하였다. 이 자본환원율이 매수인마다 다른 것이다. 미래 시점의 현금흐름을 현재로 가지고 오는 가치에 대한 환원율이 사람마다 다르다. 자본환원율은 특정 자산에 대해서 미래 현금흐름을 환원하여 현재의 자산의 가치를 계산하는 이율을 말한다. 자본환원율은 한기(期)나 한 해의 소득을 가치로 전환 시킬 때 사용하며, 계산하는 방식을 IRV 공식(income rate value)이라고 한다.

$$\text{Income} \div \text{Rate} = \text{Value}$$

이를 아래와 같이 정리할 수 있다.

<표 4-3, 부동산의 가치 산정>

<table>
<tr><th>구분</th><th>기대수익</th><th>자본환원율</th><th>부동산의 현재가치</th></tr>
<tr><td>A</td><td rowspan="2">100,000,000</td><td>10%</td><td>1,000,000,000원</td></tr>
<tr><td>B</td><td>5%</td><td>2,000,000,000원</td></tr>
</table>

위 표에 나와 있는 부동산이 시중에 매물로 15억 원에 나왔다고 한다면 A는 터무니없이 비싼 가격이 되는 것이다. 반대로 B는 너무 저렴한 가격이라고 느끼는 것이다. 그래서 A가 아니라 B가 부동산을 매입하는 것이다.

부동산 시장에 영향을 주는 요인은 여러 가지가 있을 수 있지만 중요하게 다루는 것은 다음과 같다. 공간시장에 영향을 주는 요인은 임대료의 변화를 가져오고, 미래 시점의 기대수익을 증가시킨다. 따라서 부동산의 가치를 변화하게 한다. 부동산의 자산 시장에 참가하는 수요자는 가치가 상승한다는 것을 전제로 참여하는 것이다. 가치의 하락이 예상되면 수요자가 감소, 공급자는 증가하는 것이고, 상승이 예상되면 그 반대의 현상이 발생한다. 이러한 예측은 기대심리에 영향을 준다.

인덕원의 GTX 정차역이 발표되면서 인근 지역의 아파트 가격에 영향을 주었다면, 이러한 논리로 설명하는 것이다.

<표 4-4. 부동산 시장에 영향을 주는 요인>

요인	시장 영향
인구증가(유입) 또는 감소	공간 시장
경제(지역)발전 또는 개발	공간 시장
산업구조 변화	공간 시장
자본시장	자산 시장
기대심리	자산 시장

가격이 상승할 것이라는 기대심리가 사회적으로 공감대가 형성되거나, 정보 취득 및 분석력이 뛰어난 사람들의 기대심리가 높을수록 부동산 가격은 상승하는 것이다. 부동산을 매입하면서 자기 돈으로 취득하기도 하지만 대부분 담보대출을 받는다. 자본시장이 자산 시장에 영향을 주는 요인이 된다. 금리가 높고 낮음 또는 대출금의 총량에 따라 자산 시장의 수요자와 공급자에 영향을 준다.

이러한 흐름을 전체적으로 보면 <그림 4-3>과 같다.

<그림 4-3. 부동산 시장>

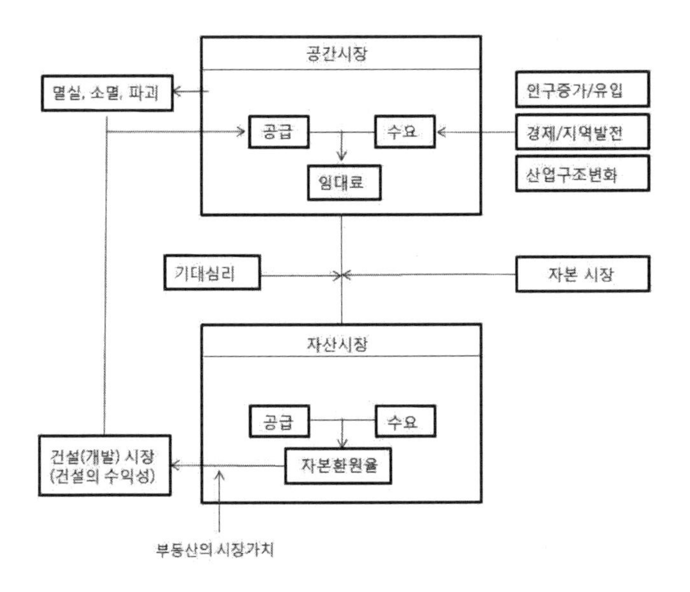

자료 : David M. Gelter, Norman G. Miller, Commercial Real Estate Analysis and Investment, South-Western, 2001, p.25에서 인용

자산 시장의 수요자가 증가하여 부동산의 공급부족이 지속되면 새로운 부동산에 대한 공급이 활발하게 되어 건설(개발) 시장이 호황을 누리게 된다. 위 그림을 보면 공간시장의 영향을 주는 요인들이 외부에서 발생하여 임대료에 영향을 주는 것이고, 자산 시장의 직접적 영향을 주기 전에 임대료의 증가는 사람들의 기대심리와 자본시장의 조달 비용과 섞이어 자산 시장에 작용하는 것이다.

부동산 공급이 늘어나거나 수요가 감소하면서 부동산 자산 시장에서 가격 조정은 자연스럽게 이루어진다. 부동산 가격이 계속 상승하고 있어, 가격 상승이 사회적 문제가 되었다면 단기적으로 자본시장을 통제하거나, 기대심리를 낮추어야 한다. 공간 시장에 영향을 주는 요인들을 분석하여, 장기적인 대책을 마련할 수 있다.

기대심리를 억제하고자 세금 확대와 같은 인위적인 금전적 부담을 국가가 강제하였다면, 부동산 소유자는 공간시장에서 공급자가 전환되면서 금전적 부담을 공간시장 수요자에게 전가하는 현상이 발생한다. 지극히 자연스러운 시장의 모습이다.

즉 시장에 영향을 주는 요인들이 개별적으로 단독으로 자산 시장에 영향을 주는 것은 아니다. 아파트 가격이 상승하는 것을 어느 한 요인으로만 설명할 수 없다. 그렇다고 주장하는 사람이 웃긴 것이다. 대부분 부동산 전망과 정책이 틀리는 이유이다.

언론을 통해 아파트 가격의 전망에 대한 부동산 전문가의 의견들은 다양하다. 연초의 전망과 하반기 전망이 다른 경우가 많다. 하지만 말 바꿈에 대해 미안해하는 전문가는 없다.

2022년 하반기 아파트 가격 전망에 대해서 모 언론사에서 부동산학과 교수를 비롯하여 부동산 업계에서 전문가로 활동하는 20인에게 물었다. 자산 시장인 매매에 있어서 5명은 상승을, 5명은 하락을 예측하였고, 10명은 오를 수도 있고, 떨어질 수도 있고 즉 보합으로 답하였다. 공간 시장인 임대료에 있어서는 15명이 상승을, 5명이 보합을 답하였다. 임대료가 상승한다고 주장하는 사람이 15명인데 반해서 매매가격은 5명만이 상승을 예측하였다. 임대료가 하락한다고 주장하는 사람은 없는데, 매매가격 하락을 전망한 사람이 5명이 있는 것이다. 대한민국에서 언론과 방송에 수없이 등장하는 부동산 업계의 전문가 20인의 이야기를 들으면 더 헷갈린다. 1~2년 전에 언론에 보도된 이들의 부동산 전망하고 비교하여 보면 완전히 바뀌어 있는 경우가 너무 많다.

【사례 ; 부동산 투자를 계획하고 있는 김홍석(57,남)은 8%의 임대 수익을 원한다. 그러나 시중에 투자 물건을 찾아보고, 중개업소를 다녀도 8%의 임대 수익이 나오는 상품은 없다. 대부분 4~5% 내외였다. 이것을 투자하여야 하는지 말아야 하는지 고민이다. 시장에서 김홍석에게 보여주는 임대 수익은 대부분 4~5% 내외이다. 수익률이 낮은 것은 차고 넘치지만, 수익률이 더 높은 것은 거의 없다.

김홍석은 부동산 투자보다는 주식투자에 관심이 있는 친구 '갑'을 만났다. '갑'에게 OO 지역에 있는 상가가 수익률이 5.5%인데 투자할지 말아야 할지 고민 중이라 하였다. 친구는 펄쩍 뛰었다. 그런 수익을 보고 왜 하냐는 것이다. 그냥 주식투자를 하라는 것이다.】

32. 부동산 정책 실패라고, 천만의 말씀

'이재명 311만 호, 윤석열 250만 호 공급'은 대통령 선거에서 양측 후보의 공약이었다. 임기 중에 공급을 할 수 있다고 하였다. 1기 신도시가 29만 호, 2기 신도시가 55만 호로 규모로 공급이 되었다. 3기 신도시가 35만 호 계획이다. 다 합치면 119만 호이다. 3기 신도시는 이제 시작이다.

1기 신도시는 일산, 분당, 평촌, 산본, 중동이고, 2기 신도시는 김포, 검단, 파주, 양주, 광교, 판교, 송파, 동탄 등이고, 3기 신도시는 남양주 왕숙, 하남 교산, 인천 계양, 고양 창릉, 부천 대장, 등이다.

정치인들이 공약으로 하는 250~300만 호 공급이 어느 정도 물량인지 상상을 할 수 있다. 1기, 2기, 3기 신도시 공급물량의 2~3배보다 더 많은 숫자다. 설사, 지금 공급 되어질 물량을 포함하였다고 하여도, 선거공약으로 할 수 있는 숫자인지 의문이다. 2인 가구로 하면 250만 호는 500만 명이 살 수 있는 집이다. 서울 인구의 약 50%가 살 수 있는 물량이다. 저런 선거공약에도 부동산 전문가가 참여하였을 것이다. 원룸 지어놓고, 고시원 방 하나를 집으로 계산해서 공약을 이루었다고 하면 할 말 없는 것이다.

한 가지 분명한 것은 250~300만 호의 아파트가 서울과 수도권에 5년 만에 공급이 된다면, 아파트 가격은 100% 하락할 것이다. 10년 안에 신규로 공급되는 아파트 물량이 250~300만 호가 된다고 하여도 아파트 가격은 100% 하락할 것이다. 어마어마한 공급정책이 나오고 있음에도 시장에서는 콧방귀 뀌듯 아파트 가격이 계속 상승하는 이유이다.

250만호 공급이 가능하다는 논리는 다음과 같다. 노무현 정부(연평균 36만3천호), 이명박 정부(연평균 35만7천호), 박근혜 정부(연평균 45만호)와 문재인 정부(연평균 54만6천호)에 기인한 것이다. 서울이 아닌 전국에서 잡힌 숫자가 그렇다는 것이다. 지방에 빈집인 늘어나는 이유 중에 한가지이다.

부동산 정책만큼은 자신이 있다던 문재인 정부는 취임 직후부터 부동산 정책을 내놓기 시작했다. 부동산 관련 정책만 임기 중 23번이 나왔다. 이 중 대부분은 세금을 올리고 대출을 옥죄는 대표적인 규제정책이었다. 주택공급은 충분하다고 판단하였다. 부동산을 돈을 벌 수 있다는 기대심리가 부동산으로 흘러들면서 집값을 왜곡하고 있다는 판단에 기인한 것이다.

<표 4-5, 아파트 준공실적 추이>

아파트 준공 실적 추이 (자료:국토교통부, 단위:채, 2021년은 11월까지 누계)		
2015년	전국	284,780
	수도권	103,569
	서울	22,573
2016년	전국	320,018
	수도권	139,991
	서울	33,566
2017년	전국	389,872
	수도권	176,147
	서울	29,833
2018년	전국	480,277
	수도권	239,457
	서울	43,738
2019년	전국	401,481
	수도권	194,799
	서울	45,630
2020년	전국	373,220
	수도권	193,510
	서울	56,784
2021년	전국	267,095
	수도권	154,426
	서울	38,800

모든 사람은 저마다 자기 집을 소유하기를 희망한다. 이러한 집에 대한 욕구는 미성년, 성년, 중년, 노년으로 살면서 가지는 기본적 욕구이다. 작은 집에서 더 큰 집으로, 교통이 안 좋은 곳에서

더 좋은 곳으로, 교육·문화 환경이 불편한 곳에서 편리한 곳으로 이주하고자 한다. 사는 집과 살고 싶은 집의 차이는 시대, 세대, 나이, 남녀 등에 따라 발생하고 있다.

정책은 이러한 사람들의 기대심리를 이용하여 만들어진다. 부동산 정책은 규제를 강화할 것인가? 완화할 것인가? 의 2가지 쟁점으로 법률을 제정하는 것이다. 정부의 규제 역할이나 기능에 대해서는 일반적으로 비판적인 경향이 학계나 실무에 있다. 규제는 시장의 효율성을 떨어뜨리는 것으로 취급한다. 그러나 규제는 다양한 상호관계 속에서 이루어지기 때문에 상대적이다. 정부는 공익을 추구하기 때문에 비효율적이고, 시장은 경쟁에 의한 조정이라 효율적이라 단정하는 이분법적 시각은 타당하지 않은 것이다.

사회가 복잡한 모습으로 점점 발전하면서 대부분 정책은 다양한 국민의 이익을 대변한다는 취지에서 완화보다는 규제에 맞추어져 있다. 문제의 핵심은 규제정책이 아니라 Populism으로 만들어진 법률이 기형적으로 점점 늘어난다는 것이다. 선거를 통한 정권 유지가 정치인들의 핵심이기 때문이다. 일반적으로 부동산 규제정책은 세금과 자본시장의 통제로 자산 시장에 영향을 주기 위해 만들어진다. 일반적으로 대출에 대한 차별과 세금의 요율에 대한 차별을 부과하는 것으로 정책을 만든다. 대부분 이러한 정책의 핵심은 자기 집을 소유하고 싶다는 기본적인 국민의 요구를 따른다는 명분을 앞세우고 있다. 진보든 보수든 관계없다. 문재인 정부에서도 이러한 명분을 따른 것이다.

그러나 이러한 취지와는 다르게 시장이 반응한다. 정책이 발표되면서 대출한도의 차별로 부익부 빈익빈이 심화하고, 세금의 요율 강화로 주거 형태가 월세로 바뀌어 가고 있다. 정책의 취지와는 다르게 서민들은 점점 임대차 주택을 강요받게 되는 현상이 발생하고 있다. 국민의 이익을 대변하는 정치인들에 의해 만들어지는 법률이지만 포퓰리즘과 정치인들의 사익을 위해서 만들어진 부동산 정책은 정부 규제에 대한 본래의 취지와는 벗어난 것이다. 부동산 정책에 대한 정부의 규제는 부동산 시장의 실패를 고치기 위해서 정부가 직접 나서서 문제에 개입하고자 하는 것이다.

부동산 시장의 실패가 무엇인지에 대하여 정치인들이 정책을 만드는 과정에서 더 심사숙고하여야 한다. 부동산 가격의 상승으로 인하여 부동산이 효율적으로 배분되지 않아 국민의 무주택자들이 발생하였고, 부익부 빈익빈이 발생하였다고 단정하고 만들어진 정책들이 역으로 시장을 더 왜곡한 것이다. 정부의 규제로 인한 정부 실패가 나타난 것이다. 시장에 대한 정부의 개입이 오히려 자원의 비효율적 배분으로 이어지는 현상이 나타났다. 시장실패보다 더 악영향을 주는 것이 정부실패이다.

정부실패에 대한 피해는 부동산 시장에 고스란히 반영된다. 시장실패를 극복하고자 부동산 정책을 만들고자 하는 것이라면, 만들어진 규제가 하나의 리스크로 작용하여 정부실패의 원인이 될 가능성도 있다는 것을 인지하여야 한다. 선거 결과로 만들어진 정부가 정치권의 사상적 논리로 정보를 균형적으로 받아들이기보다는 특정 세력이 원하는 정보를 취사선택하기 때문이다. 효율적으로 배분되어야 할 자원이 더 왜곡되게 나타나는 원인이다. 이 과정에서 누군가는 부를 획득하게 된다. 부동산 정책으로 인해 이러한 모습이 반복적으로 나타나고 있는 것이 현재 우리나라의 모습이다.

그러나 반대로 생각할 수도 있다. 정책을 만든 사람은 이미 알고 있었고, 다 계획이 있던 것이다. 가격이 상승할 것으로 예측하여 세금을 규제하고, 금융규제를 한 것이라고 상상할 수 있다. 부동산 시장에 대한 이론을 조금만 공부하면 이러한 시장 변수가 나타날 가능성이 있다는 것은 누구나 알 수 있다. 최고 대학을 나오고, 법과 경제에 정통한 권력자들이 정말 몰랐을까 궁금할 뿐이다.

부분적 차이가 있을 수 있지만, 국민은 아파트 가격의 상승 또는 하락 중에 어느 쪽을 더 좋아할까? 부동산 가격 상승으로 지속가능한 세수의 증대가 정책의 숨어있는 의도라면 정책은 실패한 것이 아니다. 서울과 서울 인근 지역에 아파트 200만 호가 공급된다면 가격은 100%로 급락하게 되어 있다. 지난 7년 동안에 서울에 공급된 아파트는 270,924호이다. 왜 안 할까?

【사례 ; 박현우(63세, 남) 8년 전에 평생 다니던 회사를 그만두

고, 아파트 단지 내 연도형 상가 건물의 경비를 맞교대로 작년까지 일하였다. 지금은 오라는 곳이 없어 집에서 놀고 있다. 아파트 2채가 있으며, 2014년에 산 아파트는 현재 가족들과 살고 있고, 옆 단지에 있는 아파트를 2017년에 전세 4억 원 끼고 7억 원에 매입하였다. 부족한 돈 3억은 가족들이 사는 아파트로 대출을 받아 충당하였다. 아파트는 정권이 바뀌면서 부동산 정책이 나올 때마다 상승하였다.

문재인 정권의 부동산 정책으로 인하여 아파트 가격이 급상승하였다. 13억 원이 되었다. 자산은 하루아침에 20억 중반대가 되었다. 아파트를 산 시점도 기가 막히게 좋았다면서 주위에서 다들 부러워했다.

금리가 오르면서 대출이자가 부담되었다. 박현우는 아파트를 팔고 싶었지만, 마누라는 아파트 가격이 더 오를 거라면서 반대하였다. 이자가 부담되면 무슨 일이든 해서 돈을 벌라는 마누라가 섭섭하였다. 마누라는 이런저런 잔병을 핑계로 경제활동을 하지 않는다. 평생 자기가 일을 해서 살았다. 본인도 무릎 연골이 아파 육체활동이 쉽지 않다. 생각할수록 갑갑했다.

그러나 2022년이 되면서 아파트 가격이 다시 하락하게 되었고, 지금은 9억 원에 거래가 되고 있다. 생활비는 통장에 있는 돈을 아껴서 쓰지만, 얼마 남지 않았다. 아들이 생활비 일부를 지원하고 있다. 아들에게 현재 가족들이 사는 아파트는 죽으면 가지라고 하였다.

2021년 아파트가 급상승하고 아파트 시세가 13억 원일 때 팔지 못한 것이 후회되었다. 아파트 한 채를 팔아도 손에 쥐는 돈으로 남은 인생을 살 자신이 없다. 돈을 더 벌어야 하지만, 경제활동은 이미 물 건너갔다. 빚을 정리하여야 하는데 아파트를 파는 것 외에는, 답이 없다. 아무리 생각하여 보아도 20~30년은 자기들 부부가 살 것이다. 현재의 아파트 2채 다 정리하고, 아파트 가격이 저렴한 동네로 이사 가야 하는데, 서울시 전체가 다 올라서 그놈이 그놈이었다. 서울에서 멀리 떨어진 경기도 외곽으로 가야 한다.】

아파트 가격은 수도권을 포함하여 서울 전 지역에서 다 같이 상승하고, 하락한다. 어느 한 지역만 오르고 내리는 것이 아니다. 더 오르고 덜 내리고 하는 것이다. 그러나 전체적인 움직임은 같다.

집이 한 채가 있는 사람이 집을 처분하고 다른 동네로 이사 가고자 한다. 아파트 시세는 비슷한 동네이다. 집을 판다. 집을 새로 산다. 세금과 이사 비용을 계산하면 수평 이동이 어렵다. 부족한 현금은 빚을 지어야 한다. 즉 자산이 줄어드는 것이다. 다행히도 집값이 올라서 기분이라도 좋은 것이지 실제로 손에 쥐는 것은 줄어들고, 빚은 늘어나는 것이다. 이사 가지 않아도 세금이 늘어나기 때문에, 경제적 여유가 없어진다. 이런 고민을 하는 국민이 늘어나고 있다. 교통이 불편하거나 주거환경이 나쁜 곳 또는 더 작은 집으로 줄여서 이사 가는 이유가 있는 것이다. 이것이 정책에 따른 효과라면, 정책의 실패이다. 그렇지만 아파트 가격이 상승하도록 유도한 부동산 정책으로 웃는 사람들도 있다. 정치인들과 다주택자들이다.

33. Death-boom, 아파트 가격 폭락이 오고 있다.

『통계청이 발표한 '2020년 사망원인 통계'에 따르면 작년 총사망자 수는 30만4천948명으로 2019년보다 3.3% 늘었다. 1983년 통계 작성 이래 가장 많은 것이다. 사망자 수는 2018년 역대 최대를 기록한 뒤 2019년에는 전년 대비 1.2% 감소했으나 1년 만에 다시 증가했다. 사망률(인구 10만명당 사망자 수)도 1983년 역대 두 번째로 높은 수준이다. 통계청 관계자는 "사망자 수가 사상 최대를 기록한 것은, 인구 고령화 때문으로 보인다.' 하였다.』

어느 지역에 부동산 가격이 오르고 있다면, 가장 확실한 이유는 사람이 모이는 것이다. 시간이 지날수록 가격이 더 오르는 이유는 사람이 더 모여들기 때문이다. 그래서 주택을 짓고, 업무와 상업공간을 짓는다.

주택공급을 이야기할 때 가장 기본의 되는 자료는 주택보급률이다. 2021년 우리나라의 주택보급률은 103.6%이다. 100%가 넘었는데도 주택가격이 하락하지 않는 것을 보고, 주택보급률이 실제 주택 재고가 충분한지를 보여주는 데이터로는 한계가 있다고 말하기도 한다. 가구 수에 오류가 있다는 것이다.

통계청 자료를 보면 1인 가구의 증가로 인해, 가구 수는 매년 계속 증가하고 있다. 이러한 1인 가구는 20대가 아니라 경제적 능력이 있는 50대가 가장 많은 수치를 기록하고 있다. 또한 가구에는 외국인 가구와 집단가구가 제외된 것이다. 국내 거주 외국인 약 50만 가구를 계산하지 않았으며, 불법체류 외국인 등 단기간 체류하는 외국인들은 모두 통계에서 누락 된 것이다.

주택 재고에 대한 주택 수 집계도 오류가 있다. 보급률을 계산할 때 사용하는 주택 수는 독립적으로 사용할 수 있는 거처에 대한 공간 단위로 계산한다. 다가구 주택의 경우 소유자는 1명이지만 거처에 대한 공간 단위는 더 많다. 에어비앤비 등으로 활용되는 주택은 주택의 기능이 제한을 받아도 주택으로 포함된다. 따라서 주택 수는 많고, 가구 수는 적게 되므로 주택보급률의 계산에 착오가 있다는 것이다.

<표 4-6, 인구 1,000명당 필요한 주택 수>

기준 인구	가구 구성원	필요한 주택 수
1,000명	4인 가구	250
	3인 가구	330
	2인 가구	500

최근에 국제적으로 많이 사용하는 지표는 '1,000명당 주택 수'이다. 2018년 이 지표로 보면 우리나라는 대부분 선진 국가들이

500호를 넘은 것에 비해 403호로 아직 충분하지 못한 나라이다.

이러한 지표에는 주택의 질이 빠져있다. 사람은 더 좋은 환경으로 이사하려는 실제 수요가 있다. 이러한 오류가 있다면 주택 부족에 따라 지속적인 공급이 이루어지고 있는지 검토하여야 한다. 주택 수요에 대한 분류 중에 신규수요와 대체 수요로 구분하는 경우가 있다. 신규수요는 인구가 증가하면서, 또는 가구가 분리되면서 자연스럽게 새로이 발생하는 수요이며, 대체 수요는 부동산의 멸실, 주거 불안 등으로 발생하는 수요이다.

일반적으로 신규수요에 맞추어 공급에 대한 정책을 만들지만, 이 둘을 다 고려한 공급정책이 이루어져야 한다. 통계청 자료를 통해 수요에 대한 가구 수를 조사하면 현재 서울에 대한 주택 공급량은 부족하다는 것이다. 이러한 통계상의 오류로 인해서 우리나라의 주택보급률은 아직도 낮은 상태이고, 공급은 부족하고 만성적인 초과수요가 서울에 있으므로 서울의 아파트 가격은 계속 상승할 것이라는 논리를 주장하는 것이다.

한때, 베이비붐 세대들이 은퇴를 시작하면 아파트 가격이 하락하는 것은 당연한 상식으로 받아들여졌다. 그러한 배경은 당시에 국제결제은행(BIS)이나 일본 등에서 발표한 국제적 연구에 기인하였다. 그 연구발표에 따르면 고령화를 포함한 인구효과가 부동산 시장에 장기침체 영향을 줄 것으로 언급을 하였다. 대부분 선진국은 베이비붐 세대들로 인해 인구 보너스(Demographic Bonus) 시대가 있었다. 경제성장과 부동산 시장의 장기 호황을 경험했다. 지금은 인구 오너스(Demographic Onus) 시대를 향해 가는 중이다.

고령화 부담 (burden of ageing population)은 벌써 시작되었다. 베이비붐 세대들이 은퇴하면서 인구 전환기에 진입하면서 부동산 버블이 꺼지는 경기침체를 맞이하였다. 1990년대 일본, 2008년의 미국이나 유럽의 부동산 가격 하락을 이러한 이유로 설명하기도 하였다. 우리나라는 이제 시작이다.

즉 베이비붐 세대의 은퇴로 경제성장률이 정체되고 주택매각이 수요를 초과하여 부동산 시장이 장기침체가 시작되는 것으로 분석한 것이다. 모든 부동산버블이 금융위기를 초래하는 것은 아니지만 인구 전환기에 대한 부담이 어느 시점에 일치하게 되면 총체적 위기가 온다는 것이다.

수많은 전문가가 베이비붐 세대들이 본격적으로 은퇴하는 2020년이 되면, 아파트 가격은 하락한다고 2000년 초반에 전망하였다. 전문가들은 연일 방송으로 나왔고, 그들의 책은 베스트셀러가 되었다. 그러나 2020년이 눈앞에 다가와도 아파트 가격의 상승은 계속되고 있었다. 가격이 상승하는 이유를 찾아야 했다. 앞에 언급하였듯이 주택보급률의 오류가 있으니 1,000명당 주택 수로 평가하여야 한다는 것과 같은 새로운 논리를 만들었다. 공급이 절대적으로 부족하다는 이유를 찾은 것이다. 이것이 정확한 시장분석인지에 대해서는 논란의 여지가 있다.

아파트 가격의 전망에 대해서 분명한 것이 있다. 매수자가 없으면 가격은 하락한다는 것이다. 공급이 많아지면 가격은 하락한다는 것이다. 인구가 줄어들면 가격이 하락한다는 것이다. 이것이 단기적으로 부동산버블과 부채 부담, 그리고 인구 전환기의 3박자가 맞아들어가면 가격은 하락을 맞이하게 될 것이다. 그러나 단기 전망은 변수가 많아 예상과 다르게 나타나기도 한다.

그러나 장기 전망은 누구나 할 수 있다. 사람이 없으면 가격 하락은 예정되어 있다는 것이다. 우리나라 인구는 급속하게 줄어들고 있고, 베이비붐 세대들은 30년 이내로 대부분 사망한다는 것이다. 매년 사망자는 기하급수적으로 늘어날 것이고, 인구는 줄어든다. 도시의 인구는 줄어들고, 농가에 있던 빈집들이 서울 도심에서도 나타날 것이다. 어느 지역에 부동산 가격이 하락하고 있다면, 가장 확실한 이유는 사람이 없는 것이다. 시간이 지날수록 가격이 더 하락하는 이유는 사람이 더 없어지기 때문이다. 그래서 빈집이 늘어나고, 슬럼화가 진행되는 것이다.

Baby-boom 이 있었던 것만큼이나, Death-boom이 국내에 나타나고 있다. 우리나라의 사회 system이 깨지는 것은, 시간문제이다. 다행스러운 것은 2024년 우리나라는 아시아에서 최초로 다민족 국가가 되었다는 것이다. 외국의 이민자들이 부족한 출생률을 채워야 한다. 그렇지 않다면 1인 가구도 줄어드는 현상이 조만간 나타날 것이다.

인구감소 현상이 본격적으로 나타나면, 아파트 가격 하락을 방지하기 위해서 정부에서는 마이너스 금리 정책을 선택할 수밖에 없다. 각종 부동산에 관련된 세금도 없앨 것이다. 부동산 전문가들이 아파트 가격이 반등할 것으로 전망하겠지만, 서울, 부산 정도나 가격을 유지할 것이고, 수도권을 포함하여 전국적으로 주택 가격은 하락할 것이다.

시대의 패러다임이 바뀌면서 새롭게 부동산 가격이 상승하는 지역과 투자상품으로 인기몰이하는 부동산이 있을 것이다. 주거공간이 바뀌고, 상업·업무 공간이 지금과는 다른 개념으로 바뀌어 갈 것이다. 지금 MZ세대들은 큰 변화의 물결 초입에 있음을 알고, 부동산을 봐야 하는 이유이다.

인생 후반전에 진입한 Baby-boom 세대들은 후진국인 나라에서 태어나 도시화·산업화 과정을 통해 유례가 없는 경제성장 호황기에 인생을 살았다. 그리고 인생 후반전에 들어서면 국가는 경제발전을 이루어 선진국이 되었다. 그들이 살던 세상에서의 아파트 가격 상승은 당연한 현상이다. 지금 MZ세대들은 도시화·산업화가 끝나고, 선진국 문턱에 있는 나라에서 태어나 20대, 30대가 되면서 선진국인 나라에서 살고 있다. 아파트 가격 상승은 이들에게 당연한 것이 아니다. MZ세대들이 부동산을 바라보는 시각이 달라야만 한다. 부동산으로 부를 취득해 나가는 과정 자체가 Baby-boom 세대와는 다른 것이다.

34. 묻지마 투자하고 우는 사람들

【사례 ; 부동산 빌딩을 구매하고자 하여 조현수(55세, 남)는 중개업소를 방문하였다. 중개업소에서 85억 원이라는 투자 물건을 소개받았고, PT로 만들어진 자료는 물건에 대한 개요, 건물에 대한 사진, 등기부 등본, 임대현황, 보증금과 임대료 총액으로 계산된 5.2%의 수익률이 기술되어 있는 7장의 문서였다.

5.2% 수익률이면 좋은 수익률이고, 임대는 걱정하지 말라는 중개사의 설명이 있다. 가격이 적당한 것인지 아닌지, 혹시 75억 원으로 살 수 있는 것인데, 85억 원에 사라는 것이 아닌지 의문이 들었다. 85억 원의 가치가 있는 것인지에 대한 설명을 듣고자 하였으나, 그런 설명은 없다. 수익률이 이 정도면 아주 좋은 물건이고, 다른 빌딩은 3~4% 수익률이라는 요지로 중개업 사장님은 앵무새처럼 이야기할 뿐이다.

이야기를 들으면서 다음과 같은 의심이 들었다. 첫째, 임대보증금과 임대료가 가짜일 가능성은 없는가? 둘째, 현재 임차인들의 계약이 종료하면, 새로운 임차인은 현재 임대료를 지급할 수 있는 것인가? 셋째, 7장의 문서를 보고 85억 원에 대한 의사결정을 하기에는 자료가 너무나 빈약하고 허술해 보인다. 이 문서를 보고 85억 원에 대한 의사결정을 할 수 있는 것인지 판단을 하기 어려웠다.

지인의 소개를 받아 다른 부동산 중개업소도 다녔고, 인터넷을 검색해서 전문가라는 사람을 만나 보고 다녔다. 처음에 만났던 중개업소와 다들 비슷했다. 건물만 달랐을 뿐, 보여주는 자료들과 상담 내용은 비슷하였다. 여기저기 다닐수록 의사결정을 하기가 점점 더 어려웠다.】

투자에 대한 단어적 정의는 현재의 소비를 희생한 대가로 미래의 경제적 보상을 받고자 하는 행위이다. 미래의 경제적 보상이 기대이익(expected return)이다. 투자에는 위험이 따른다고 하는 것은 기대이익이 미래 시점에 발생하는 것이므로 불확실성을 가지고 있기 때문이다. 따라서 기대이익에 대한 냉정한 판단이 필요한 것이다. 이를 수익률(rate of return)로 계산하여 기대이익을 산출한다. 기대이익은 시장 임대료를 적용하여 계산한다. 특정된 계약 임대료로 계산하면 가치 판단에 있어 오류가 발생한다.

수익률은 크게 3가지로 정리한다. 기대수익률(expected rate of return)이란 투자로부터 기대되는 예상 수입과 예상 지출을 토대로 계산되는 수익률이다. 요구수익률(required rate of return)이란 투자에 대한 위험이 있을 때 투자자가 대상 부동산에 자금을 투자하기 위해서 충족되어야 할 최소한의 수익률을 의미한다. 요구수익률에는 시간과 위험에 대한 비용이 들어 있다. 실현수익률(realized rate of return)이란 투자가 이루어지고 난 후에 현실적으로 실현된 수익률이다. 이는 투자가 이루어진 후에야 알 수 있으므로 사후 수익률 또는 역사적 수익률(historical rate of return)이라고 한다.

따라서 투자에 대한 의사결정은 기대수익률과 요구수익률을 비교함으로써 이루어지는 것이 일반적이다. 투자자는 기대수익률이 요구수익률보다 높을 때 부동산투자에 대한 의사결정을 한다.

<표 4-7, 수익률 구분>

수익률 구분	내용
기대수익률	예상되는 수입과 지출을 비교하여 계산한 수익률
요구수익률	시간과 위험에 대한 비용이 발생함에 따라 투자자가 요구하는 수익률
실현수익률	투자가 종료하고 나서 결산하여 실제로 확보한 수익률

<표 4-8, 수익률 비교>

수익률 비교	의사결정
기대수익률 > 요구수익률	투자 채택
기대수익률 < 요구수익률	투자 보류

수요가 감소하면 가치는 점점 하락하게 되고, 가치가 하락함에 따라 그 부동산에 대한 기대수익률은 점차 증가하게 된다. 따라서 부동산의 가치가 하락하여 기대수익률과 요구수익률이 일치하는

수준에 이르면 투자자는 그 부동산에 투자하려고 하는 것이다. 부동산 자산 시장에서 공급자와 수요자가 만나서 자본환원율에 대해서 합의한다고 하였다. 자산 시장에서 언급하는 자본환원율이 수익률에서는 요구수익률로 해석이 되는 것이다.

투자자가 부동산을 매입하는 행위를 학문적으로는 투기와 투자로 구분할 수 있다. 투기는 위험부담은 높으나 짧은 보유기간에 높은 수익률을 얻는 기회를 가지는 것이다. 부동산 투자의 경우는 일반적으로 운영 수익, 자산 안정성, 자본가치 상승, leverage effect, 소득세 혜택 등의 이득을 도모할 수 있다. 일반적으로 부동산에서 투자는 취득, 운영, 처분의 과정을 가지는 것이고, 투기는 운영과정 없이 시세차익만을 도모하는 행위를 의미하고 있다.

【사례 ; 이경미(여, 49세) 현금 6억 원의 여윳돈이 있어서 부동산 투자하기로 하였다. 마침 마곡 지역에 신규로 분양하는 건물이 있어서 분양상담실을 방문해 상담을 받았다. 분양가는 10억 원이고 분양을 받으면 보증금 1억 원, 월 임대료는 450만 원 받을 수 있다고 한다. 표로 정리된 예상 임대료를 보여주면서 투자 가치가 있다는 설명을 들었다. 대출을 받지 않아도 6% 수익률이 확보된다는 말에 호기심이 생기었다.】

이경미는 분양 상담받으면서 분양상담사가 제시한 6% 수익률을 기대수익률이라고 할 수 있는지 판단하여야 한다. 6% 수익률이 나올 줄 알고 분양을 받았는데, 실제는 3% 수익률이 나왔다고 한다면 그에 대한 책임은 분양상담사에게 있는 것인지, 아니면 본인에게 있는 것인지 스스로 질문을 던지고 답을 얻어야 한다.

【사례 ; 3형제의 장남인 현상훈(남, 57세)은 4년 전 형제들과 의논하여 연로한 부모를 자기가 모시기로 하였다. 그리고 선친의 집을 어떻게 할 것인지 고민하였다. 현상훈은 전문가를 만났고, 입지가 좋으므로 10층 정도의 오피스텔이나 도시형생활주택 또는 나홀로 아파트를 개발하라는 조언을 받았다. 조언을 받아들여 도시형생활주택을 신축하기로 했다. 8개월 동안 신축사업을 준비하였으나 사업비 조달에 대한 부담으로 포기하였다. 서울 신당역 인근에 있는 부친의 집은 다 쓰러져 가는 단독주택이지만, 입지가 좋아서 45억 원을 받았다. 매입한 사람은 아파트로 개발사업을 한다고 했다. 현상훈은 45억 원을 가지고 건물을 매입하기로 하였다. 형제들과 다툼이 있었지만, 장남의 권위로 무시하고 진행하였다.

중개업소와 빌딩 컨설팅을 하는 전문가를 찾아다니면서 투자 물건에 대한 자료를 취합하였고 상담했다. 대부분 수익률이 4% 내외의 물건이었고, 더 높지도 않고, 더 낮지도 않았다. 시간이 가면서 조바심이 생기었다. 뭔가 결정해야 하는데 이러지도 못하고 저러지도 못하는 상황에 지쳐만 갔다.

그러다가 강남의 모 부동산에서 연락이 왔다. 보증금 3억6천만 원, 월 임대료 2,830만 원인 건물로 투자 가치가 뛰어나니 검토하라면서 PT 문서로 만든 보고서 6장을 보내주었다. 매매가격은 80

억 원이었다. 수익률은 4.4% 내외였다. 전철역에서 나오면 직선거리로 100m가 채 안 되는 입지였다. 건물 외관을 새롭게 리모델링을 하였다. 깨끗한 것이 맘에 들었다. 계약금 8억 원을 주고 계약서를 작성하였다.

계약서를 작성한 다음 날, 전문가에게 연락했다. 그리고 그동안의 안부를 묻고 이런저런 이야기를 나누고, 전문가의 조언대로 개발사업을 하지 못하였지만 좋은 투자 물건을 찾아서 계약하였다고 하였다.

궁금증이 생긴 전문가는 계약 물건에 대한 PT 자료를 현상훈에게 요구하였고, 이메일로 받았다. OO 대학 역에서 2분 거리에 있는 건물이었다. 전문가는 인터넷으로 대략적인 내용을 검토하면서 임대차 내용이 이상한 것이 눈에 보였다. 그 지역에서 중개업을 하는 '갑'에게 물건에 대한 자료가 맞는 것인지 전화하였다. '갑'은 80억 원이 아니라 2개월 전까지 70억 원이었던 물건이라고 하였다. 건물주가 자기 딸 이름으로 지하 1층, 1층, 2층에 임대차계약서를 작성하여 보증금과 임대료를 올린 가짜 임대차자료를 만들었다는 것이다. 그러면서 최근에 돌아다닌 80억 원은 새롭게 만들어진 숫자라고 이야기하였다.

황당한 이야기를 들은 전문가는 현상훈에게 전화하여 전후 사정을 설명하면서 안타까움을 피력하였으나, 이미 엎질러진 물이었다. 시간이 지나서 지하 1층, 1층, 2층의 카페는 없어졌다.

현상훈이 계약할 당시에 카페 주인이 건물주의 딸임을 알았다면 계약하지 않았어야 했다. 조작된 숫자라는 것을 누구나 알 수 있는 것이다. 임대차 계약서의 내용은 계약 임대료이다. 계약 임대료로 계산한 부동산의 가치는 믿을 수 없는 것이다. 시장 임대료가 중요한 것이다. 하지만 현상훈은 계약 임대료를 시장 임대료로 인정하고 거래하였으니 할 수 없는 것이다.】

35. 투자 검토는 어떤 방법으로 하는가?

【사례 ; 2010년을 전후하여 천여 명의 중개사들로 구성된 부동산동호회가 Daum에 만들어졌다. 회원들의 대표가 찾아왔다. 격주로 모여서 세미나를 하는데, 컨설팅에 대한 Know-How를 강의해 달라는 것이다. 부동산 컨설팅 사업을 하는 전문가를 수소문하다가 알게 되어 필자를 찾았다고 한다. 강의를 수락하고 컨설팅을 6단계로 설명하였다. 각각의 단계에 따라 컨설팅 보고서를 작성하여 의뢰인에게 제출하면 된다고 하였다.

보고서를 만들다 보면 50장이 될 수도 있고, 100장이 될 수도 있으므로 전문가의 시각에서 인내심을 가지고 객관적으로 공정하게 작성하여야 함을 강조했다. 금전적 이득이나 계약 자체에 욕심을 내지 말고, 투자를 판단할 수 있는 보고서를 의뢰인에게 건네주면 컨설팅 업무는 종료하는 것으로 설명하였다.

계약하고 안하고는 두 번째 문제이므로 컨설팅을 의뢰하는 순간에 의뢰 비용을 받고, 컨설팅 보고서를 건네주면서 수수료를 받아야 한다고 하였다. 투자하고 안하고는 의뢰인의 개인적 선택이므로 전문가는 관여할 필요가 없다고 이야기하였다. 강의가 종료되고 나서 중개사들이 아래와 같은 질문을 하였다.

"부동산 투자하겠다고 찾아오는 사람에게 상담비를 받는 것이

가능한가요? 보고서를 주고 컨설팅 수수료를 받는 것이, 현실적으로 불가능한 것처럼 보입니다."

"대부분 투자 물건을 소개해 달라는 사람들을 만나면, 자료만 받고 연락이 끊어지는 경우가 대부분인데, 이들이 계약하지도 않았는데 수수료를 줄까요?"

"컨설팅 보고서가 부정적으로 나오면 계약을 할 수 없는 거 아닌가요? 그렇다면 중개수수료로 밥 먹고 사는 사람들이 그런 보고서를 만들지 않을 것 같은데요"

이런 질문을 하고는 필자를 쳐다본다. 그들에게 2007년부터 유료상담, 유료 보고서를 통한 컨설팅 사업을 하고 있다고 말하니 필자를 못 믿는 눈빛이다.】

<표 4-9, 컨설팅 보고서 단계>

분석단계 분류	내용
물건분석	토지, 건물에 대한 기본적 분석(용도, 용적률, 건물구조 등)
시장분석	거시적/미시적 시장, 공간/자산 시장, 시장요인 분석 등
타당성분석	수익률 분석, 가치분석, 수지 분석 등
환경분석	지역분석, 환경분석, 개발요인분석 등
금융분석	자본시장 조달 비용 분석, 매도전략 수립
의사결정	투자 여부 결정

위 분석 6단계는 필자가 부동산 투자 컨설팅이란 사업을 하면서 체득한 수많은 경험을 부동산이론으로 접목하여 정리한 것이다.

공간시장과 자산 시장에 따라 시장분석을 해보면 같은 대상이지만, 차이가 발생한다. 상업용 부동산의 경우에 공간시장에서의 수요자는 상권분석에 대한 이해와 방법을 알아야 하며, 자산 시장의 수요자는 가치가 어떻게 형성되는 것인지 이해하여야 한다. 투자성 검토에 대한 가장 기본적인 접근방법을 다음과 정리하였다.

투자에 있어서 공급자(매도인)와 수요자(매수인)는 정반대의 상황에 있다. 매도인은 지금 매도하는 가격이 정말 합리적인 가격인가? 더 받을 수 있는 것임에도 불구하고 지금 가치에 비해 낮은 가격에 파는 것은 아닌가? 하는 의문이 들 것이다. 반면에 매수인은 지금 매입하는 가격이 정말 합리적인 가격인가? 혹시 가치가 없는데 잘 못 매입하는 것은 아닌지 우려를 할 것이다. 이러한 상대적인 입장을 실무에 적용해 보면, 위 6단계의 분석과정은 순서에도 의미가 있는 것이다. 자칫 순서가 바뀌어 버리면 상위 단계의 분석과정을 생략하고 의사결정을 하는 일이 비일비재하다. 대부분 부동산 마케팅하는 사람들은 사람들의 이러한 심리를 이용하여 분양(판매)전략을 기획한다.

분석과정을 통하여 투자대상 물건에 대한 시장이 어떻게 이루어지는지 이해하고 있어야 하며, 시장에 영향을 주는 요인이 매도인과 매수인에게 어떤 영향을 각각 주고 있는지 파악해야 한다. 요인은 개별적인 것과 공통적인 것으로 분류할 수 있으며, 각각의 적용은 투자자가 처한 상황에 따라 다른 것이다.

타당성분석은 가치에 대한 분석이며, 이러한 가치는 수익률을 통해서 알 수 있다. 가치를 분석해 가는 과정에서 투자 가치에 어느 정도의 오차가 포함되어 있는지 대략 추측해 볼 수 있다. 일반적으로 가격은 가치에 수렴하게 된다. 오차가 적을수록 가치와 가격이 근접하기 때문에 중요한 과정이다.

환경 분석은 일반적으로 지역분석에 해당한다. 개발 호재들이 있다면 여기에 해당할 것이다. 상권분석의 대부분 내용이 환경분석에 해당한다. 시장분석, 타당성분석, 환경분석을 마치고 나서 금융 조달에 대한 방법과 비용을 정리하여야 한다. 매입하면서 매도에 대한 전략을 수립한다면 금융분석과정에서 하여야 한다.

이러한 6단계의 분석과정이 종료하였다면 투자의 채택, 보류, 기각의 하나를 결정할 수 있는 것이다. 그러나 위 6단계와 다르게 아래와 같이 분류하기도 한다.

아래의 3 분류는 일반적으로 업계에서 사용하는 방식으로 물건분석, 지역분석, 그리고 계약 임대료로 만들어진 보고서들이다. 시중에서 쉽게 접할 수 있다. 이러한 방식은 보고서 순서에 큰 의미를 두지 않는다. 일방적으로 나열한 형태이다.

<표 4-10, 일반적인 부동산 보고서 내용>

분석에 대한 분류	내용
물권 분석	토지, 건물에 대한 소재지, 면적, 용도지역, 공시지가, 용도, 용적률, 층수 업종 등
지역 분석	입지 조건, 배후 세력 등
타당성 분석	임대료 현황, 금리, 대출 여부, 가격 등

【사례 ; 부동산 투자에 관심이 많은 하관용은 어느 날 전화를 받았다. "혹시 부동산 투자에 관심이 있으신지요? OO 지역에 건물을 지을 수 있는 토지를 소개하고자 합니다. OO 지역에 도로가 개통되고, 2028년에 전철이 연결될 예정이며, 20분 거리에 LH에서 하는 택지개발이 예정되어 있습니다. 개발 호재가 많아서 지금 투자해 놓으시면 최소한 2배는 시세차익을 볼 수 있습니다. 사무실이 강남 OO 사거리에 있으니 방문해 주시기 바랍니다. 제가 안내해 드리겠습니다. 언제가 가능한지요?"

하관용은 친구를 만났다. 그리고 전화 내용을 이야기하니, 친구도 다음과 같이 전화 받았다고 한다.

"안녕하십니까? 사장님, 투자 가치가 뛰어난 마포지역에 오피스텔 분양을 소개하고자 합니다. 마포 잘 아시죠? 업무지역으로 우리나라를 대표하는 지역입니다. 오피스텔이 늘 부족한 지역입니다. 마포에서는 이렇게 대형으로 공급되는 오피스텔로는 앞으로 없을 것입니다. 한강이 바로 보이는 입지입니다. 마포에 오피스텔 하나 장만하시어 임대를 놓으시면 바로 6% 수익률을 보실 수 있습니다. 3~4년 보유하다가 팔아도 충분히 시세차익을 보실 수 있습니다. 모델하우스가 공덕역 바로 앞에 있습니다. 언제 시간이 되시는지요? 한번 뵙고 자세히 말씀드리고 싶습니다."

두 사람은 전철역이 개통되는 서울 인근의 토지와 마포의 오피스텔 어느 쪽이 더 투자 가치가 있는지 의견을 주고받았지만, 답은 없었다.】

36. 가치에 대한 분석은 어떻게 하는가?

【사례 ; 빌딩 투자 검토를 하는 이웅서(55세, 남)는 5개의 투자 물건을 소개받았다. 강남에 있는 빌딩이 2개로, 강북에 있는 것이 3개이다. 3.9%, 4.3%, 4.9%, 5.4%, 5.7%로 각각 수익률도 다르다. 수익률이 적은 것이 강남에 있는 빌딩이다. 강남을 선택할 것인가? 강북을 선택할 것인가? 갈등이 온다.

물건을 소개하여 준 중개업소에서는 강남에 있는 물건을 선택하라고 한다. 강남에 있는 부동산이 투자 가치가 있다고 하는데, 왜 그런지는 설명을 하지 않고, 강남이라는 말만 한다.

자료에는 1년 임대료로 수익률을 계산하였다. 가만히 생각하여 보니 공실 한 달이 발생하면 0.08% 차이가 발생한다는 생각이 들었다. 대출금리를 보니 자칫 현금흐름이 안 좋을 가능성이 있다는 것을 알았다. 투자하자마자 손실이 날 가능성이 있는 것이다. 중개업자는 이에 대한 언급이 없었고, 물건 자료 어디에도 찾아볼 수 없었다.

이런 생각을 하고 나서, 다섯 개의 투자 물건을 다시 들여다보기 시작하였다. 평균 공실률을 염두에 두고 검토하는 것이 맞는 것이 아닌가 싶어 중개업자에게 물어보니, 그렇게 검토하면 수익률이 너무 떨어져서 투자할 물건이 없다는 답변을 들었다. 이해가 안 되는 이웅서는 고민할 수밖에 없다. 저 수익률을 믿을 것인가? 믿는다면 수익률이 제일 높은 빌딩에 투자할 것인가? 아니면 수익률이 낮아도 강남에 투자할 것인가?】

특정 시점에서의 대상 부동산에 대한 가치는 다양하게 정의된다. 목적에 따라 가치를 세분하게 되면, 투자가치, 사용가치, 보험가치, 담보가치, 과세가치, 장부가치, 교환가치, 정산가치, 적정가치 등으로 수많은 가치로 구분할 수 있다. 가치의 종류가 이렇게 다양하게 세분되는 이유는 같은 부동산일지라도 보는 사람에 따라 관점(맥락)이 다르기 때문이다. 부동산 투자하면 수익을 보고자 하는 것이 기본이므로 이에 대한 가치를 분석하는 것이 기본 전제이다. 수익에는 운영 수익(income gain)과 자본 수익(capital gain)이 있다. 간혹 처분 시에 자본 손실(capital loss)을 보는 경우도 발생할 가능성도 있다.

그래서 가치분석은 일반적으로 현금수지분석과 지분 복귀액으로 검토한다. 현금수지 분석은 예상되는 수입과 지출을 알아보고자 하는 것이다. 대상 부동산을 운영하는 보유기간(holding period)에 국한하여 이루어지는 것이다. 투자자는 시장조사를 통해서 본인이 투자하였을 경우의 기대되는 수입과 지출을 추정하여 계산하는 것이다. 투자자로서 반드시 검토하여야 할 사항이다. 영업수지 계산과정은 아래와 같다.

<영업수지의 계산과정>

	단위당 예상 임대료
x	임대 단위 수
	가능조소득 (PGI : potential gross income)
-	공실 및 불량부채
+	기타소득
	유효조소득 (EGI : effective gross income)
-	영업경비 (OE : operating expenses)
	순영업소득 (NOI : net operating income)
-	부채서비스액 (DS : debt service)
	세전현금수지 (BTCF : before-tax cash flow)
-	영업소득세 (TO : tax from operation)
	세후현금수지 (ATCF : after-tax cash flow)

가능조소득은 임대 단위 수에다가 연임대료를 곱하여 구한다. 투자 대상 부동산에서 얻을 수 있는 최대한의 임대료 수입의 총합을 의미한다. 부동산의 특성상 공실이 하나도 없는 경우는 극히 드물다. 더군다나 임대료가 늘 정해진 날짜에 입금될 거라고, 장담할 수도 없다. 따라서 '공실 및 불량부채에 대한 충당금'(Allowance for Vacancy and Bad Debt)을 산정하여야 한다. 이와 같은 손실이 있는 반면에 주차장 임대료, 옥외 광고 등과 같은 임대료 이외의 수입이 있을 수 있다. 이를 기타소득이라 한다. 손실과 수입을 계산한 소득을 유효조소득이라 구한다. 순영업소득은 유효조소득에

서 영업경비를 감하여 계산한다. 영업경비로는 대상 부동산을 운영하는데 필요한 관리비, 재산세, 보험료, 광고비, 전기세, 수수료, 전화료 등을 의미한다. 유의할 점은 재산세는 영업경비에 포함이 되나 영업소득세나 자본이득세는 영업경비에 포함되지 않는다는 것이다. 또한 건물 자체에 대한 감가상각비는 영업경비에 포함되지 않으나 비품에 대한 감가상각비는 영업경비에 포함되고 있다.

부동산의 투자 또는 관리 업무 중 가장 중요한 업무는 바로 부동산의 가치를 정확히 산출하는 것이다. 가치평가는 건물 보수의 장단점, 자산매각 결정, 각종 세금, 보험료 책정 등 자산관리자의 능력을 평가하는 기초가 되기도 한다. 주로 부동산의 시장가치는 공개 경쟁시장에서 받을 수 있는 가장 가능성 있는 가격을 기초로 평가된다.

이때 시장가치에 대한 측정은 NOI(순영업소득)와 자본환원율로 이루어진다. 가능조소득이나 유효조소득으로 가치평가를 하면 부동산 가치가 더 높게 나오므로 주의하여야 한다.

순영업소득에서 저당에 대한 원금상환분과 이자 지급액을 감한 것을 세전현금수지라 한다. 세전현금수지나 세후현금수지는 간혹 (-)가 발생할 수 있으므로 세전 현금소득이나 세후 현금소득이라고 하지 않는다. 세전현금수지에서 영업소득세를 제한 것을 세후현금수지가 된다. 지분 복귀액은 미래의 예상되는 매도가격(selling price) 추정으로부터 시작된다. 매도 가격이라고 하는 것은 투자하는 현재의 시점에서 보았을 때 기대가격의 의미를 갖게 된다. 부동산을 보유하고 있다가 어느 시점이 되면 처분하는 경우가 일반적이다. 이때 처분으로 인한 차익은 지분투자자들의 몫이다. 이를 '지분 복귀액'(equity reversion)이라 한다.

<지분 복귀액의 계산과정>

	매도가격 (selling price)
-	매도경비 (selling expense)
	순매도액 (net sales proceed)
-	미상환저당잔금 (unpaid mortgage balance)
	세전지분복귀액 (before-tax equity reversion)
-	자본이득세 (capital gain tax)
	세후지분복귀액 (after-tax equity reversion)

지분 복귀액은 투자자가 처음에 투자자금으로 지출한 원래의 지분투자액, 그동안 저당지불액의 납부로 인한 원금상환분, 그리고 부동산의 가치상승액으로 구분된다.

지분 복귀액 = 지분투자액 + 원금상환금액 + 가치상승금액

미래 특정 시점에서의 기대가격으로서 매수인으로부터 대상 부동산에 대한 소유권을 넘겨주고 받는 금전이다. 매도가격에서 매도경비를 감하면 순매도액이 된다. 매도경비로는 부동산 매도 때 매수인과의 협상을 중개해준 중개수수료, 법적 경비(legal fee), 기타 경비 등이 포함된다. 순매도액에서 미상환저당잔금을 감한 것이 세전지분복귀액이 된다. 대상 부동산을 매도하게 되면 대출자에게 저당 잔금을 전부 상환해야 하는 경우와, 새로운 매수인이 승계하는 경우가 있다. 세전지분복귀액에서 자본이득세(양도소득세)를 감하면 세후지분복귀액이 된다. 세후지분복귀액이 결과적으로 부동산 투자자가 확보하는 최종적인 현금수지가 되는 것이다.

이러한 지분 복귀액을 계산하는 과정을 살펴보면 처분으로 인한 차익은 세후지분복귀액의 권리를 주장하는 투자자와 자본이득세에 대하여 권리가 있는 정부, 저당대부로 참여한 금융기관으로 나누어짐을 알 수 있다.

【사례 ; 무역업을 하는 이동호(43세, 남)은 상가투자를 검토하고 있다. 여기저기 수소문하고 다녔다. 김포 장기지구 가현초등학교 앞에 새로이 상업지가 조성되고 있다. 6% 정도 수익률이면 투자할 마음이 있었다. 버스 정류장 앞에 파리바게트가 5년 임대차 조건으로 선임대가 맞추어진 상가를 6억3천만 원에 소개받았다. 수익률을 계산하여 보니 6.5% 내외였다. 장기지구에 가서 계약서를 작성하기로 하였다.

혹시나 해서 거래하는 세무사에게 물어보았다. 투자 물건과 임대료를 이야기하고, 내일 계약서를 쓰기로 하였다고 하니, 세무사는 세금을 계산하면 실제 소득이 더 낮으므로, 부동산 전문가가 소개한 6.5%는 허수라며 투자를 보류하라 조언하였다. 이동호는 다음날 계약하기로 한 방문을 취소하였다. 세무사가 계산한 것을 믿은 것이다.】

37. 미래 가치를 숫자로, 그 숫자가 거짓말한다.

『뉴스 보도자료에 보면, 2015년 대장동 도시개발의 사업 타당성에 대한 연구용역을 진행했다. 검토 결과 사업의 순현재가치(NPV) 335억7,000만 원, 내부수익률(IRR) 6.66%, 비용편익분석(B/C) 1.03으로 나타나 각각 '타당성 있음'으로 판단됐다. 비용편익분석이 1.00 이상이면 경제성이 있는 사업으로 평가되는 것이다.

천안시가 상습정체 해결과 교통환경 개선을 위해 추진하고 있는 국도대체우회도로 건설사업에 청신호가 켜졌다. 용역 중간보고서에 따르면 경제성 분석 결과 비용편익비율(B/C)이 1.06, 순현재가치(NPV)는 173.09억 원, 내부수익률(IRR)은 4.90%에 달해 경제적 타당성 기준(B/C≥1.00)을 넘어 사업성을 입증한 것으로 나타났다.』

위와 같은 보도자료를 통해 많은 국가사업이 순 현가법, 수익성 지수법, 내부수익률법 등으로 사업 타당성을 평가하고, 집행한다는 것을 알 수 있다. 부동산 투자를 하는 개인, 기업 경영을 하는 사업체도 비슷한 의사결정을 가지고 있다.

그렇다면 당신이 빌딩 투자하고자 적합한 투자 물건을 찾아다니는 중이라고 가정하자. 만나는 부동산 중개업소 또는 다른 부동산 업자들이 투자를 권유하면서 물건에 대한 자료를 준다. 그런데 놀랍게도 그 자료에는 수지 분석에 내용이 하나도 없다는 것을 확인하게 될 것이다.

투자분석 과정은 부동산에 대한 여러 가지 현상 중에서 수익성을 분석하는 것이다. 분석을 위한 도구의 가장 기본이 되는 것은 현금수지의 미래 가치와 현재가치를 계산하는 방법이다.

현금수지의 현재가치(Pv:Present value)와 미래 가치(Fv:Future value)는 부동산 의사결정 과정에서 쓰이는 다른 어떠한 기법보다 중요하다. 어떤 빌딩을 50억 원에 매입하였다. 가격이 매년 10%씩 상승한다면 매년의 상승분은 10%이지만, 다음 해는 그 전 해의 몫에서 다시 10%가 상승하므로 복리(compound rate)로 계산한다. 이를 아래와 같은 식으로 나타낸다.

$$Fv_{r,n} = Pv(1+r)^n$$

여기서 r은 이자율이고, n은 기간이다.

$$\begin{aligned} Fv &= 50\text{억원} \times (1+0.1)^3 \\ &= 66\text{억}5{,}500\text{만원} \end{aligned}$$

어떤 빌딩을 매입하고 3년 뒤 매도한다고 가정하였을 경우, 시세차익으로 5억 원을 볼 수 있다고 가정한다면 3년 뒤의 5억 원이 현재 시점의 5억 원과 금전적 가치가 같은 것이 아니다. 따라서 적절한 값으로 할인해야 한다. 미래 가치를 현재가치와 같게 만드는 적절한 값을 할인율(discount rate)이라 한다. 만약 할인율이 10%라고 한다면 3년 후 처분수익으로 확보하는 5억 원의 현재가치는 다음과 같다.

$$Pv_{r,n} = Fv\frac{1}{(1+r)^n}$$

$$= \frac{5억원}{(1+0.1)^3}$$

$$= 3억7,565.7만원$$

위 식에서 $(1+r)^{-n}$을 일시금 현가계수(present value of lumpsum factor)라고 한다.

어떤 빌딩을 50억 원에 매입하였다. 5년 동안 보유하였고 매년 <표 4-11> 같은 현금 유입이 기대된다고 가정한다. 그리고 60억 원에 매도하였다.

이자율을 7%로 가정하면, 불균등현금수지에 대한 전체 현재가치는 기간별 현금수지의 합이다. 즉, 기간별 현금수지에다 이자율

7%의 현가계수를 곱하고 이것을 전부 합하면 전체 현금수지에 대한 가치 합계를 구할 수 있다.

<표 4-11, 현금 유입>

기간(년)	현금 유입(원)
1	170,000,000
2	187,000,000
3	205,700,000
4	226,270,000
5	248,900,000
합계	1,037,870,000

<표 4-12, 7% 현가계수>

기간	현금 유입(원)	현가계수	현재가치(원)
1	170,000,000	0.934579	158,880,000
2	187,000,000	0.873439	163,330,000
3	205,700,000	0.816298	167,910,000
4	226,270,000	0.762895	172,620,000
5	248,900,000	0.712986	177,460,000
합계	1,037,870,000		840,200,000

부동산 투자를 하기 위한 중요한 개념 중의 하나가 순현재가치(NPV)이다. 순현재가치를 줄여서 순 현가라고 한다. 순 현가란 부

동산 투자에 투입된 비용과 산출되는 수익의 차이를 의미한다. 즉 장래 기대되는 세후소득의 현가 합과 애초에 투자 비용으로 지출된 지분의 합계를 서로 비교하여 투자 결정을 하는 방법이다. 앞의 표에서 순 현가를 계산하여 보면, 투자자의 요구수익률이 7%이다. 순 현가는 예상되는 수익의 현가 합에서 비용의 현가 합을 뺀 금액이다. 예상되는 현금 유입과 현금 유출의 현가 합을 구하기 위해서는 매년의 현금수지를 요구수익률로 할인해야 한다. 다른 현금의 유입과 유출이 없다고 가정하여 계산하면 다음과 같은 결과를 얻는다.

순 현가 = 현금 유입의 현가 합 - 현금유출의 현가 합
= 4,277,916,000원 + 840,200,000원 - 5,000,000,000원
= 118,116,000원

순 현가가 118,116,000원이라는 것은 빌딩 투자를 통하여 수익률이 투자자의 요구수익률 7%를 충족하고도 남는다는 것을 의미한다. 순 현가가 플러스일 경우에는 투자자는 투자를 결정하는 것이다. 수익성 지수(profitability index)란 현금 유입의 현가 합을 현금유출의 현가 합으로 나눈 것이다. 예를 들어 현금 유입의 현가 합이 6억 원이고, 현금유출의 현가 합이 5억 원이라고 한다면 수익성 지수는 1.2가 된다.

수익성 지수가 1보다 크다는 것은 순 현가가 0보다 크다는 것이

다. 따라서 수익성 지수가 1보나 크거나 같으면 투자 대안을 채택하고, 1보다 작으면 투자대상을 기각하는 것이다.

수익성 지수 = (현금유입의 현가 합) ÷ (현금유출의 현가 합)
= 6억원 ÷ 5억원
= 1.2

내부수익률(IRR:internal rate of return)은 투자에 대한 현금 유입의 현재가치와 현금유출의 현재가치를 같게 하는 할인율을 말한다. 즉, 내부수익률은 투자사업의 순 현가를 0으로 만드는 할인율이다. 매년의 현금수지와 현금수지의 지속 기간을 알면 부동산투자에 대한 내부수익률을 구할 수 있다. 이렇게 계산되는 수익률은 요구수익률과 같이 외부로부터 주어지는 것이 아니고 투자사업 자체에 내재하고 있는 것이라서 내부수익률이라고 부르는 것이다. 내부수익률은 보간법을 통해 근사치로 구한다.

계산하는 방식은 다음과 같다. 8억 원으로 어떤 상가에 투자할 때, 할인율이 8%일 경우 순 현가는 1,741만 원이고 할인율이 9%일 경우 순 현가는 -574만 원이라고 한다. 그러면 내부수익률은 순 현가를 0으로 만드는 할인율이므로 내부수익률은 9%보다는 낮은 것을 예상할 수 있다. 따라서 내부수익률은 8%와 9% 사이에 있다는 것이다.

앞에서 순 현가에 대한 계산 방법을 설명하면서 어떤 빌딩을 50억 원을 투자하여 매입하고 5년 동안 매년 <표 4-11>과 같은 현금 유입이 있다고 한 부분을 참고하자. 위의 빌딩 투자할 사람을 당신이라고 하자. 모든 조건은 본문과 같고 매도 가격만 다르다.

5년 뒤에 당신이 매도하는 가격은 55억 원이다. 당신은 투자를 채택하여야 하는가? 아니면 투자를 기각해야 하는가? 판단 근거는 아래와 같다.

순 현가 = 현금 유입의 현가 합 - 현금유출의 현가 합
= 3,921,423,000원 + 840,200,000원 - 5,000,000,000원
= -238,377,000원

투자하면 실패하는 수치이므로 기각해야 한다.

우리나라에서 발생하는 빌딩매매의 경우 이러한 기준을 적용하면 상당한 매물이 비정상적 가격임을 계산할 수 있다.

빌딩 투자도 마찬가지로 Baby-boom 세대들이 취했던 투자 방법에서 MZ세대들은 벗어날 시기가 되었다.

38. High Risk, High Return? NO, 그냥 망한다.

【사례 ; 장혁남과 강혜영은 부부(60대)이다. 동대문 종합 상가에서 30대 초반부터 20년 가까이 원단 도매사업을 하였다. 목돈이 쌓이면 그때마다 두 사람은 돈을 어디에 투자할 것인지 놓고 의견이 달랐다. 서로 의견의 일치를 보고자 대화하면 부부싸움을 하므로 한 번씩 번갈아 가면서 결정하기로 하였다.

20년을 일관되게 장혁남은 금융상품에 투자하였고, 강혜영은 부동산에 투자하였다. 부동산 투자로 압구정동 현대아파트에 일찍이 자리를 잡았다. 남자는 돈이 쌓이면 연금 보험에 가입하고, 복리 금융상품에 돈을 묶어 두었다. 남자는 복리의 힘을 믿었다. 여자는 부동산이 가장 안전한 것이며, 부동산은 거짓말을 하지 않는다는 자기 철학을 가지고 있었다.

2013년 50세가 넘어서면서 남자는 은퇴를 결심하였고, 부부는 모든 사업을 정리하고, 경상도로 귀농하였다. 여자가 투자하여 놓은 부동산에서 나오는 임대료는 월 3천만 원 정도였다. 남자가 30대 초반부터 들어 놓은 연금도 월 500만 원 정도였다.

2013년 어느 날 서울에서 내려온 부부가 한우 100마리를 키우는 목장을 하고, 사과 과수원을 인수한다. 부부는 귀농 지역에서 하루아침에 유명인사가 되었다. 지역주민이 이 부부의 목장과 과수

원에서 일한다. 진정한 귀농·전원생활이라 할 것이다.】

위험전략은 선택할 수 있는 몇 가지 방안에 대해서 확률적으로 투자자에게 알려진 복수의 결과에 대응하는 것이다. 즉 투자 위험이라고 하는 것은 투자 손실의 가능성이 있음을 언급하는 것이다. 수익률을 구성하는 대가는 2가지로 압축할 수 있다. 하나는 현재의 소비를 희생한 대가로서 시간에 대한 비용이며, 다른 하나는 불확실성을 감수한 대가로서 위험에 대한 비용이다.

따라서 수익률은 시간·위험과 밀접한 관계가 있는 것이다. 공채, 회사채, 정기 예금, 약속 어음, 담보 사채, 무담보 사채 등의 이자율이 각각 다른 것은 이러한 상관관계에서 발생하는 것이며, 주식시장, 채권시장, 부동산 시장 등으로 많은 부동자금이 시장 환경, 사회 및 경제 환경에 따라 이동하는 것은 위험과 수익률의 상관관계에서 그 원인을 찾을 수 있다. 투자자는 최소의 위험으로 최대의 수익을 확보할 수 없다는 것이다. 즉 위험이 크면 수익률도 높을 수밖에 없다는 것이다. 수익률은 1년을 기준으로 한다.

기대수익률 = 무위험률 + 위험 할증률

따라서 투자자들이 투자 목적으로 ‘어떠한 자산을 선택하여 투자 결정을 할 것인가?’ 하는 문제는 대상 투자자산으로부터 발생하는 기대수익률에 기인하는 것이다.

일반인들이 가장 많이 하는 투자 활동은 주식투자이다. 누구나 주식에 대한 경험은 있을 것이다. 조금 과장되기는 하였지만, 주식 투자를 해본 사람이라면 <그림 4-4> 같은 경험은 누구나 있을 것이다. 이러한 모습을 보이는 것은 위험한 것이기 때문이다.

부동산 투자와 관련된 위험은 일반적으로 3가지로 분류한다.

<표 4-13, 부동산 투자 위험>

위험의 종류	내용
사업상의 위험 (경영 위험)	부동산 사업 자체로부터 연유하는 수익성에 관한 위험이다. 사업상의 위험은 시장 상황으로부터 야기되는 것이 많다. 운영위험(operation risk), 위치적 위험(location risk)도 사업상의 위험으로 분류한다.
금융적 위험	어떠한 투자를 막론하고 투자 재원의 전부를 자기자본으로 하는 경우는 그리 많지 않다. 부채의 사용이 지분수익에 미치는 영향을 지렛대효과(leverage effect)라 한다. 부채의 비율이 높을수록, 지분수익도 커질 수 있지만, 마찬가지로 부담할 위험도 커진다.
규제 위험 (법)	부동산에 대한 투자자의 재산권은 법적 환경에 많은 영향을 받는다. 정부의 여러 가지 정책, 지역지구제, 토지이용규제 등은 법적 환경의 중요한 구성요소가 된다.
환금성 위험	부동산이 갖는 본질적 위험이다. 시장에서의 거래가 발생하지 않을 가능성에 따라서 발생하는 위험이다.
기타 위험	인플레이션 위험, 유동성 위험, 관리 위험

<그림 4-4, 일반적인 주식 Cycle>

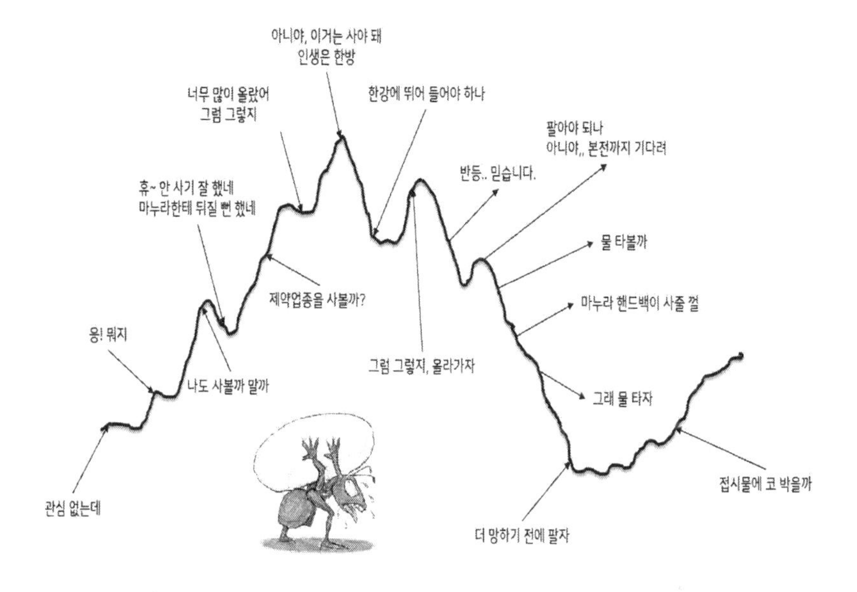

위험을 처리하는 방법은 주로 4가지로 정리한다. 위험한 투자를 제외하는 방법, 보수적으로 예측하는 방법, 위험조정 할인율의 방법, Portfolio 구성 방법이다. 일반적으로 가장 많이 알려진 방법으로 이용하는 것이 Portfolio 구성 방법이다. 여러 개의 사산을 소유함으로써 하나에 집중되어 있을 때 발생할 수 있는 불확실성을 제거하여, 분산된 자산으로부터 안정된 결합편익(combined benefit)을 획득하도록 하는 것이다. 포트폴리오를 구성한다고 하더라도 제거될 수 있는 위험이 있고, 그렇지 않은 위험이 있다.

부동산 투자의 위험에는 '피할 수 없는 위험(unavoidable risk)'과 '피할 수 있는 위험(avoidable risk)' 있다. 이를 체계적 위험(systematic risk)과 비체계적위험(non-systematic risk)으로 구분한다. 체계적 위험이란 시장의 힘으로 야기되는 시장위험으로, 모든 부동산에 영향을 주는 위험이다. 경기의 변동, 화폐가치 하락, 이자율의 변동 등에 야기되는 위험으로 모든 부동산에 영향을 미치는 것으로 피할 수 없는 위험이다. 비체계적위험은 개별적인 부동산의 특성으로부터 야기되는 고유위험(unique risk)으로, 투자대상을 다양화하여 분산 투자함으로써 피할 수 있는 위험이다.

비체계적위험 = 총 위험 - 체계적 위험

위험이 커지면 반드시 수익이 커지는 것인가? 하면 부동산투자와 같은 자본이득이 투자 목적의 대상이 되는 상품에는 위험이 크다고 하여 수익이 커지는 것이 아니다. 우리가 피할 수 없는 위험이 내재 되어 있기 때문이다. 따라서 다음과 같이 리스크와 수익을 4단계로 예상할 수 있다.

<표 4-14, 위험과 수익의 4단계 구분>

	Return	
Risk	high risk, high return	high risk, low return
	low risk, high return	low risk, low return

【사례 ; 김은호(60세, 남)는 대학에서 기계공학을 전공하고, 과자 만드는 국내 대기업에서 공장장으로 은퇴하였다. 30년을 직장생활하면서 신도림에 아파트를 장만하였고, 아이 둘을 대학까지 공부를 시켰다. 대학 졸업 후 대기업에 취업하여 받는 월급으로 30년을 사는데 전혀 부족함을 느끼지 못하였다.

은퇴하는 시점이 다가오자 은퇴 후의 현금 흐름을 걱정하였다. 김은호는 영종도에 신규로 분양형 호텔이 신축되는 신문광고를 보고는 상담을 신청하고, 계약하였다. 준공이 나면 수익률 6% 조건으로 5년간 OO 금융에서 지급보장을 하였다. 준공이 나면 자산관리회사에서 호텔을 운영관리할 거라 하였다. 너무나 솔깃한 투자상품이었다. 계약하고 뿌듯한 마음이 들었다.

퇴직하면 부부의 노후에 큰 어려움이 없겠다 싶었다. 준공되었다. 준공 후 6개월 정도 임대료가 들어오더니 그 뒤로는 없었다. 원래 운영하던 자산관리회사는 사업에서 손을 떼었고, OO 회사가 위탁받아 운영하는데, 적자가 나서 운영을 할 수 없으므로, 임대료를 지급할 여력이 없다는 것이다. 회사 일 때문에 영종도를 갈 수는 없고, 투자자들끼리 모인 카카오톡 대화방에서 전후 사정을 어림짐작할 뿐이다. 회사에 가서 따지자는 사람들, 시행사를 고발하자는 사람들, 분양사기라고 하는 사람들, 우리끼리 대책위를 만들자는 사람들, 직접 호텔을 운영하여야 한다는 사람들 대화방은 시끄러웠다.

김은호는 은퇴자금으로 쓰고자 대출 없이 자기 돈으로 투자한 것이다. 수익은커녕 손실이 이만저만 아니다. 뭔가 꼬였다는 것을 알게 된 김은호는 필자에게 조언을 구하고자 전화가 왔다.

"죽은 자식 불알 만지기입니다. 이미 상황 종료된 것입니다. 계약을 하기 전에 위험요인이 무엇인지도 모르고, 그냥 '묻지마 투자'의 결과입니다."】

【사례 ; 송도와 일산에 있는 쇼핑상가에서 분양했던 방식이다. 분양을 기획한 회사는 선착순 계약이 아니라 특정일에 공개 추첨 계약이라는 것을 광고·홍보하였다. 사전 청약자들만이 상가를 추첨할 수 있다고 하였다. 방송에서 보는 부동산 전문가들을 섭외하여 언론 홍보를 하였다.

보도자료 만들면서 인터넷 검색에 노출 시키고, 방송 및 언론에서 '투자 설명회' 등의 이름으로 사람을 모았다. 그리고 사전에 일당을 주고 섭외한 사람을, 청약자처럼 연기하게 하였다. 전국에서 투자자들이 몰려들었다. 모델 하우스에는 연기자와 진짜 투자자가 섞여 있었다. 경쟁이 치열한 것처럼 홍보하였다. 그것을 모르는 진짜 청약자는 100% 당첨이었다.

지금 송도와 일산의 쇼핑상가 가보면, 준공 후 10년이 지났음에도 대부분이 공실이고, 상업지로의 기능을 상실한 지역이다.】

『뉴스 보도자료 보면, 브랜드 디자이너 000는 최근 은행의 대출 금리 안내 문자를 받고 깜짝 놀랐다. 지난해 초 연 2.8%였던 신용 대출 금리가 4.17%로 뛰었기 때문이다. 당시 '벼락 거지가 될지도 모른다.'라는 초조함에 남편과 '영끌'로 5억 원대 오피스텔을 산게 화근이었다. 주택담보대출로 2억8,500만 원과 1억 원 상당의 신용대출을 받았다.』

벼락 거지가 될 수 있는 초조함은 가격이 하락하는 것을 전제로 하는 우려이다. 반대로 가격이 상승한다면 금리가 뛰어도 걱정이 없는 것이다. 금리가 아무리 높아도 가격 상승이 더 크다면 이익이 되는 것이다. Baby-boom 세대들이 살았던 시대이다. 그런데 지금 MZ세대들이 시대가 바뀐 것도 모르고, Baby-boom 세대들처럼 흉내 내다가 독박 쓴 것이다.

3억 원에 거래하는 아파트가 있다고 하자. Baby-boom 세대인 '갑'은 대출을 2억 원을 받았고, 1억 원을 투자하여 아파트를 장만하였다. 그렇게 2년을 살았다. 아파트 장만 비용에 대한 금전을 가장 적게 부담하였다. 이 아파트는 은행의 소유가 아니라 '갑'의 것이었다. 2년이 지나서 아파트 가격은 5억 원이 되었다. '갑'은 아파트를 팔았고, 다른 신도시로 이주하였다. 그렇게 이사 다니느라 피곤하기는 하였지만 80년대 중반부터 8번 이사하다 보니 '갑'은 다주택자가 되었다. '을'은 1주택자다. '갑'처럼 이사 다니는 것을 귀찮게 생각하였다. 지금 아파트 가격이 13억이다. 그렇지만 팔고 갈 곳도 마땅치 않다.

5장

부동산의 꽃, 개발

39. 개발 별거 아니다. 맘먹기에 달려있다.

【사례 ; 디벨로퍼로 성공적인 신화를 쓰고 있는 B 회장은 평범한 가정주부였다. 40대 초반에 부동산투자에 관심이 있어 부동산업에 입문하였다. 동대문 쇼핑몰에서 처음으로 분양 업무를 배웠다. 분양업계에 뛰어들면서 탁월한 영업력을 보여주었다. 부동산으로 돈 버는 방법을 알게 되었다. 2000년 초반에 부동산 대행사업을 하고, 시행사업으로 확장되었다. 맨손으로 시작해 디벨로퍼로 성공, 우리나라 레지던스 개발업을 이끄는 기업가로 성장하였다.】

부동산 개발이라는 용어는 일반적으로 다음 2가지의 의미로 쓰이고 있다. 첫째, 주거 용지나 산업부지 등을 조성하고 도로나 상하수도와 같은 기본적인 시설을 설치하는 이른바 건축 활동이 이루어지기 전의 사전적 준비 활동 단계를 부동산 개발이라고 한다. 둘째, 일반적인 개념으로 토지와 정착물을 결합하여 실제로 주거, 업무, 기타 용도로 운영할 수 있는 부동산을 생산하는 것을 부동산개발이라고 하는 것이다. 일반적으로 후자의 개념을 부동산 개발이라고 한다.

'부동산개발업의 관리 및 육성에 관한 법률' 제2조에서는 부동산 개발을 "타인에게 공급할 목적으로 건설공사의 수행 또는 형질 변경의 방법으로 토지를 조성하거나 건축물을 건축, 대수선, 리모델링 또는 용도 변경하거나 공작물을 설치하는 행위"라고 정의하고 있다. 학문적인 정의로는 '대상 토지나 건축물 등을 주어진 환경에서 계획된 유익비 또는 서비스를 투하하여 대상 부동산의 최유효 이용을 도모하는 일체 행위'로 정의할 수 있다.

그렇다면 꼭 아파트를 짓고, 상가 건물을 짓고, 업무용 빌딩을 새로 지어야만 개발이 아니다. 오래된 집을 개조하는 것, 부동산의 용도를 변경하는 것, 허물고 새로 짓는 것 등의 모든 행위가 개발이다.

개발업을 대부분 새로이 건물을 지어 분양하는 사업으로 보고 있다. 이러한 개발 행위에는 기획, 설계, 시공, 분양, 관리의 모든 과정을 포함한 것이다. 부동산은 공급과 수급의 불균형이 발생하고 있으며, 시장이 불안정한 상태로 되어 있다. 따라서 부동산 개발은 다양한 용도 중에서 최적의 용도를 찾아내어 가장 높은 부가가치를 이룰 방법으로 이루어져야 한다. 따라서 한정된 자원을 가지고 최대한 효율적 이용을 도모하기 위해서는 대상 부동산의 특성과 시장 환경을 분석하여 최적의 가치를 창출할 필요가 있는 것이다.

부동산의 특성 중에서 비가역성으로 인하여 한번 개발이 이루어진 부동산은 원상복구나 변경이 어려운 경우가 많으며, 그 비용 또한 상당히 많이 소요되기 때문에 장기적인 시각에서 접근하고 실행이 되어야 한다. 잘못된 개발은 사회적인 고통과 비용을 동반하므로 단순한 개발사업자의 사업적 논리에 의한 접근은 지양해야 한다.

부동산 개발은 개발사업자의 측면에서 보면 부동산에 대한 사용·수익·처분 시 그 가치 증진을 위한 일련의 과정으로서 주거·업무·놀이·문화·교통·쇼핑 등의 생활을 하는 공간을 제공하는 모든 과정으로 이해할 수 있다. 사회적·경제적·문화적 등의 환경 변화는 시대의 흐름에 따라 자연스럽게 발생한다. 최근에는 비대면 사회, 인공지능 사회, 1인 가구 사회, 온라인 사회, 고령사회, 등으로 변하고 있거나 이미 진입을 하였다. 따라서 부동산에 대한 이용이나 효용에 대한 가치도 변할 수밖에 없으며, 부동산 개발에 대한 이해도 변할 수밖에 없다.

부동산 개발 사업을 하기 위해서는 3가지가 전제되어야 하는데 개발하고자 하는 대상 토지가 있어야 하며, 그 토지에 어떠한 개발을 할 것인지에 대한 사업기획, 그리고 최종적으로 사업을 추진할 수 있는 자금력이다. 즉 대상 토지, 사업기획, 자금이 있어야 개발사업을 진행할 수 있는 것이다. 사업기획은 개발업자들의 사업 목적이나 성격 등에 따라서 다소 차이가 발생할 수 있으나 기획의 구성은 개발 전 단계, 개발 과정, 개발 후 단계라는 3단계에서 크게 벗어나지 않는다.

이러한 기획은 사업의 프로세스에 따라 세부적으로 재분류한다. 부동산 개발 계획은 개발업의 특성을 정확히 이해하지 못하면 개발 전 단계에서부터 정확한 계획이 이루어지기 어렵다. 부동산 개발의 특성은 크게 다음과 같이 분류할 수 있다. 부동산 개발의 특성은 일반적으로 <표 5-1>과 같이 4가지로 분류한다.

【사례 ; 1980년대에 창업한 ○○○ 컴퓨터는 국내의 대표적인 IT 회사로 성장하였다. 회사의 규모가 커지자 주식상장을 하였다. 1998년 IMF 경제 위기가 왔을 때, 기업구조조정 여파로 빌딩 매물이 쏟아지기 시작하였다. 매각에 실패한 일부 빌딩들은 경매로 진행되었다. 회사는 강남역 근처에 빌딩을 경매라는 방법으로 매입하였다. 시간이 지나면서 사옥으로 매입한 건물의 가치는 상승하였다. 몇 년 뒤에 주식 상장해서 번 돈보다 더 많은 수익을 법인에 가져 주었다. 이것을 계기로 부동산 사업에 관심을 가지게 된 J 회장은 2000년 초반에 민자역사 개발사업에 참여하였다. 벤처기업가에서 부동산 디벨로퍼로 변신을 한 것이다.】

기업이 새로운 사업 기회를 찾는 것은 당연한 거다. 그러나 J 회장의 부동산 투자는 벤처기업과 너무 동떨어진 분야라는 비판의 목소리가 있었다. 부동산 투자를 투기로 보는 것이다. 벤처기업의 상징인 J 회장을 부동산 투기꾼으로 보는 시각이다. 사회적 정서에 맞지 않다는 것이다. 이에 대해 J 회장은 부동산 개발이야말로 진정한 벤처사업이라고 반박했다.

<표 5-1, 부동산 개발의 특성>

개발의 특성	내용
오랜 시간이 필요	장기간 소요되는 사업이라 사업 진행 중에 대내외적인 환경이 변할 수 있으므로 사업에 대한 불확실성이 높다. 따라서 언제든지 수정·보완 작업을 필요로 한다.
대규모 자금이 필요	대규모의 사업자금을 어떻게 확보할 것이며, 투입되는 자금과 산출되는 자금의 시점 불일치로 인하여 현금 흐름에 대한 위험관리가 사업 성공의 주요인으로 작용할 수밖에 없다.
다양한 전문 인력이 필요	용지매입·기획·설계·시공·자금관리·마케팅·분양 등에 따라 각각의 전문가들이 필요하다. 이러한 전문가들에 의해 작성된 각 분야에 세부적인 계획내용을 종합적으로 판단하여 사업 추진해야 한다.
사업의 목적이 뚜렷	개발은 사업 내용에 따라 물리적 부동산 개발을 통한 산출물이 명확하다. 주택·상가·사무실·쇼핑몰·복합단지·문화시설 등으로 기획 단계부터 정해진 사업을 하게 된다. 따라서 사회·경제적 주변 여건들이 변하게 되면 사업의 성패에 따라 인근 지역 혹은 사업관계자에게 미치는 파급효과가 +/-로 나타난다.

【사례 ; 제주도청에서 공무원으로 근무하던 홍장표(58, 남)는 2010년을 전후로 국내인뿐만 아니라 중국인들의 부동산 투자 열풍

이 제주에 있는 것을 알았다.

개발에 대한 인허가가 정신없이 쏟아지기 시작하였다. 공무원 생활에 대한 회의가 왔다. 홍장표는 바로 사직하고, 부동산 개발회사를 만들었다. 그리고 토지를 수배하고 다녔다. 여기저기 지인을 찾아다니고 소개를 받았다. 사업자금은 은행에서 조달하였다. 부동산 투자 분위기로 인해 땅만 파면 분양이 되었다.

'땅 짚고 헤엄치기'란 생각이 들었다. 하나가 성공하자 두 개 세 개는 더 쉬웠다. 개발업에 뛰어들고 5년이 지나면서 서울로 사업을 확장하였다. 제주도에서는 성공한 기업가로 인정받으면서 영향력을 발휘하게 되었다. 건설업에도 뛰어들었다. 제주도에서 적자를 보는 호텔도 인수하였다. 지방에 있는 신문사도 인수하였다. 어느덧 회장이란 호칭이 자연스럽게 되었다. 불과 10년 정도의 기간에 일어난 일이다.】

【사례 ; 제주 국제자유도시 개발센터(JDC)는 2005년 서귀포 예래동 바다가 보이는 입지에 140세대를 조성하는 사업을 진행하였다. 하지만 사업은 중단되었고, 건물을 짓다가 말았다. 일단 개발이 시작되면 부동산의 비가역성으로 원상복구는 거의 불가능하다. 짓다 만 건축물은 장기간 방치되어 흉물스럽다. 언론에 보도된 자료를 취합 정리하면 <표 5-2>와 같다.

<표 5-2, 언론에 보도된 예래 단지 조성 사업>

년도	내용
2006년	77.2억 제주도 토지 수용위원회를 통해 JDC 토지 매입
2007년	176.7억에 108명의 167필지 토지 강제수용
2008년	말레이시아 협의하여, JDC는 합작법인 버자야제주리조트 설립
2013년	착공
2013년	토지 원소유주들의 "토지수용 재결처분 취소 청구" 소송 제기
2015년	대법원 사업인가 처분이 하자가 명백함을 근거로 사업 무효 판결 (유원지에 폐쇄적인 숙박시설)
2019년	대법원이 원 토지주들이 제기한 '도시계획시설 사업시행자 지정 및 실시계획인가 처분' 취소소송도 인정
2020년	버자야 그룹은 JDC로부터 1,250억원 손해배상 받고 사업 철수

예래 단지는 현재 모든 인허가가 없던 일이 되었다. 흉물스러운 건물만 남기고 폐기된 사업이다. 소송을 제기했던 부지 원소유주들은 건물을 철거하고, 원상회복하여 땅의 소유권을 이전해달라는 소송을 진행 중이다. 몇몇 원소유주들은 실제로 소유권 이전을 마친 상태다. 이러한 문제를 해결하는 것이 또 하나의 개발이다. 산책하느라 한 달에 2~3번 보게 되는 이 망가진 부동산을 어떻게 회복할 것인지 고민해본다. 답은 쉽게 찾을 수 있었다. JDC도 찾았을 것이지만, 진행하지 못하는 또 다른 이유가 있을 것이다.】

40. 머릿 속을 스쳐 가는 아이디어에서 시작된다.

【사례 ; 김연우(50, 남)는 맞벌이를 부부로 살았다. 30살이 되면서 재테크에 관련된 서적을 하나둘 사서 읽기 시작하였다. 주식과 부동산에 관한 책들이 중심이었다. 읽은 책들이 쌓여 갈수록 책의 내용이 점점 가볍다는 생각이 들었다. 책을 읽음으로 본인의 내공이 늘어나는 것도 있지만, 돈을 쉽게 버는 것처럼 글을 써서 저자의 이야기가 진짜인지 아닌지 궁금했다.

그렇게 돈을 벌기 쉬운 것인지? 과연 저자들은 주식이나 부동산으로 돈을 번 사람들인지 의문이 들었다. 그들의 성공담에 호기심이 생기었지만, 그들의 말을 신뢰하기는 힘들었다. 그럴수록 더더욱 책에 밑줄을 쳐가면서 공부하였다. 인터넷 동호회를 찾아갔다. 자기와 비슷한 생각이 있는 사람과 소통하였다. 카페지기나 동호회 운영자는 대부분 부동산업을 하는 사람들이었다.

교보에 갔다가 경매에 관련된 책을 읽었고, 책 속에 저자가 인천에서 강의하는 것을 알았다. 인천지역에서는 규모가 제일 큰 부동산학원이었다. 경매 강의는 2개월 기초과정, 2개월 심화 과정, 2개월 실무 투자과정으로 6개월로 진행이 되며, 과정별로 등록을 할 수 있었다. 등록하기 전에 사전 오픈 강의를 들으면서 "돈 없이 투자해서, 돈 벌 수 있는 것이 경매이다."라는 강사의 말에 웃음이 나왔다. 저자는 왜 강의하고 있는 것인지, 돈 없이 투자하는 것이 경매라고 말하면, 직접 경매 투자하여 돈 벌 생각은 안 하고 왜 학원에서 강의하는지 이해할 수 없었다.

기왕에 공부할 것이면, 인천보다는 강남이 좋겠다 싶어서 교대역 부근에 있는 경매학원을 등록하였다. 그러면서 책을 읽고 책에 소개된 저자를 찾아다니면서 친분을 쌓았고, 동호회 활동을 통하여 부동산 투자에 대한 간접경험을 하나둘 쌓기 시작하였다.

한 부동산 전문가를 만났다. 부동산 전문가는 단순 경매로 돈 벌기는 어려운 것이라면서, 돈을 벌고 싶으면 부동산 개발을 공부하라 하였다. 그리고 노후화된 건물을 경매로 낙찰받아 새로 신축하여 되파는 것을 검토하라고 조언하였다. 정신이 번쩍 들었다.

새로운 시각으로 부동산을 보고, 임장활동을 다녔다. 구리시에 노후화된 건물이 눈에 들어왔고, 바로 경매로 낙찰받았다. 단독 낙찰받았다. 그리고 바로 원룸으로 구성된 5층의 건물을 올렸다. 임대를 맞추고 중개업소에 물건을 내놓았다. 매수인은 60대 부부였다. 노후 생활자금으로 수익형 부동산을 찾는 중이었다. 수익은 4억3천만 원이다. 15년 전의 30대 초반에 있었던 일이다.】

다른 모든 사업과 마찬가지로 부동산 개발도 아이디어에서 시작한다. 부동산에 대한 경험·지식에서 출발하는 아이디어는 무한하다. 아이디어 창출자는 아이디어를 구체화하고자 다양한 자료를 취합하고 유용한 정보를 얻고자 한다. 개발 아이디어를 고민하고, 자신의 아이디어를 실현할 수 있는 부동산을 찾는다.

부동산을 이미 갖고 있으면 어떤 용도로 사용하는 것이 최유효 이용인가 고민하는 것도 아이디어 시작이다. 눈에 보이는 것 모두, 상상할 수 있는 모든 것이, 아이디어이다. 다양하게 조합을 통해 하나의 개발 이미지를 만들어 보는 것이다.

아이디어가 구체화 되면 과연 사업성이 있는 것인지 고민한다. 그것을 예비 타당성이라 한다. 대략적인 현금수지를 파악하여 보는 것이다. 이는 대상 토지를 매입하기 위한 검토이다. 아이디어를 실현하기 위한 관련 법규, 입지분석, 기초 시장조사 등을 통하여 예비 설계를 해보고, 개발사업이 종료되었을 때의 수익성 분석을 추정하여 사업 가능 여부를 판단하는 것이다.

사업성이 있다고 판단되었다면 토지를 확보하여야 한다. 여러 대안의 토지 중에서 수익성이 가장 좋은 토지를 선택해야 한다. 이미 토지를 가지고 있다면 이에 대한 과정은 생략된다. 사업성이 뛰어난 토지는 다른 사업자들과의 경쟁으로 인하여 가격이 상승할 수 있다. 과도한 매입 가격이 예상되면 사업성 검토를 다시 해야만 한다.

토지를 확보한 뒤에는 사업에 대한 인허가 절차를 진행하게 되고, 토지가 확보되면 다시 타당성 검토과정을 갖는다. 잠재적인 개발사업 참여자들에게 개발사업의 타당성을 입증하기 위한 과정이다. 이는 사업의 실행 가능성을 보여주는 것이다. 물리적·법률적·경제적 분석을 중심으로 이루어진다. 무엇보다도 중요한 것은 개발 아이디어에 대한 경제적 분석이다. 사업 수익에 대한 불확실성을 최소화하는 작업이다. 따라서 불안한 요인이 발생하면 시장조사와 분석을 다시 함으로 전체적인 사업계획을 변경해야 한다.

부동산 개발 사업에 대한 사업 타당성 검토가 완료되면, 개발사업에 참여 의사를 밝힌 참여자들과 구체적인 협상 및 계약을 추진하게 된다. 계약서 내용의 여부에 따라서 개발사업자의 위험이 달라지므로 문구 하나하나 주의해야 한다. 주로 금융기관, 시공사, 부동산 신탁회사들과의 협상이 이루어진다. 자금조달의 방법은 크게 건설자금 대출과 담보대출의 방법으로 구분하며, 건설자금 대출은 개발사업의 착공에서 준공까지의 소요되는 자금을 조달하는 것이고, 담보대출은 준공 후 개발된 부동산을 담보로 자금을 조달하는 것이다. 보통 준공 후에는 건설자금 대출이 담보대출로 전환하는 것이 일반적이다. 특히 사업 기간에 발생하는 금융비용이 개발사업의 Cash Flow에 미치는 영향이 크다는 것을 염두에 두고 있어야 한다.

개발사업에 대한 사업계획승인 또는 건축허가 등의 인허가 절차가 완료되면 해당 관청에 착공신고를 한 후 공사를 시작한다. 당초에 약정 체결한 사업 기간이 예상보다 지연되는 경우 사업 시행자는 사업 간접비 및 금융비용을 추가해야 한다. 건설시공사도 일반관리비 증가, 약정에서 정한 지체상금의 추가 비용 등 부정적인 요인이 발생한다. 또한 시장 환경의 악화로 인하여 건설 자재의 수급 불균형이 발행하거나, 원자재 상승요인이 발생할 가능성이 있으므로 시장 환경의 변화에 늘 주의하며, 전체적인 수지 분석을 수시로 검토하여야 한다.

마케팅 기획은 분양, 임대, 직영이라는 3부분으로 구분할 수 있다. 이러한 마케팅은 개발 아이디어를 기획할 때부터 구상하여야 한다. 마케팅 기획은 시장수요에 대한 분석 및 표적을 알아야 수립할 수 있는 것이다.

시장 창출 마케팅은 기존의 시장에서는 없었던 새로운 수요 시장을 창출하여 분양 및 임대하는 과정이고, 기존 시장 참여 마케팅은 현재의 시장 구조 속에서 경쟁력 있는 부동산을 개발함으로 분양 및 임대하는 과정이다. 보통 개발사업의 마케팅이란 의미는 기존 시장 참여 마케팅을 언급하고 있다. 개발사업이 분양으로 분양받은 자에게 소유권을 이전하게 되면 개발회사로서는 개발사업이 완성된 것이다.

그러나 분양이 아닌 직영 혹은 임대의 경우에는 지속적인 운영관리를 하여야 한다. 특히 최근에는 임대형 부동산 개발 또는 간접 부동산 투자 상품이 시장에 공급이 되면서 개발된 부동산의 가치 향상을 위한 운영 관리, 하자 관리, 자산관리 등의 중요성이 대두되고 있다. 이러한 부동산 개발 과정을 8단계로 정리하면 <그림 5-1>과 같다.

<그림 5-1, 부동산 개발 8단계>

아이디어	사업에 대한 아이디어를 구상하여 보는 단계
예비 타당성 검토	대략적인 수지분석을 통한 사업가능성 판단하는 단계
부지 확보	경쟁력 있는 부지를 확보하는 단계
타당성 검토	법적, 물리적, 사회적, 경제적 등을 모두 포함한 타당성 검토 단계
협상 및 계약	사업 참여자들간의 협상 및 계약 단계
건설	착공, 시공, 준공 단계
마케팅	분양, 임대 추진 단계
운영 /관리	임대나 직영의 경우에 있어서 운영/관리 단계

【사례 ; 제주의 새별오름 앞에 있는 버려진 폐허가 있었다. 아주 오래전에 리조트의 숙박시설로 사용되던 건물이다. 골조만 남은 상태로 10년이 넘게 허허벌판에 방치되었다. 그러다가 2018년 베이커리 전문 카페로 오픈하였다. 최근 들어 유행으로 번지고 있는 Upcycling 카페이다. Upcycling은 재활용을 의미하는 Recycling과 Upgrade의 단어로 만들어진 신조어이다. 정미소, 공장, 창고 등이 게스트하우스나 카페로 새롭게 개발이 되는 것이다. 이색적인 공간을 찾아 자기만의 추억을 만드는 것이 요즘 트렌드이다. 새빌 카페도 그러한 범주에서 벗어나지 않는다. 지금 제주에서 Hot한 카페

로 관광객들이 몰려들면서 지역 명소가 되었다.

십 년이 넘는 세월 동안 방치되어 있던 낡은 건물, 매일 보면서 다들 무관심하게 그냥 지나간다. 그러나 누구는 아이디어가 머릿속에 스친 것이다. “카페로 개조해보면 어떨까?” 제주에서 요식업을 하는 누구는 새별오름 앞에 버려진 건물을 보고 이런 생각을 문뜩 한 것이다. 제주도에서 관광객들이 몰려드는 카페로 대성공을 한 것이다.】

【사례 ; 최철호(58살, 남성)는 돈암동 인근에 오래된 단독주택이 있다. 그 집에서 태어났다. 어머니가 돌아가시면서 상속받았다. 여자대학교가 인근에 있어 동네 대부분은 원룸이나 다가구, 다세대 주택들이 많다. 오래된 옛날 한옥 건물이라 살기에 불편하다. 수리하고 싶어도 비용이 많이 들어 고민이었다. 요즘은 다들 아파트가 주거선택 1순위이다. 최근 몇 년간 학교 기숙사 시스템도 잘 되어 있어 주변에 있는 원룸들도 공실이 많다.

팔아야 하나? 본인이 이 동네에서 태어나고 중학교, 고등학교 시절의 추억이 있는 동네라 팔고 싶지는 않았다. 그러다가 정릉천을 따라 산책하다가 삼선교를 지나 성북동 골목길에 카페를 하나 발견하였다. 한옥을 개조한 카페였다. 순간 아이디어가 떠올랐다. 바로 이거다. 어차피 자기도 좀 있으면 은퇴하여야 하므로 뭔가를 준비하여야 했다.】

41. 위험은 있지만, 짜릿하다.

<표 5-3, 부동산 위험 구분>

개발위험 종류	내용
시장 환경에 따른 위험	장기간의 사업 기간에 이자율 증가, 통화 가치의 하락, 물가 상승, 임금 상승 등의 위험이다. 특히 사업 초기에 자금이 투여되고, 사업 말기에 현금 유입이 생기는 개발업의 특성상 사업을 중단하게 되는 경우 그 손실은 더욱더 커진다.
법률적 위험	인·허가, 용도변경 등에 대하여 관련 법규 및 지방자치단체의 조례 등에 적합성 여부 등을 사전에 검토하여야 한다. 법에 어긋나서는 사업 자체를 추진할 수 없다.
아이디어 위험	자신의 한계를 정확히 파악하여 아이디어를 실현할 수 있도록 구체화하여 나가야 한다.
토지 확보의 위험	토지는 개발사업의 원재료로서 경쟁력 있는 토지를 확보하는 것은 개발사업의 성공 여부에 직결되는 것이다.
타당성 검토 위험	시장분석에서 발생할 수 있는 위험은 편협 된 시장분석에 의한 오류에 빠질 가능성이 있는 것이다. 과거의 데이터, 평가자의 주관, 편협된 경험치에 근거한 판단은 지양하고, 다양한 현금 수지 분석 방법으로 cross checking 하여 검토하여야 한다.
계약 위험	계약은 계약이란 행위를 통해서 예상할 수 있는 잠재적 손실을 타인에게 전가하는 것이다. 모든 계약 내용에 따라 자금조달 방식이 적용되고, 수지에 영향을 미치게 된다.
마케팅 위험	마케팅 전략은 시장성에 있는 것이다. 따라서 정기적으로 수립된 마케팅 전략을 수정 보완하여 나가야 한다.

부동산 개발사업은 자금이 많이 투여되고, 오랜 시간이 걸리는 사업이다. 개발은 대표적인 high risk, high return 사업이다. 성공하면 상상 이상의 수익을 창출하지만, 실패하면 엄청난 빚에 허덕이게 된다. 부동산 개발은 보통 <표 5-3> 같은 위험이 발생한다.

개발회사들의 사업 risk가 있다면, 이를 이용하여 일반인들에게는 투자의 기회로 삼을 방법이 있는 것이다.

개발사업을 어렵게 생각하면 한없이 어려운 것이지만, 일상생활에서 개발 행위를 쉽게 볼 수 있다. 내가 살고자 하는 집을 지어보는 것도 개발이며, 노후화된 건물을 리모델링 하는 것도 개발이다. 아이디어는 무궁무진하다.

【사례 ; 김홍진(45세, 남자)은 상가를 하나 장만하여 임대료를 받고 싶었다. 중개업소를 다녀도 물건을 봐도 입지가 안 좋았다. 대부분 뒷골목의 이면 도로에 있는 상가들이거나, 아니면 대로변의 상층부에 있는 상가들이었다. 대로변 사거리 코너나, 전철역 앞에 있는 그런 상가를 하나 장만하고 싶은데 매물이 없었다. 그러다가 분양상가를 알게 되었고, 사거리 코너에 있는 상가들을 살 수 있을 것처럼 생각이 들었다. 그래서 택지가 개발되는 지역에 가보면 자료를 받을 수 있었지만, 사거리 코너는 이미 누군가가 분양을 받았고, 남아있는 것도 1층에 몇 개 없었다.

그렇게 몇 번을 발품을 팔고 다니면서 알았다. 택지 개발하는 신도시를 가보면 아무것도 없는 허허벌판이라는 것이다. 그런데 분양받는 사람이 있다는 것이다. 새롭게 들어서는 상가 분양가격이 어느 정도가 적정한 것인지를 도저히 알 수도 없었다. 겁났고, 위험이 많다는 생각에 전문가를 찾았다. 전문가는 다음과 같이 조언하였다. 사거리 코너 상가는 제일 먼저 계약이 이루어지므로 발 빠르게 움직여야 하지만 가격에 거품이 있다면 아무리 코너라 하여도 분양을 받지 않아야 한다는 것이다.

간혹 개발사업 초기에 사업자금이 부족한 시행사들이 특별가격으로 투자자를 모집하는 경우가 있으니 그때를 노려보라고 조언하였다. 몇 개월 뒤에 모 택지지구 개발을 하면서 코너 상가에 대한 정보를 입수하였다. 분양가격에 대해 협상하였고 최종적으로 계약을 진행하였다. 1년 뒤에 건물이 준공되었고, 멋진 코너 상가를 마련하게 되었다.】

【사례 ; 김찬영(59세, 남자)은 대학강의를 하였다. 어느 날 암 판정을 받았고, 요양을 위해 서울 생활을 정리하고 제주도에서 요양하였다. 시간이 지날수록 제주도에서의 삶이 만족스럽기 시작하였다. 항암으로 지친 몸이 체력을 회복하면서 남은 인생을 제주에서 사는 것을 선택했다. 새롭게 주거할 집이 필요하였다. 제주도에 신축된 집을 가보면 건축 마감 자재와 구조들이 마음에 들지 않았고, 분양가격도 높았다.

그렇게 발품을 팔고 다니다가 기왕 이렇게 된 것, 내가 살집을 내가 지어보자는 생각을 하게 되었다. 몸에 무리가 되지 않는 범위에서 땅을 보러 다녔고, 1년 동안 제주도 곳곳을 뒤졌다. 그러다가 맘에 드는 토지를 발견하고 가격 협상하였다. 토지 약 1,200평을 3.3㎡당 30만 원을 주고 계약하였다. 토지를 매입하고 7필지로 분할을 하였다. 건강은 점점 더 좋아졌다. 땅을 매입하고 설계를 검토하는 중에, 제주도에 부동산 투자 바람이 불었다. 그렇게 5채의 전원주택을 지었다. 한 채는 자기가 살 집이고, 나머지는 분양하였다. 건축하지 않은 2필지는 3.3㎡당 100만 원에 되팔았다. 남은 토지를 팔아도 1,200평을 산 금액보다 1억3천만 원이 더 많았다. 4채는 평균 10억 원에 분양하였다. 제주에 묻지마 투자가 성행하였다.

<그림 5-2, 제주도 신축사업 흐름>

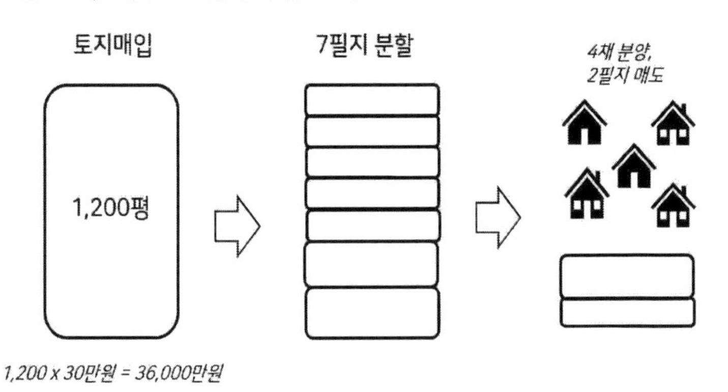

제주도는 암으로 판정받아 요양을 위해 왔지만 정착하게 되었고, 새롭게 인생을 살고 있다. 노후 자금이 한 방에 해결되었다.】

42. 팔리면 적정가격, 안 팔리면 할 수 없고

【사례 ; 지역의 평균 아파트 시세가 7억 원이다. 공공기관에서 관의 주도하에 민·관 합동하여 인근의 택지를 조성하였다. 그리고 아파트 공급 사업을 관에서 주도적으로 진두지휘하였다. 아파트 가격은 8억 원이 적정하다고 판단하여 분양가격을 책정하고, 분양은 성공적으로 끝났다.

몇 년 뒤 아파트는 준공되었다. 입주가 되고, 교통시설 등 기반시설이 들어서자 아파트 가격은 분양가격에서 상승하여 10억 원이 되었다. 지역의 아파트 가격을 올린 것은 공공기관인지, 아니면 시장의 수요에 의한 자연스러운 것인지 논란의 여지가 있다.】

'부동산가격공시 및 감정평가에 관한 법률'을 보면 적정가격이란 용어를, '감정평가에 관한 규칙'에는 정상가격이란 용어를 사용한다. 적정가격은 "당해 토지 및 주택에 대해서 통상적인 시장에서 정상적인 거래가 이루어지는 경우, 성립될 가능성이 가장 크다고 인정되는 가격"이라 정의하였고, 정상가격은 "평가대상 토지 등이 통상적인 시장에서 충분한 기간 거래된 후에 그 대상 물건의 내용에 있어 정통한 거래 당사자 간에 통상 성립한다고 인정되는 적정가격을 말한다."

부동산의 적정가격을 파악하기란 쉽지 않다. 부동산은 정가가 없는 대표적인 재화이기 때문이다. 그래서 부동산의 적정가격을 추정하기 위해서는 감정평가 3방식을 이해하여야 한다. 시장접근법, 비용접근법, 소득접근법은 다음과 같은 논리적 근거로 적정가격을 추정하는 것이다.

<표 5-4, 감정평가 3방식>

방식	분류	내용
시장접근법	거래사례 비교	동일성/유사성을 가지고 있는 물건을 거래할 때 이를 비교하여 대상 물건의 현황에 맞게 사정보정 및 시점 수정을 하여 가격을 산정
비용접근법	원가법	가격시점에서의 대상 물건의 재조달원가에 감가수정을 기하여 대상 물건의 현재 가격을 산정
소득접근법	수익환원법	순수익을 환원이율로 환원하여 가격시점에 있어서 평가가격을 산정

충분한 정보를 가지고 있는 매수자들은 인근의 유사한 부동산의 가격보다 더 높은 금액으로 거래하지 않는다는 것이다. 부동산의 신규가치는 투입된 비용과 일치하는 것이다. 부동산의 시장가격이 투입된 비용보다 낮게 된다면 그 누구도 부동산이란 상품을 공급하지 않는다는 것이다. 소득이 많이 창출되는 부동산일수록 부동산의 가치는 더 크고, 소득이 적으면 가치가 작을 것이므로 부동산의 가치는 소득의 차이로 구분할 수 있다는 것이다.

시장접근법에서는 가격산정에 대한 거래 시점과 평가 시점에 대한 시간적 괴리가 있으므로 가격변동이 있으면 시점을 일치하는 시점 수정한다. 거래 당사자의 특수한 사정· 지역적 요인·정보의 불일치 등이 있으면 그러한 사정이 없는 경우로 사정을 보정 후 가격을 산정한다.

일반적으로 실무에서는 주거용 부동산은 시장접근법으로, 비주거용 부동산에서, 특히 수익형 부동산은 소득접근법으로 가치를 산정한다. 따라서 어떤 가격이 시장에서 거래 당사자들 사이에서 서로 인정하여 정상적으로 거래가 된 것이라면 그 가격이 적정가격이 아니라고 단정하기 어려운 것이다. 아래 그림은 부동산 시장에서의 위험과 시간의 관계이다. 이 그림을 통하여 개발사업 초기에 위험이 가장 크고, 시간이 지나면서 위험은 점차 감소하는 것임을 알 수 있다.

<그림 5-3, 시간과 위험의 관계>

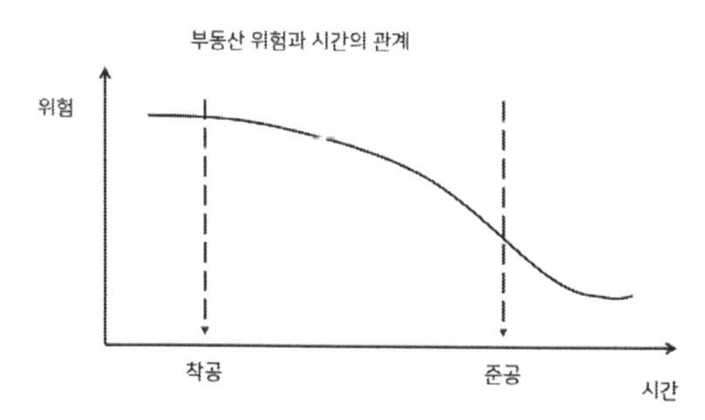

부동산은 토지와 그 정착물이고, 개발사업을 하면서 발생하는 부

동산에 대한 위험은 시간이 지나면서 낮아지므로 부동산의 가치는 착공 전·후, 준공 전·후가 다를 것이다. 따라서 부동산 가격은 이론적으로는 준공 후가 가장 높아야 하고, 착공 전이 가장 낮은 금액이 되는 것임을 예상할 수 있다. 이런 이유로 자본이득(capital gain)을 보고 부동산 투자하는 사람들은 위험을 무릅쓰고 선분양을 받으려 하는 것이다.

개발사업자는 사업이윤을 극대화하고, 초기에 사업위험이 크므로 준공 후의 가격을 착공 전의 분양가격으로 하는 마케팅계획을 수립하는 것이다. 그렇게 산정한 분양가격이 적정한 가격인지 아닌지는 논란의 여지가 많다. 사업에 대한 위험을 가격에 반영하는 것이, 사업자로서는 어쩔 수 없는 선택이다. 그 가격을 정상적인 가격으로 인정할 것인지 말 것인지는 투자자(수요자)들의 선택이다. 부동산 분양업은 이러한 가격으로 만들어진 부동산 상품을 영업(판매)하는 것이다.

미분양이 발생하는 것은 분양가격이 적정가격보다 높았다는 것이고, 투자자들은 가격의 상승이 아니라 하락이 예상되므로 거래당사자로 참여하지 않는 것이다. 부동산마케팅 또는 영업이 실패한 것이며 고스란히 사업위험으로 다가온다.

부동산 정착물로 만들어진 상품이 시장에서 처음으로 거래된다. 준공 후에 소유권 이전을 하고, 자본이득(capital gain)이 가능한 경우 처분한다. 수익형 부동산의 경우에는 준공 후 임대가 되면, 임대료 수입이 발생하면서 운영이득(income gain)을 취하게 된다. 사람들은 주거·비주거 관계없이 운영이득과 자본이득을 같이 추구하는 것이 일반적 모습이다.

『2022년 7월 언론보도에 따르면, 경기·인천 중심으로 '집값 하락론'이 확산하는 가운데 서울에서도 아파트 미분양 물량이 늘고 있어 주목된다. 지난해까지만 해도 서울 아파트는 분양받기만 하면 무조건 오른다고 생각한 수요자들이 '묻지마 청약'에 나서면서 분양 단지마다 줄줄이 완판 행진했던 것과는 분위기가 사뭇 달라졌다.』

미분양이면 가격을 낮추면 된다. 그러나 가격을 낮추는 사업자는 없다. 손해 보고는 분양하지 않겠다는 것이다. 이를 '집값 하락론'으로 포장하고, 시간이 지나면 반등한다고 하는 것이다. 교묘한 언론 플레이일 뿐이다.

준공 후의 부동산 마케팅 또는 영업은 부동산 중개업이 담당하며, 부동산 자산관리, 부동산 컨설팅, 투자자문, 부동산 금융, 감정평가, 부동산 교육 등등으로 분류되어, 공간 시장과 자산 시장에 자연스럽게 이런저런 부동산 사업을 영위한다.

상업용 부동산의 경우 상권이 형성되는 것은 준공 이후부터이다.

부동산의 가치가 시장에서 외면을 받는 경우, 채권 회수를 위하여 부동산 상품이 경매시장에서 유통된다.

시장에서 부동산 상품이 거래되면서 가격이 오르고 내리고를 반복하고, 가격의 상향곡선과 하향곡선을 나타낸다. 그러나 부동산의 가치가 같이 오르고 내리지는 않는다. 가치는 큰 변화가 없음에도 시장 참여자들이 가격을 올리고 내리는 것이다. 시장 참여자의 선택으로 만들어진 가격이다.

이러한 모든 과정을 그림으로 나타내면 아래와 같다.

<그림 5-4, 시간과 위험에 따른 부동산 이해>

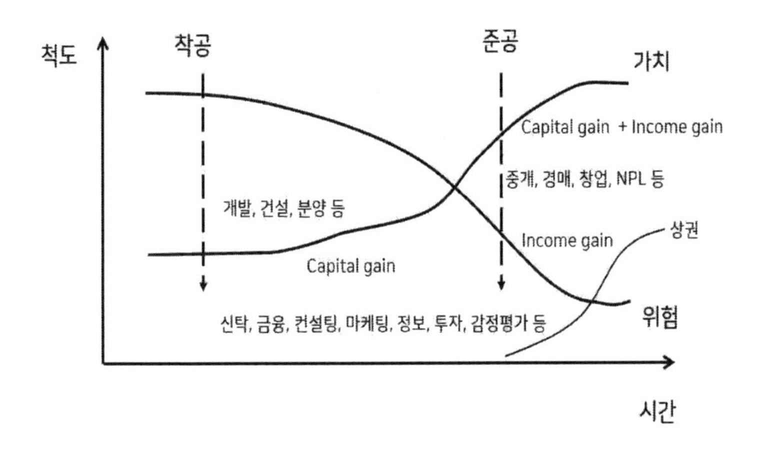

3기 신도시가 만들어진다고 발표하였고, 진행 중이다. 아파트 분양가격을 정할 때 가격을 책정하는 기준이 있다. 실수요자들이든, 투자자들이든 아파트를 분양받는 것은 아파트 가격이 반드시 상승

할 것이라는 믿음이 있기 때문이다. 가격 하락을 전제로 분양받는 사람은 하나도 없을 것이다. 언론 보도자료를 보면 3기 신도시에서도 아파트 가격이 더 올라갈 지역과 그렇지 않은 지역으로 구분하고 있다. 많은 부동산 전문가들이 투자 유망한 지역을 경기 과천, 하남 교산 지역을 꼽고 있다. 그런 생각이 많아지면 많을수록 준공 후 아파트 가격은 더 뛸 것이다.

특정된 지역에서 아파트 등 공동주택을 분양할 때 일정한 기준으로 산정한 분양가격 이하로만 판매할 수 있게 하는 제도가 분양가상한제이다. 인근 지역의 아파트 평균 가격이 10억 원이면, 특정된 지역은 분양가상한제를 적용하여 아파트 가격을 규제하여 책정하였고, 그렇게 만들어진 아파트 분양가격이 7억 원이라면 '아! 그런가 보다.' 하고 보고만 있는 사람들이 있다. 또는 자격이 되든, 안되든 아파트를 청약할 방법을 찾아 투자하는 사람들도 있다.

부동산 정책에 따라 아파트 가격은 부분적으로는 오르고 내린다. 그러나 과거의 데이터를 보면, 통계자료가 나온 이래로 계속 우상향하는 모습을 보여주고 있다. 문재인 정권에서의 아파트 가격의 상승은 평균적인 우상향 패턴에서 벗어난 급격한 상승이었다. 이러한 가격이 정상적인 가격인지 아닌지 논란의 여지가 있다. 정상적인 가격이라면 하락 조정을 받다가 바로 반등할 것이다. 비정상적인 가격으로 시장에서 판단이 되면 가격은 계속 하락할 것이다.

【사례 ; 신도시가 만들어지는 개발계획이 발표되었고, LH에서 택지 조성하고, 부지에 대한 입찰공고를 하였다. 개발사업을 하고자 하는 정태현(56세, 남)은 입찰공고에 나온 예정 입찰가격을 검토하였다. 예정가보다 얼마나 더 높게 써야 할지 토지가격에 대한 사업성 검토를 했다. 투자자들이 요구하는 수익률을 검토하고, 예상 임대가를 검토하고, 사업비용 및 이윤 등을 추가하여 가능한 분양가격을 뽑았다. 계산된 가격으로 써낼 수 있는 토지입찰 최고가격은 예정가의 2.2배였다.

입찰은 떨어졌다. 최종 낙찰자인 선우개발이 써낸 가격은 예정가의 3.5배였다. LH는 높은 가격으로 토지를 분양할 수 있었다. 선우개발의 분양가격은 정태현이 분석한 가격보다 두 배 정도 높을 것이다. 선우개발은 사업에 실패할 것으로 판단하였다. 시간이 지나면서 도시가 하나둘 완성이 되었다. 선우개발은 8층 상가건물을 분양하기 시작하였다. 정태현이 예상한 것과 다르게 분양은 성공적이었다. 개발사업으로 대박을 터트린 것이다.

신도시에 입주민들이 들어오고, 상권이 형성되기 시작하였다. 신도시가 만들어졌지만, 상가들의 공실이 많았다. 중개업소들만 1층 상가에 줄지어 들어오고 주민들이 이용할 편의시설은 터무니없이 적었다. 임대료가 높아서 들어오고자 하는 임차인이 없는 것이다.

선우개발은 개발사업 성공으로 돈방석에 앉았지만, 투자자들은 투자 실패라는 전형적인 모습을 보여주고 있다. 임대료가 수익을 맞출 수 있을 때까지 기다리는 것은 무모한 짓이다. 실패의 원인을 찾는다면 분양가격을 높게 책정한 선우개발의 책임인지, 아니면 투

자자의 책임인지, 아니면 토지가격을 높게 판매한 LH의 책임인지 다툴 필요가 있다.】

세종 신도시, 위례신도시, 마곡지구 등등의 새로이 개발된 신도시나 택지지구를 가보면, 준공이 오래전에 되었음에도 수년간 공실로 있는 상가들을 쉽게 볼 수 있다. 사업자는 성공했을 것이고, 투자자는 실패하였을 것임을 예측할 수 있다.

【사례 ; 1970년대 맞춤옷 양장점을 시작하여 보세의류·잡화 등, 젊은이들 상권으로 우리나라의 대표적인 지역이다. 여대생들이 최신 유행과 트렌드를 검증해 볼 수 있는 '유행의 거리'다. 김호경(33세, 남자)은 이화여대 인근에서 평생을 살았다. 2000년 초반에 이대 앞에 쇼핑몰이 개발되었다. 이대 상권을 잘 아는 김호경의 부친은 약 11억을 투자하여 10개의 점포를 분양받았다.

김호경은 너무 많이 투자하는 것이 걱정되어 아버지에게 한두개만 분양받으라 하였지만, 아버지는 "어린놈이 뭐 아냐?"면서 무시하였다. 부친은 IMF 이후로 동대문의 밀레오레와 두타가 성장하는 것을 보았고, 이대 앞은 더 잘 될 것이라는 믿음이 있었다. 그리고 본인이 퇴직을 앞두고 있어 노후 자금으로 임대료를 받고자 하는 마음이 강했다. 시간이 흐르고 준공이 되었다. 임대가 차근차근 맞추어졌지만, 반짝거리다가 끝났다.

상권은 죽었고, 이대 앞은 이제 예전의 모습을 찾아보기 힘들었다. 시간이 몇 년 더 지나자, 많은 상가가 경매로 넘어가기 시작하였다. 김호경 아버지는 힘들어했고, 건강이 급속도로 안 좋아졌다. 김호경은 경매로 넘어가기 전에 매입 가격의 20%로 물건을 가지고 갈 사람이 있으면 넘겨줄 생각으로 전문가를 찾아왔다. 그러나 전문가는 10%도 비싸다는 이야기로 거절하였다.】

쇼핑몰이란 개념이 본격적으로 등장한 것은 IMF 이후에 동대문에서 시작하였다. 동대문과 남대문 일대에 전통적으로 형성되어 있는 도매시장들이 주변의 쇼핑몰과 함께 시너지를 냈다. 임대분양 또는 등기분양으로 2000년을 전후하여 투자자들을 모았다. 밀레오레와 같은 부동산 상품을 기획하여 개발사업을 이끌어 간 세대들이 IMF 이후로 등장하였다. 민자역사도 여기에 합류하였다. 대부분 임대분양의 형태로 진행을 하였다.

임대분양이란 상가에 대한 사용권을 전제로 분양하는 방식이다. 시행사나 건물주에게 해당 상가에 대한 보증금이나 개발비 등을 주고 일정 기간 사용할 수 있는 권리를 부여받는 것을 말한다. 즉, 상가에 대한 실제적인 권리는 건물주가 갖고 분양을 받으면 계약기간 동안 점포 사용권이나 재임대 권한을 갖는 것이다. 소유권을 가지고 오는 것이 아니라 일정 기간 임대에 대한 권리를 가지는 것이다.

이러한 임대분양이 투자 가치가 있는지 없는지 판단은 개인의 선택이다. 개발사업자는 이런 사업을 기획하는 이유는 돈이 되는 사업이기 때문이다.

43. 위험을 떠넘기는 사업이다.

【사례 ; 권정원(58세, 남)은 퇴직 후 중개사 자격증을 따서 양재역에서 부동산 중개업을 하는 8년째 하고 있다. 중개업을 하면서 돈을 많이 벌었다. 양재역 사거리에서 20층 규모로 신축되는 주상복합건물이 있었다. 분양 영업사원이 분양자료를 주고 갔고, 권정원은 본인이 1층 코너에 있는 상가를 선분양받기로 하였다. 준공까지 시간이 있으므로 잔금이 이루어지기 전에 되팔 생각이었다. 직접 중개업을 하고 있으므로 어려울 것 같지 않았다. 1층 코너를 35억 원의 분양가를 협상하여 30억 원에 계약하고, 계약금 3억 원을 신탁사 계좌에 입금하였다. 잔금 40% 제외한 중도금 무이자 대출 약정에 사인하고, 분양계약서를 작성하였다.

3개월 뒤에 토목공사가 진행되었다. 되팔 생각에 투자자들을 찾아다녔다. 자기를 찾아오는 사람들에게 투자가치가 있다고 설득하였지만, 계약이 성사되지 않았다. 시간이 계속 흘렀다. 매수인을 찾아야 한다는 조바심이 생기었다. 준공되었고, 잔금 납부에 대한 안내가 왔다. 잔금 치를 돈은 없었다. 회사에서는 지연이자를 부과하였고, 잔금에 대한 독촉이 왔다.】

부동산 개발사업에 대한 이해관계자들의 구조와 부동산 상품이 이전되는 과정은 다음 그림과 같이 된다.

<그림 5-5, 부동산 개발 이해관계자>

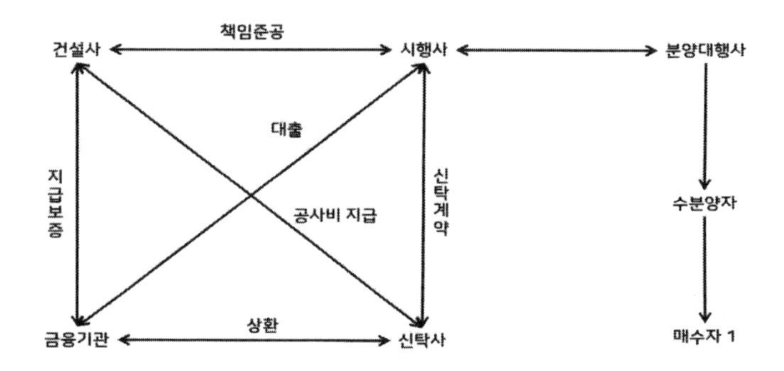

시행사는 부동산 개발사업의 시작인 토지매입, 계약 관리, 대금 지급, 실제 건설, 최종적으로 분양까지의 전 과정을 담당하는 회사이다. 그러나 이러한 업무를 수행하는데 부족한 부분은 신탁사로부터 전문적인 도움을 받는다. 신탁사는 우리나라의 부동산 산업에서 고유한 역할을 가진다. 부동산의 명의, 대출금이나 사업비 등의 자금흐름, 나아가 부동산 개발에서 인허가 등 사업 주체의 지위까지 전부 제도권 금융회사인 신탁사에 맡겨둘 수 있다.

2003년 3,200명에게 총 3,735억 원 상당의 재산상 피해가 일어난 "굿모닝시티" 상가 분양 피해 사건이 발생하여 사회적 문제가 되었고, 이러한 폐단을 막고자 '건축물 분양에 관한 법률'이 만들어졌다. 그 법령에 따르면 주거용 부동산이 아닌 경우 분양하는 바닥면적의 합계가 3,000㎡ 이상인 건축물, 일반업무 시설 중 20실 이상인 오피스텔 건축물을 분양하고자 하는 자는 신탁회사와 신탁계약 및 대리사무계약을 체결하거나 금융기관 등으로부터 분양보증을 받는 경우, 건축물의 착공신고를 한 후에 건축물을 분양할 수 있도록 하고, 그렇지 않으면 골조 공사의 2/3 이상을 완료한 후에 건축물을 분양할 수 있도록 하고 있다. 따라서 대부분 개발사업은 신탁사와 업무계약을 맺는다.

시공사는 시행사로부터 어떤 건물을 짓도록 의뢰를 받고, 설계 그대로 건설하는 회사이다. 책임준공이란 금융회사가 PF 대출을 할 때 신용확보 방안 중 하나로 미분양 등의 사유로 공사비를 회수하지 못하여도 정해진 기간에 공사를 마치도록 하는 계약이다. 시공사가 건물 준공을 책임지겠다는 약정을 의미한다. 사실 준공 의무는 건설공사의 수급인이 도급인에게 부담하는 계약상 의무로 볼 수 있지만 우리나라는 사정이 약간 다르다. 시행사와 시공사가 분리돼 있고 대부분 시행사의 자금력이 취약하므로 금융회사는 채권확보를 위해 시행사보다 시공사의 지급 보증을 더 신뢰한다.

이러한 계약은 개발 사업위험을 시행사가 단독으로 지는 것이 아니라 시공사, 신탁사, 금융기관과 함께 적절하게 나누는 형태가 되는 것이다. 개발사업을 하는 과정에서 투자자들은 분양받는 사람으로 참여한다. 분양받는 사람은 건물 준공이 나면 분양계약에 따라 소유권을 이전하여야 한다. 분양받는 사람이 소유권을 유지하고 있다가, 시간이 흘러 다른 사람에게 매도한다. 매도를 결정하는 이유는 여러 가지가 있지만 가장 큰 이유는 가격 하락이 발생하기 전에 매도하는 것이다. 매도자와 매수자는 미래 가치에 대한 상반된 견해를 가지고 있다. 부동산의 가격이 미래 가치가 반영된 가격이라고 한다면 부동산의 미래 가치는 매도인에게 있는 것이다. 매도인이 모르는 다른 미래 가치가 있다면, 그 미래 가치는 매수인에게 있는 것이다.

【사례 ; 김학표(53세, 남)는 IBM 영업부장으로 근무 중이다. 대학 졸업 후 극히 평범하게 살았다. 부동산투자에는 그동안 관심이 전혀 없었으나, 최근에 상가투자에 관심이 생기었다. 같이 근무하는 직장동료가 임대료 받는 상가를 소유하고 있다. 뭔가 뒤처지고 있다는 느낌이 들었다. 동료가 소개해준 전문가를 만났다. 같이 밥을 먹고, 술자리도 하였다. 전문가도 한 살 터울이라 대화가 잘 되었다. 비슷한 연배끼리 느끼는 동지애 같은 것이 생기었다.

부동산 개발 시장을 이야기하고 일반분양보다 한발 앞서 선투자를 권유하였다. 처음 들어보는 이야기였다. 전문가에게 의지하고 도움을 받기로 하였다. 한 달에 두 번 정도 사무실을 방문하여 차 한잔하거나 점심시간에 만나 식사하면서 친분을 다졌다. 그렇지만 몇 개월이 지나도 전문가로부터는 연락이 없었다. 8개월쯤 지날 무렵 전문가로부터 급하게 만나자며 사무실로 오라는 연락이 왔다. 회사를 조퇴하고 만났다. 3호선 구파발역 앞에 상업용 부동산으로 개발되는 건물이 있고, SH공사에서 분양한 부지이다.

시행사가 돈이 하나도 없어 사업자금을 충당하기 위해 선투자를 찾는 중이라고 하였다. SH공사에 토지 잔금이 미납되어 있어 아직 시행사 명의로 토지를 가지고 오지도 못한 상태였다. 가격은 분양가격으로 책정된 가격의 30% 할인된 가격이었다. 그 대신 계약가격의 50%를 일시금으로 시행사 통장으로 입금하는 조건이다. 회사에서는 정상 분양가격으로 준공 전까지 되팔아 주기로 하였다. 분양가격은 20억이었고, 30% 할인된 가격은 14억이고, 그중에 50%인 7억을 일시금으로 입금하는 것이다. 준공 전까지 되팔면 6억의 시세차익을 얻는 것이다.

전문가를 믿을 것인가? 말 것인가? 에 대한 고민을 하여야 했다. 되팔지 못하면 소유권 이전 해야 한다고 한다. 2시간 고민하였고, 계약을 진행하기로 하였다. 계약 후에, 전문가는 2~3년에 한 번 일어날 일이 오늘 발생한 것이라 하였다. 쉽지 않은 결정인데 용기를 내었단다. 토지 사용 승낙이 떨어지고 모 은행에서 PF가 되었다. 시행사업은 순조롭게 진행되었다. 분양하는 관계자로부터 되팔 것인지 연락이 왔다. 6개월도 지나지 않아 6억을 번 것이다.】

【사례 ; 이승우(52세, 남)는 대학병원에 근무하는 의사다. 학창시절부터 선친이 부동산투자로 자산을 일구어, 건물을 여러 채 가지고 있는 것을 지켜보았다. 자연스럽게 부동산투자에 관심이 많지만, 선친이 살아온 환경과 지금은 다르다는 것을 알았다.

선친을 보면서 배운 투자 논리는 '정보가 있으면, 발 빠르게 움직인다.'라는 것이다. 판교라는 신도시에 대해서 언론에서 매일 보도자료가 나왔다. 강남의 테헤란로를 옮겨오는 것처럼 이야기들을 하였다. 흥미가 있었다. 아파트가 당첨되면 로또라는 말도 있었다. 전문가를 만나서 틈틈이 교류하였다. 시간이 지나면서 중심상업지로 개발되는 판교역 앞에 투자할 만한 물건을 부동산 업자들이 소개하기 시작하였다. 가격이 높았다. 이 가격으로 분양을 받으면 최고의 상권이 되더라도 임대가 쉽지 않을 것이란 생각이 들었다. 그러는 중에 연락이 왔다. 평소에 안부를 주고받으면서 소통하고 있던 전문가였다.

어떤 시행사가 중심상업지에 개발사업을 하는데, 선투자 계약서가 필요해서 투자자를 찾는다는 것이다. 30% 조정된 분양가격이다. PF를 승인하기 전에 200억 원 정도의 선 투자를 금융기관에서 요구했다는 것이다.

전문가는 입금하는 돈에 대해서 질권으로 안전장치를 하고, 신탁계약을 하는 즉시 선투자 계약서를 분양계약서로 재작성하면 되는 것으로 설명하였다. 전문가의 말을 믿기로 하였다.】

위 두 사례에서 나오는 것과 같은 정보가 있다면 부동산투자를 결정할 수 있는지 없는지는 개인의 선택이다. 대부분 '세상에 이런 일이 다 있냐'라고 하면서 '사기 치지 말라'고 관심 밖의 일로 치부할 것이다.

이것은 사기의 한 형태가 될 수도 있고, 성공적인 투자 사례가 될 수도 있는 것이다.

44. 부동산 영업은 누가 하는가?

【사례 ; 충무로에 신규 오피스텔에 관심이 있어서 박은경(여, 48세)은 광고 전단지 번호로 전화하였다. 영업사원의 다급한 목소리와 함께 수화기 너머로 들려오는 혼잡스러움에 상담 전화가 많다고 생각하였다. 박은경은 시간 약속을 잡았고, 방문해서 상담하기로 했다. 다음 날, 모델하우스를 가보니 자기와 같은 투자자로 보이는 사람들이 상담하고 있다. 전화했던 사람이 다가와 자신을 상담석에 앉혔다. 그리고 팀장이라는 사람을 소개하였다. 투자 가치가 뛰어나다는 팀장의 브리핑은 너무나 좋았다.

서울 한복판에 있어 프리미엄이 바로 붙을 것이라고 이야기하였다. 팀장은 계약을 유도하였으나 집에 가서 배우자와 의논할 시간을 달라고 하였다. 팀장은 좋은 자리가 몇 개 없으니, 일단 청약하고 집에 돌아가서 배우자와 의논하라 하였다. 어차피 청약은 계약이 아니라는 것이다. 계약하지 않으면 청약금은 바로 돌려준다고 하였다. 좋은 방법 같아 청약금 200만 원을 입금하였다.

집에 와서 남편 이종훈과 상의하여 보니, 직접 가보겠다고 한다. 다음날 다시 방문하였고, 팀장의 설명을 들은 남편은 오피스텔이 맘에 들었다. 팀장은 혹시 여윳돈이 있으면 2채를 분양받으라 설득하였다. 한 채는 가지고 가고, 한 채는 자기가 팔아줄 터이니, 프리미엄이 붙으면 바로 되팔라는 것이었다. 그러면 낮은 가격으로 분양받는 효과가 있으니 '꿩 먹고 알 먹고' 식으로 설명하였다. 솔깃하였다. 부부는 의견 일치를 보고 바로 계약을 진행하였다. 최악의 경우 프리미엄이 안 붙으면 2채를 가지고 임대 놓아도 될 것 같았다. 부부가 만난 사람은 영업사원과 팀장이 전부였다. 계약하고 수개월이 지났다. 공사가 진행되는 현장을 가끔 들리면 뿌듯했다. 그렇게 시간이 지난 어느 날 팀장에게 전화하였다. 연락이 되지 않았다. 수소문해보니, 팀장은 그쪽 분양 현장을 그만두고 다른 곳에서 지식산업센터 분양을 하고 있다고 한다.】

부동산 분양대행업은 개발사업 과정에서 마케팅 이란 단계에서 분양대행사 또는 광고기획사가 참여하는 것이다. 분양개시 단계는 개발 후반부에 있는 것이 아니라 개발의 초기 단계에서 시작한다. 분양 업무는 그 성질상 분양을 위임받은 대리인이 광고를 내거나 그 직원 또는 주변의 부동산중개인을 동원하여 분양 사실을 널리 알리고, 분양사무실을 찾아온 사람들에게 분양가격, 교통 및 입지 조건, 용도, 관리 방법 등 분양에 필요한 제반 사항을 설명하고 청약을 유인함으로써 분양계약을 성사시키는 것이다.

분양 대행은 어느 정도의 위험부담과 함께 이득을 취할 수 있는 영업행위로서 중개와는 구별되는 것이다. 따라서 부동산 유통과정에 분양대행업과 중개업이 그 역할을 하고 있지만, 분양대행업은 타인 부동산의 판매를 대행하는 것으로서 거래를 알선하는 부동산 중개업과는 구분되는 것이다.

개발사업 주체와 분양대행사 간에 있어서 광고, 마케팅, 계약 업무, 업무 내용, 대행 기간, 대행 수수료, 영업 관리, 영업조직 운영비, 분양 이후의 조치 등의 세부적인 업무계약 내용에 따라 분양대행업체가 할 수 있는 역할이 제한된다. 분양 대행 업무는 대상 부동산에 대한 판매행위를 하는 것이기 때문에 개발사업의 어느 시점을 선택하는가에 따라서 "선분양 후개발" 또는 "선개발 후분양"의 형태를 가지게 된다. 선개발 후분양은 대상 부동산의 건축물이 거의 완공된 시점에서 분양하는 것이고, 공사가 진행 중이거나 계획 중에 있을 때 분양하는 것을 선분양이라고 할 수 있다. 관련 법령에 근거하여 골조 공사 2/3 이상 완료 후에 분양하는 것을 후분양이라고 정의할 수 있을 것이다.

선분양은 초기에 투자자들을 확보함으로 인하여 사업에 대한 위험부담을 줄일 수 있으나, 투자자들은 개발 부동산이 완료되는 시점까지 자금 활용을 할 수 없으며, 사업자의 부도 등에 의한 위험에 노출되어 있다. 이러한 이유로 인하여 가격에 대한 할인을 요구하는 투자자들이 있으나 현실적으로는 무시당한다. 대부분 경쟁에 의한 수의계약으로 진행되기 때문이다. 어느 정도가 정상적인 분양가격인지에 정확한 평가가 없으므로, 합리적인 가격협상이 이루어지지 않는 경우가 대부분이다.

분양은 개발회사와 대행사 간의 분양 대행 계약에 따라 업무가 진행된다. 업무는 단순 분양 대행과 총괄 분양 대행으로 구분할 수 있다. 일반적으로 분양 대행이라고 하면 부동산 상품에 대한 판매·영업만을 대행하는 것을 의미한다. 총괄 분양 대행은 부동산 개발 사업의 초기 단계에서부터 동참하여 분양계획을 수립하는 것이다. 수요자들의 특성을 파악하여 개발사업 기획에 반영하도록 하고 개발의 완료 단계까지 영업 관리 업무를 맡아서 한다. 바람직한 분양 대행 업무는 개발사업의 파트너로 기획에 참여하여 개발사업의 성공을 함께 이루어 나가는 것이다.

개발사업이 상품을 만들어 내는 생산부서의 역할을 담당한다면 분양대행업은 만들어진 제품을 판매하는 영업부서 역할이다. 따라서 개발사업의 성공은 상품 기획과 판매가 시너지 효과를 발휘할 수 있도록 상호 간에 업무 협조를 이루는 것이 바람직하다.

분양 대행 수수료 책정에 있어서는 개발사업자와 분양대행사 간의 협의에 따라 이루어지는데 보통 정액형, 비율형, 누진 비율형, 차액형으로 구분한다. 정액형은 정해진 금액을 분양 대행 수수료로 지급하는 것이며, 비율형은 분양 가액의 일정 비율을 분양 대행 수수료로 지급하는 것이며, 누진 비율형은 정해진 기간 안에 목표를 초과 달성하면 차등하여 분양 수수료를 지급하는 것이며, 차액형은 정해진 분양 가액 이상의 금액은 전부 혹은 합의한 비율대로 분양 대행 수수료로 지급하는 것이다.

재화나 서비스에 대한 영업의 분류는 형태와 방법에 따라 다음과 같이 분류할 수 있다.

<표 5-5, 분양 영업의 분류 기준, 명칭, 의미>

분류 기준	영업의 명칭	의미
형태	개척 영업	신규 고객을 발굴하여 계약을 창출하는 영업
	관리 영업	기존 고객 관리를 통하여 계약을 추가로 유도하는 영업
방법	T/M 영업	Tele-Marketing을 통하여 수요자를 발굴하는 영업
	현장 영업	인적 자원을 직접 투입하여 수요자를 발굴하는 영업
	광고 영업	광고를 통하여 문의 전화로부터 수요자를 발굴하는 영업

<표 5-6, 분양 영업 분류>

영업 분류	적용
현장 영업	파라솔, 전단지, 호객, 중개업소 방문 등
광고 영업	신문, TV, 인터넷, 유튜브, 플랫폼 등
T/M 영업	전화

영업 방법은 부동산뿐만 아니라, 다른 재화나 용역을 취급하는 영업들도 위에 언급한 3가지 방법이 유일하다. 자동차, 시계, 책, 잡화, 옷, 화장품, 가구 등 거의 모든 상품은 이러한 3가지 방법을 통하여 소비자들을 대상으로 영업하고 있다. 인터넷이 발달하면서

off-line에서 on-line 영업으로 공간적 범위가 바뀌었을 뿐, on-line 영업도 광고 영업의 한 부분이다.

분양조직도 <표 5-6>와 같이 구성한다. 분양 대행의 실질적인 요소는 분양조직구성에 있다. 좋은 사업 전략과 계획이 있을지라도 그것을 실행하는 사람은 영업사원이다. 따라서 예비 투자자와 1:1 상담을 진행하는 분양상담사들의 지식과 경험, 일에 대한 동기부여가 분양 성공 요인에 있어서는 핵심이 되는 것이다.

분양 대행 사업자는 최대한 신속한 분양을 목적으로 사업을 전개하여야 한다. 이러한 목적을 이루는 과정에서 분양 사업자의 과도한 업무추진과 분양상담사들의 수수료에 대한 욕구로 인하여 법률·경제적으로 거래사고가 발생할 수 있으므로 주의를 하여야 한다.

성공적인 분양을 위해서는 분양실행계획이 가장 중요하다고 볼 수 있다. 대부분 개발사업자는 이 부분을 쉽게 간과하고, 분양 사업자의 제안서나 계약조건만을 보고 분양 대행 계약을 체결하는 우를 범하기도 한다. 분양 실무에서는 시행사와의 분양계약을 작성하기 위해 화려하게 장식된 제안서를 멀리하여야 한다. 실행계획이 구체적이지 않으면 보수적으로 봐야 한다. 따라서 분양상담사들을 종합적으로 관리·교육할 수 있는 분양대행사 대표의 경영(사업) 능력이 중요한 것이다.

<그림 5-6, 분양 영업조직>

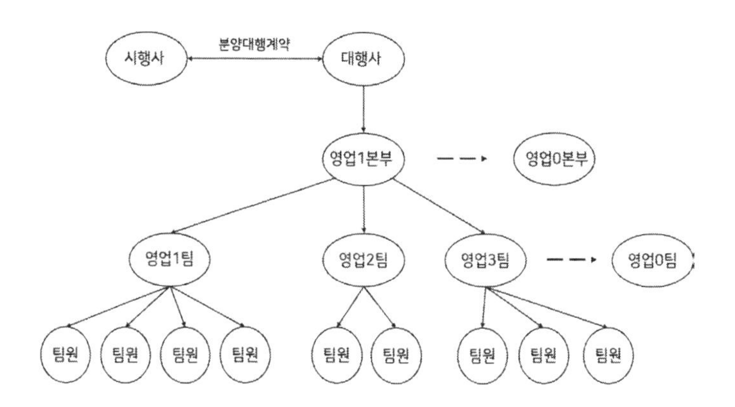

『언론 보도자료에 보면, 00 건설이 시행하고 분양한 경기도 한 아파트 상가에서 30여 명이 총 400억 원대 분양사기를 당했다는 주장이 제기돼 파문이 일고 있다. 00 건설 분양팀이 상가를 전매해 시세 차익을 낼 수 있다고 속여 계약자를 끌어모았다는 것이다. 아무개 씨는 00 건설을 상대로 부당이득금 청구 소송을 제기했다. 분양사무소에서 장 아무개 씨가 자신을 00 건설 분양팀 팀장이라고 소개하고 전매 수익을 볼 수 있도록 해주겠다고 속여 분양계약을 체결했다고 주장하며 분양계약 해제를 요구하는 것이다. 1심에서는 원고인 한 씨가 증거불충분으로 패소했다.』

우리나라에서 분양대행사 소속으로 영업을 하면서 가지고 다니는 명함은 대부분 시공사 명함이다. 영업사원들은 정식직원도 아니다. 계약이 나오면 수수료를 받는 조직이다. 대부분 받는 수수료에서 3.3% 사업소득 원천징수 금액을 제하고 받는다. 업무 특성상 분양을 하는 현장을 수시로 옮겨 다닌다. 한 회사에 소속되어 영업하는 것이 아니다.

아파트, 상가, 오피스텔, 토지 등 분양과 관련하여 '분양사기다. 아니다.'로 잊을 만하면 한 번씩 언론에 보도되면서 사회적 이슈가 나타나는 이유이다.

45. 부동산 마케팅에 속지 말자.

【사례 ; 임동순(46세, 여)은 집에서 케이블 채널을 돌리다가, 강원도 속초에 신축 중인 호텔을 분양하고 있는 방송을 보았다. 준공 후에는 전문운영사에 호텔의 운영·관리를 위탁하고, 매월 객실 운영에 따른 수익금을 투자자에게 지급하는 방식이다. 투자가치가 있다고 방송한다. 투자금액도 2억5천만 원이었다.

언론에 자주 보이는 부동산 전문가가 홈쇼핑의 진행자와 함께 이야기한다. 자신의 이름을 걸고 추천하니 망설이지 말고 전화상담을 받으라고 한다. '이게 뭐지'하는 궁금증에 인터넷 검색하여 본다. 1인 가구 증가와 고령사회로 인해 여행 수요가 파격적으로 늘어난다는 내용과 함께, 강원도, 제주도 등지에 레지던스 호텔이 투자처로 인기가 높다는 자료들이 언론사별로 많이 검색되었다. 투자해 놓으면 좋겠다는 생각이 들었다.

임동순은 잠시 고민하다가 전화하였다. 여자가 전화를 받는다. 지금은 전화가 폭주하여 상담하기 어려우니 연락처를 주면 직원이 전화하겠다고 한다. 전화번호를 남기고 20분 뒤에 전화가 왔다. 이런저런 이야기 나누고, 모델하우스 방문 시간을 예약하였다. 임동순은 자기가 세상이 어떻게 돌아가는지 너무 모르고 살았다는 생각이 들었다.

임동순은 투자에 대한 정보를 홈쇼핑에서 얻었다. 그리고 뉴스 검색을 하였다. 언론사 보도자료의 분석과정은 나름 객관적이라 생각하였다. 전문가와 언론 보도자료를 신뢰한 것이다.】

마케팅을 이해하기 위해서는 영업(sale)과 마케팅(marketing)이 어떻게 다른 것인지를 이해하는 것이 중요하다. 대부분 영업과 마케팅을 혼용하여 사용하는 경우가 많다. 영업에 대한 단어적 정의는 “고객을 찾아다니며 상품을 파는 일”이라고 하여 판매의 뜻을 강하게 가지고 있으며, 마케팅에 대한 정의는 “생산자가 상품 또는 서비스를 소비자에게 유통하는 모든 체계적 경영활동”이라고 한다.

<표 5-7, 영업과 마케팅 구분>

구분		의미
영업		만들어진 상품을 잠재된 소비자들을 찾아서 판매하는 행위
마케팅	상품	새로운 제품의 개발, 기존 상품의 개선, 디자인 등의 행위
	거래	시장조사·수요자분석·판매 방법·가격 선정·차별화전략 등의 행위
	판매	영업조직관리·판매활동실행·판매관리 등의 관련 행위
	촉진	광고·홍보·판매수당·이벤트 등의 관련 행위

한국마케팅학회에서는 다음과 같이 정의 하였다. “마케팅은 조직이나 개인이 자신의 목적을 달성시키는 교환을 창출하고 유지할

수 있도록 시장을 정의하고 관리하는 과정이다.” 미국마케팅학회에서는 다음과 같이 정의 하였다. “마케팅이란 개인의 조직과 목적을 충족시키어 주는 교환을 창출하기 위해 아이디어, 제품 및 서비스에 대한 발상, 가격결정, 촉진 및 유통을 계획하고 실행하는 과정이다.” 마케팅은 매매 자체만을 가리키는 영업보다 훨씬 넓은 의미를 지니고 있다. 영업과 마케팅의 차이를 <표 5-7>처럼 구분한다.

기획(企劃)과 계획(計劃)은 다른 것이다.

기획은 어떤 특정된 목적을 이루기 위해서 미래 시점에 선택하여야 할 어떤 행동들을 결정할 수 있도록 준비하는 과정이며, 계획은 특정된 목적을 이루기 위하여 시간 일정에 따라 행동하기로 한 행동 노선(Time Schedule)이다. 따라서 기획과정에서는 수많은 계획이 만들어지고 사라지는 것이다.

부동산마케팅 기획·계획은 같은 개념이 아님을 알 수 있다. 일반적으로 분양대행사는 마케팅계획을 수립하는 것이며, 개발회사는 마케팅 기획을 수립하여야 할 것이다. 주로 분양대행사가 수립하는 마케팅계획은 판매(영업)에 집중되어 있으며 개발회사기 준비하는 마케팅 기획은 상품(개발전략) 마케팅, 거래(분양·홍보전략) 마케팅, 촉진 마케팅이 중심이 되는 것이다. 분양대행사가 개발회사에 제안하는 분양 대행 제안서에 들어가는 내용은 판매·촉진 마케팅에 해당하는 사항들이 주로 작성되나 제안의 목적이 분양 대행 사업권 획득에 있다. 따라서 개발회사의 사업 추진에 반하는 제안이 되기 어렵다.

그러나 많은 개발사업자가 사업 경험이 부족하기에 정확한 마케팅 기획·계획 과정 없이 개발사업을 추진하는 경우가 다반사이므로 분양 대행 사업자의 제안서를 통해 검증받고자 하는 경우도 종종 발생하고 있다. 마케팅은 시대에 따라 중요하게 생각하는 포인트가 변하며, 시장 환경 변화에 따라 접근 전략을 다양하게 취하여야 한다. 따라서 부동산마케팅이라는 분야는 절대적인 이론이 있기 어렵다. 마케팅은 단어적으로 Market(시장)이 ing(진행) 과정에 있다는 것을 뜻하고 있음에 주목하여야 한다. 분양사무실이나 모델하우스에 근무하는 분양상담사들이 하는 행위는 영업이다. 그러나 분양상담사들이 영업할 수 있도록 전략을 수립하는 행위는 마케팅이며, 이러한 마케팅을 수립하여야 하는 것이 분양대행사의 사업 능력이다.

【사례 ; 개발업으로는 국내에서는 경쟁이 없을 정도로 독보적인 회사로 성장하였다. 충청도에 공장이었던 부지를 인수하여 아파트 2,300세대를 개발하였다. 사업을 시작하면서 분양 광고하였다. 계획했던 것보다 계약률이 낮았다. 실패하면 회사가 부도가 날 수 있다. 분양대행업체와 대책 회의를 매일 하였다. 영업조직을 지금보다 10배 늘리고, 영업사원들에게 계약 수수료도 세 배로 올려 주기로 하였다. 각종 매체 광고와 여론몰이를 집중적으로 하면서 벌떼영업 조직을 만들었다. 3개월 만에 잔여 세대는 모두 분양되었고, 사업은 성공적이었다.】

46. 정부는 나에게 팔고, 나는 당신에게 팔고

【사례 ; 박인영(36세, 남)은 1남 2녀의 막내였다. 20대부터 30대 중반까지 아버지를 도와 식자재들에 대한 유통사업을 하였다. 아버지는 통장에 돈이 쌓이면 가족들 명의로 부동산을 매입하였다. 박인영이 30대 중반 무렵에 아버지는 사업을 정리하고 은퇴하였다. 박인영은 가족들 명의로 사 놓은 부동산을 관리하면서 임대사업으로 가족들이 살았다.

아버지가 부동산 전문가를 소개했다. 전문가와 호형호제의 인연을 맺고 10년이 지날 무렵 몇몇 지인들과 저녁을 먹으면서 부동산 개발 이야기가 나왔다. 같이 저녁을 먹던 지인 중에 한 사람이 '우리가 개발해 볼까?' 하는 농담을 던졌고, 농담이 진담이 되었다. 전문가가 중심이 되어 일을 진행하기로 하고, 사업자금을 모았고, 박인영은 5억을 투자하였다. 그렇게 5명이 모였고, 17억의 사업자금을 만들었다.

전국에 택지 개발하는 곳을 다녔다. 6개월 지난 무렵, LH가 수원시에 조성한 택지가 미분양되었고, 수의계약으로 진행되고 있음을 알았다. 계약하기로 하였다. 법인을 만들었다. 토지가격은 56억이었다. 사업자금은 대출을 받았다. 전문가의 도움을 받아 개발사업이 순차적으로 진행되었다. 실패에 대한 두려움과 걱정으로 잠을 못 자는 날도 있었다. 9개월 뒤에 준공되었다. 분양대금으로 사업비가 확보되자, 남은 상가는 5명이 지분대로 나누었다. 박인영은 5억을 투자하였고, 분양가격 기준으로 16억을 배당받았다.】

우리나라의 상업용 부동산 공급은 약 70% 이상이 택지개발지구 내에서 이루어지고 있다. 계획대상 사업지구 내에 도시 계획상 상업지역이 계획되어 있는 경우에는 그 규모 및 위치를 가능한 한 반영한다. 상권의 특성과 규모, 상업지역의 기능 및 성격에 따라 소요 면적을 산출한다. 소규모 사업지구에는 준주거 및 근린 생활 용지가 그 기능을 대체하고 있다.

택지개발지구에서 공급되는 상업용 부동산은 인구 규모에 맞게 계획적으로 배치되어 있고, 주거지역을 배후로 해 중심상업지역과 근린상업지역이 적절한 규모로 조성되어 있다. 따라서 택지개발지구 내의 상업용 부동산은 일반적으로 볼 때 새로운 이미지와 상대적으로 좋은 접근성, 많은 유동 인구 등으로 활성화될 가능성이 크다고 할 수 있다. 그러나 상권이 활성화되기까지 걸리는 시간이 길다는 단점도 가지고 있다. 계획된 도시이므로 계획인구대로 완성이 되려면 시간이 필요한 것이다.

택지개발 공급처별로 해당 용지의 분양계획 및 내용은 해당 기관의 홈페이지를 통해서 확인할 수 있다. 이때 확인해야 할 사항으로는 분양 방법, 가격, 토지 사용 가능 시기 등이다. 분양 용도에 따라 분양 방법에 차이가 있으며, 분양 방법 및 가격에 따라 매수 가능한 금액을 추정할 수 있고, 토지의 사용 가능 시기를 알아 사업계획을 세울 수 있다. 해당 용적률과 건폐율, 제반 조건을 적용하여 사업 참여를 결정해야 한다. 입찰 참여는 크게 3가지 방식이다.

<표 5-8, 토지입찰 방법>

입찰 방법	내용
추첨제 분양	공급가격을 미리 정하여 공시하고 대상자를 공개 모집하여 추첨하는 방법
경쟁입찰	최고금액으로 응찰한 자를 낙찰자로 하여 결정
수의계약	미 매각토지에 대하여 수의계약 공고 후 수의계약을 실시

낙찰받으면 낙찰대금의 10% 정도를 계약금으로 하여 계약서 작성한다. 납부는 일반적으로 일시금 납부인 경우는 2개월에서 6개월 이내로 이루어지고, 분할납부는 토지 금액에 따라 최저 1년에서 최고 5년까지 이루어진다. 건축을 할 수 있는 때가 토지 사용 가능 시기가 된다. 기반시설 등 택지개발이 조성되기 전에 분양된 토지들은 조성공사 완성 이후 토지 사용이 가능하다. 계약 후 매매대금을 완납한 후에 소유권을 이전하게 된다. 다만 조성사업준공 전에 분양된 토지의 경우에는 조성사업준공과 지적 및 등기 공부 정리를 완료한 후에 소유권 이전이 가능하게 되는데, 소유권 이전

가능 시기는 토지매각 공고 시 사전 공고된다. 금융기관을 이용하여 중도금 및 잔금대출을 받을 수 있다. 건축허가는 건축설계 사무소를 선정한 후, 설계도를 작성한 후 건축허가를 신청하고 관할 시.군.구청에서 건축허가를 받고 착공에 들어간다. 사용승인은 이전에는 준공이라는 의미로 쓰였다. 건축주는 건축물의 시공이 완료되면 그 건축물을 사용하는 경우 허가권자에게 사용승인을 신청하여야 하며, 이때 관련 취·등록세를 포함한 공과금 등을 내야 한다.

【사례 ; 서대문구에서 입시학원을 하는 김진원(55세, 남)은 학원장들끼리 친목 모임이 있다. 그 모임에서 임대료가 부담스럽다는 하소연을 들었다. 김진원은 학원 건물을 짓자고 제안하였다. 술자리에서 뜻이 맞아 이야기는 길어지고, 최종적으로 본인 포함하여 3명이 참여하기로 하였다. 3명이 공동대표로 법인을 만들었다. 뉴타운 역세권이 개발되면서 SH에서 분양하는 상업지역에 입찰하였다. 입찰이 되고서 2명이 포기 의사를 밝혔다. 사업비용을 알고는 두려움이 생긴 것이다.

개발사업을 하였다가 잘못되면 엄청난 빚더미에 파묻히는 것을 안 것이다. 여기서 접고 계약금을 포기하자는 의견이 나왔다. 김진원은 혼자라도 하기로 하였다. 계약금으로 투자한 2명은 계약금을 포기하고 법인에서 이름을 뺐다. 법인에 홀로 남은 김진원은 전문가를 찾아 상담하였고, 전문가와 PM 용역 계약을 맺었다. 상층부 3개 층은 본인의 학원으로 하고, 나머지는 전부 분양하기로 하였다. 그렇게 1년 6개월이 지나 준공되었다. 사업은 성공적이었다.

뉴타운 전철역 입구에 있는 상징적인 건물이 되었다.】

개발사업비는 토지 대금, 건축비, 사업 운영비로 구분한다. 대부분 PF(Project Financing)라는 이름으로 대출을 받아 진행한다. 일반적으로 수백억 단위는 아주 쉽게 넘어간다. 개발사업을 하다가 실패하면 모두 채무가 되는 것이다. 반대의 경우에는 그에 비슷한 수익을 보는 것이다. 개발사업자의 위험이 엄청 크다면, 위험을 분양가격에 반영할 수밖에 없는 것이 개발사업 구조이다.

【사례 ; 대통령 선거에서 시끄러운 대장동 택지개발 사건이 있다. 언론에 보도된 자료를 취합하여 정리하면 아래와 같다.

대장동 지구 주민들에게 택지개발에 따른 토지를 수용, 택지를 조성 개발하였고, 총사업비 1조 5천억 원이 투입되었다. 민간사업자에게 토지를 수의계약 또는 경쟁입찰로 분양하였다. 아파트를 공급할 수 있는 주거지역에 입찰한 개발사업자들은 아파트를 분양하였고, 아파트 평균 분양가는 8억 원이었다.

공공사업자(성남도시개발공사)와 민간사업자(8개)들이 모여서 성남의 뜰이란 특수합작법인 SPC를 만들었다. 그중에 한 민간사업자는 지분이 0.9999%로 1%가 되지 않는다. 택지개발사업을 5천만 원을 가지고 민간사업자로 참여할 기회를 가진 것이다. 민간사업자는 아래와 같은 지분 구조로 사업을 진행하였다.

<그림 5-7, 성남의 뜰 컨소시엄 구성현황>

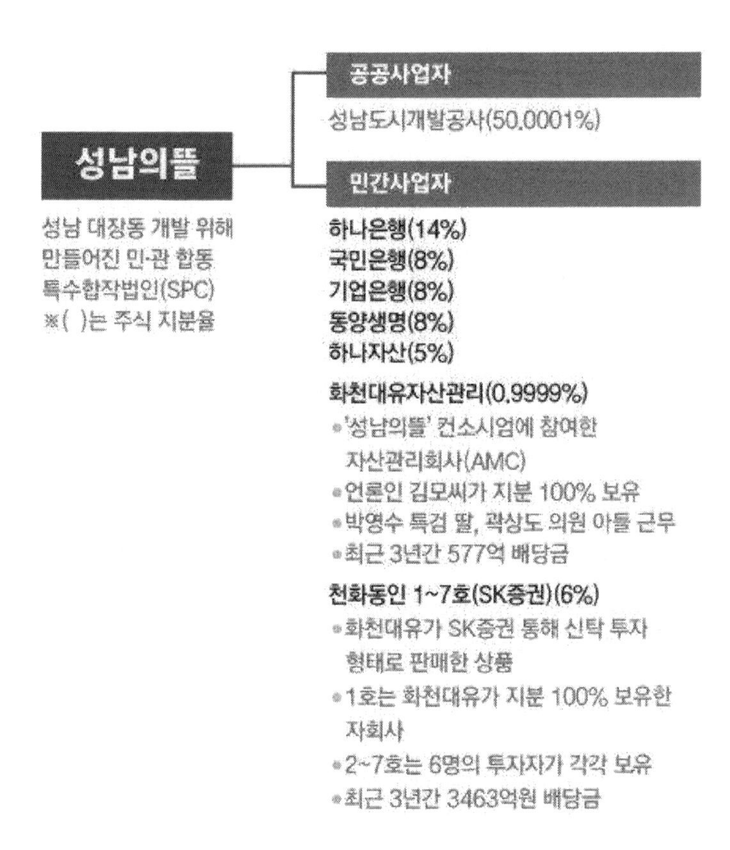

아파트 개발사업자들에 대하여 보도된 언론 자료는 아래와 같다.

<그림 5-8, 대장동 개발지구 블록별 현황>

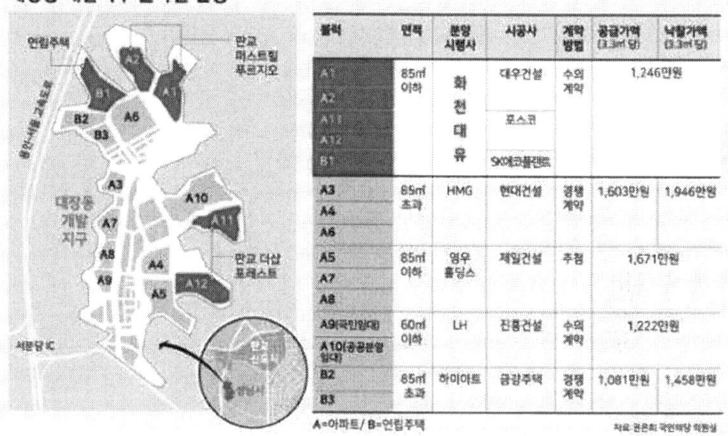

블럭	면적	분양 시행사	시공사	계약 방법	공급가액 (3.3㎡당)	낙찰가액 (3.3㎡당)
A1 A2	85㎡ 이하	화천대유	대우건설	수의계약	1,246만원	
A11 A12			포스코			
B1			SK에코플랜트			
A3 A4 A6	85㎡ 초과	HMG	현대건설	경쟁계약	1,603만원	1,946만원
A5 A7 A8	85㎡ 이하	영우홀딩스	제일건설	추첨	1,671만원	
A9(국민임대) A10(공공분양임대)	60㎡ 이하	LH	진흥건설	수의계약	1,222만원	
B2 B3	85㎡ 초과	하이아트	금강주택	경쟁계약	1,081만원	1,458만원

A=아파트 / B=연립주택

자료: 권은희 국민의당 의원실

<그림 5-9, 천하동인 배당금 추정치>

[천화동인 실소유주 및 배당금 추정치]

	천화동인 1호	천화동인 2호	천화동인 3호	천화동인 4호	천화동인 5호	천화동인 6호	천화동인 7호	계
소유주	화천대유 실소유주 김씨	실소유주 김씨 동거인	실소유주 김씨 친누나	대형로펌 변호사 A씨	대형 회계법인 회계사 B씨	대형로펌 변호사 C씨	경제지 현직 기자와 가족	
출자금	1억 4천 700만원	872만원	872만원	8천721만원	5천582만원	2천442만원	1천 47만원	3억원
배당금 수성액	1천208억원	101억원	101억원	1천 7억원	644억원	282억원	121억원	3천463억원

*출자금 및 배당금 추정치(반올림 계산)= 김경율 회계사 제공

NewDaily

위와 같이 언론에 보도된 자료를 보면 성남의 뜰에 지분 1%로 참여한 민간사업자가 아파트 개발에 참여하고 있으며, 이 민간사업자에서 신탁 투자 형태로 판매한 상품의 배당금은 <그림 5-9>와 같다.】

천하동인 1호는 1억4천700만 원 투자하여 1천208억 원을 배당받았다. 다른 배당도 비슷하다. 배당이 많다고 하여 비정상이라고 할 수 없다. 부동산 개발사업으로 성공하면 사업 규모에 따라 다르겠지만 발생하는 사업이익은 일반인들의 기대치를 훨씬 뛰어넘는다. 천하동인처럼 누군가가 개발사업에 투자를 권유하면 '웃기는 소리 하고 있네' 하면서 사기라고 할 것인지, 아니면 일고의 시간도 없이 바로 투자할 것인지 고민을 해 볼 필요가 있다.

47. 부동산 컨설팅은 사기인가?

부동산 상담(real estate counseling)이란 부동산 문제에 대한 조언, 안내, 지원을 제공하는 것을 의미한다. 간단하게 이야기하면 의뢰인의 요청에 따라 의뢰인이 요구하는 전문적인 서비스를 제공하는 것이다. 의뢰인의 요구는 매우 광범위하여 부동산에 관련된 모든 문제와 모든 측면에 걸칠 수 있는 것이다. 미국의 Appraisal Institute에서는 부동산 컨설팅을 "부동산의 가치를 추계하는 일 외의 것으로 부동산 분야의 다양한 문제들에 대하여 정보, 자료 분석, 추천안이나 결론을 제공하는 행위나 그 과정"으로 정의하고 있다.

컨설팅을 제공하는 자를 컨설턴트라 한다. 부동산 컨설턴트에 대한 정의는 "부동산 분야의 전문가로 지식과 경험을 토대로 객관적이고, 합리적인 입장에서 부동산의 취득, 투자, 이용, 개발, 관리, 처분, 경영 등에 관하여 부동산을 최적으로 활용할 수 있게 몇 가지의 대안을 제출하여 의뢰자가 선택할 수 있도록 조언, 제언, 자문 및 경영에 참여하는 자를 말한다."라고 정의한다.

우리나라에서는 1997년 한국능률협회에서 현상 분석, 가설설정 및 검증, 해결방안 강구, 실행계획 수립, 실행의 과정으로 컨설팅이 진행된다고 정의하였다. 부동산 컨설팅에 대하여 미국 부동산상담자협회에서는 "부동산 컨설팅이란 컨설턴트가 부동산 의사 결정자에게 부동산에 관련되는 제반 문제에 대한 조언과 지도 및 자문을 제공하는 것을 말한다.

즉 소정의 자격을 갖춘 전문가가 직업윤리를 준수하여 일정한 보수를 받고 부동산 문제에 대한 조언, 지도, 자문 등의 용역을 의뢰인에게 제공하는 행위"라고 하고 있다.

컨설턴트와 의뢰인이 서로 만나면서부터 컨설팅이 시작됨을 알 수 있다. 컨설턴트는 전문가입장에서 의뢰인의 주어진 환경을 진단/현상 분석하여 의뢰인과 함께 최적의 목적을 설정하여야 한다. 그리고 그 목적을 이루기 위하여 컨설턴트는 수수료를 받고 조언, 지도 자문, 자료의 수집 및 분석, 해결방안 강구 및 추천의 업무를 통하여 의뢰인 스스로가 최적의 의사결정을 할 수 있도록 도와주는 것이다. 이러한 컨설팅 과정은 <그림 5-10> 같이 정리된다.

IMF 위기를 극복하는 과정에서 건설회사들이 건설과 관계없는 인력을 구조 조정하였다. 대기업에서 퇴직한 고급인력들이 기획을 통하여 부동산 상품을 만들기 시작하였다. 국내의 Developer 시대를 연 것이다. 2000년대를 전후하여 IT의 발전과 더불어 생겨난 부동산 정보제공업체들과 기존 언론사들이 부동산 시장에 뛰어들었다. 정보 기술의 발달로 인하여 각 부동산 상품별 전문가들의 활동이 나타났고, 이들을 통하여 투자 상담 및 투자 교육이 온라인과 오프라인을 통하여 광범위하게 전파되었다. 특히 서울시에서 추진한 뉴타운 정책으로 국민의 관심이 아파트 투자에 집중되었다. 아파트 전문가로 활동하는 사람들이 언론과 방송에 나오기 시작하였다. 재개발·재건축에 국민적 관심이 집중되면서 재테크 교육이 기하급수적으로 늘어나기 시작하였다.

<그림 5-10, 컨설팅 프로세스>

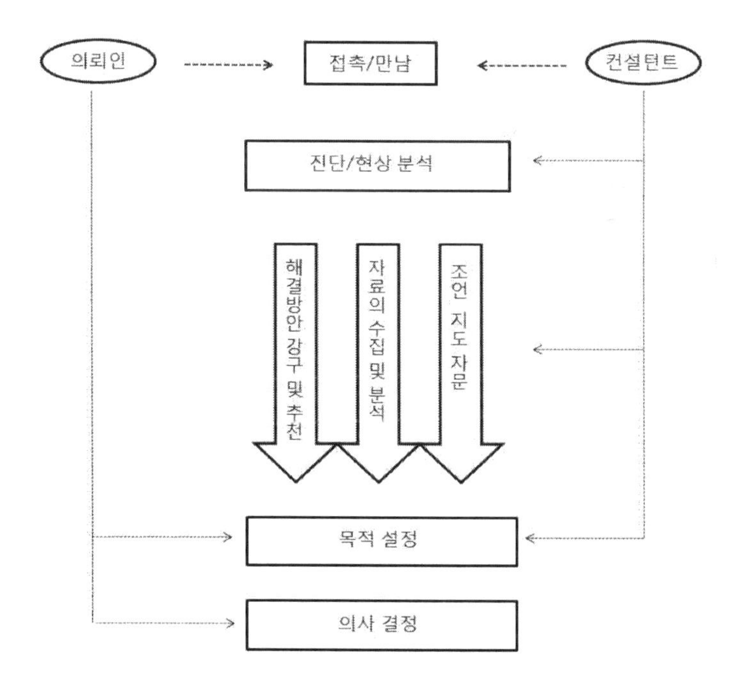

이때부터 일반인을 상대로 한 투자 컨설팅 개념이 시장에 본격적으로 자리 잡았다. 지역전문가인 부동산 중개업소에서 이러한 컨설팅 수요를 충족시킬 수 있지만, 대부분의 부동산 중개업소가 영세하고, 전문성의 결여, 제도상의 문제점, 중개 서비스의 낙후, 부정적 이미지로 인하여 수요자들의 기대를 충족시키지 못하고 있다.

컨설팅에 대한 수요는 점점 늘어 날 것이다. 전문가는 부동산과 관련된 지식에 정통해야 하고, 이론이 실전에서 어떻게 작용하고 있는지 정확하게 알고 진단할 수 있어야 한다. 따라서 부동산 컨설팅하기 위해서는 이론과 실전 경험이 풍부해야 한다. 부동산 컨설턴트가 가지는 업무에 대한 자세는 아래와 같이 정리할 수 있다.

<그림 5-11, 부동산 컨설턴트 업무 자세>

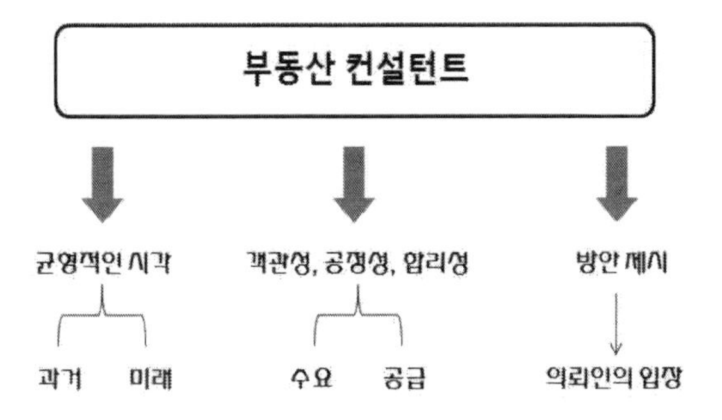

부동산 컨설턴트라는 업무가 전문직이기는 하지만 공인된 기관의 자격증이 있어야 하는 업무는 아니다. 자발적·비자발적이든 컨설팅에 대한 능력과 경험을 갖추고 있다고 판단이 되면 누구나 할 수 있는 것이 컨설팅이다. 이러한 이유로 인하여 지적 수준이나 경

험이 미비함에도 불구하고 많은 사람이 부동산 컨설턴트 혹은 부동산 컨설팅회사를 만들어 운영하고 있다.

누구나가 쉽게 할 수 있는 것이 컨설턴트이다. 그러나 의뢰인들로부터 컨설턴트로서의 지식과 경험을 인정을 받지 못한다면, 컨설팅으로 포장한 사업을 운영하는 행태로 봐야 할 것이다.

컨설턴트는 업무에 대한 경험과 지식을 토대로 과거의 분석자료로 미래의 변화를 예측할 수 있어야 하고, 수요와 공급에 대한 객관적이고 합리적으로 분석하여야 한다. 그렇게 나온 보고서는 솔직하게 작성되어야 한다. 금전 이득이나 수수료 받을 생각에 본인이 판단하고 분석한 것과 반대되는 의견을 의뢰인에게 전달하지 않아야 한다.

부동산 컨설턴트에 대해서 자격증 제도의 도입이 필요하지만, 현실적으로 평가할 수 있는 시스템이 없다. 일부 부동산 관련 자격증이 그 자리를 대체하고 있을 뿐이다. 부동산 업계의 발전과 신뢰를 구축하기 위해서는 부동산 상품전문가로 활동하는 전문가에 대한 더 높은 검증 시스템을 요구할 필요가 있다.

【사례 ; 그룹에서 임원으로 있다가 퇴직한 안부용(65세, 남)은 자회사에서 대표이사로 3년 근무까지 마치었다. 아들은 가정을 꾸렸고, 미혼인 30대 딸이 함께 살고 있다. 수익형 부동산을 장만하

여 임대료를 받아 생활비와 용돈으로 쓸 생각이 있었다. 교보문고에 가서 관련 책을 샀다. 저자들 대부분 인터넷(on-line)에서 활동하고 있었다. 이들을 찾아다녔다.

어떤 저자는 만남을 거부하였고, 어떤 저자는 그룹사 임원을 하였다는 이야기를 듣고는 꼬랑지 내리고, 어떤 저자는 횡설수설하고, 어떤 저자는 부동산 실무 경험이 없었다. 그러다가 한 저자를 알게 되었다. 저자의 책을 읽고, 저자가 하는 세미나에 참석하였다. 8시간을 쉬지 않고 단숨에 강의하는 저자의 에너지가 느껴졌다. 강의가 끝나고 안부용은 자신의 이력을 소개하고, 질문을 했다. 다른 전문가들이 당황하면서 횡설수설한 질문이다.

"저자님의 책을 잘 읽었고, 8시간 강의도 잘 들었습니다. 책 내용 그리고 오늘 8시간 강의를 한마디로 압축하면 무엇입니까? 부동산 초보인 나 같은 사람에게 줄 수 있는 가르침을 단 한마디로 부탁드립니다."

질문을 받은 전문가는 당황하는 기색 없이 바로 한마디 한다. "되팔 수 없으면 사지 않겠습니다."

"선생님은 그룹에서 임원으로 있었고, 자회사에서 3년간 대표이사로 근무하고 이제 은퇴했습니다. 국내에서 인정하는 최고 경영자인데, 저는 보시다시피 조그만 부동산 컨설팅회사를 꾸려나가고 있습니다. 경영이 무엇인지 저에게 줄 수 있는 가르침을 단 한마디로 부탁드립니다."

안부용은 당황하였다. 그날 저녁에 전문가와 식사를 핑계로 한 술자리는 밤늦게 이어졌다.】

6장

알아두면 좋은 상식

48. 누구에게는 정보, 누구에게는 쓰레기

【사례 ; 정민숙(55세, 여)은 부동산과 관련된 재테크 강의가 있다면, 시간이 되는대로 다 듣고 다닌다. 재테크 강의 듣고 다니는 것이 취미라고 농담을 할 정도이다. 공인 중개사 시험에 도전하였지만 떨어졌다. 정민숙은 강사들과 친해지고자 노력한다. 그렇게 친해지면 약국을 새로이 오픈할만한 점포를 찾는 중이라고 속내를 이야기하였다. 딸이 약사였다.

아무리 발품을 팔아도 약국을 독점권으로 확보할 수 있는 그런 Medical 빌딩을 찾기 어려웠다. 정민숙은 부동산 정보는 부동산업을 직업으로 하는 사람들에게 있다고 생각하였다. 그들의 네트워크를 일반인들이 뚫고 들어가기는 어려운 것이다. 그래서 정보를 줄 수 있는 전문가를 찾는 것이다.】

정보(Information)라는 것은 사회 전반의 다양하고 수많은 자료를 체계적으로 수집하고 정리하여 좀 더 가치 있는 형태로 가공한 것을 의미하는 것이다. 일상생활에서 발견하는 현상 그 자체는 정보가 아니라 자료에 불과한 것이다. 정보는 불확실성을 제거, 축소 또는 확실성을 키우는 그 어떤 것이다. 부동산 정보는 부동산에 대한 자료가 이용자에게 가치 있는 형태로 가공된 것으로 부동산활동을 하기 위해 사전에 알고 있어야 하는 사실을 말한다.

이러한 부동산 정보는 부동산 고유의 특성으로 인하여 상시 변동성이 있다. 거래의 비공개성과 개별성으로 인해 가공과정이 필요하고, 사회·경제·문화·법률 등의 정보와 함께 현행화 과정을 거쳐야 한다. 일반적으로 부동산 데이터와 정보는 같은 의미가 아니지만, 실무에서는 같은 의미로 사용한다. 그래서 데이터를 1차 정보, 가공된 정보를 2차 정보로 분류하기도 한다. 부동산 정보는 그 자체가 어떤 절대적인 가치를 갖는 것이 아니다. 누가, 언제, 어떻게 이용하는가에 따라 상대적 가치가 정해진다. <그림 6-1>은 부동산 기대심리에 따라 부동산 파생 효과의 일부를 그린 것이다.

일반적으로 기대심리 증가는 대출을 증가시키고, 이것이 아파트 가격을 상승하는 원인으로 이야기한다. 그래서 규제정책을 강화하면 기대심리를 감소시키므로 아파트 가격의 하락을 이끌 것으로 예상하지만 반대로 기대심리 +요인으로 작동하여 아파트 가격을 더 상승시키는 모습이 나타나기도 한다. 부동산의 모든 정보는 반드시 방향성에 대한 크기의 차이가 있는 것일 뿐 시장 구성원들에게 +/-요인으로 영향을 준다. 단지 +요인이 강하여 -요인이 없는 것처럼 보이는 것이다.

그것을 어떻게 판단할 것인지는 정보분석을 하는 판단자의 몫이다. 부동산 시장이란 매수자와 매도자에 의해 재화의 교환이 자발적으로 이루어지는 곳이다.

<그림 6-1, 부동산 정보 파생 효과>

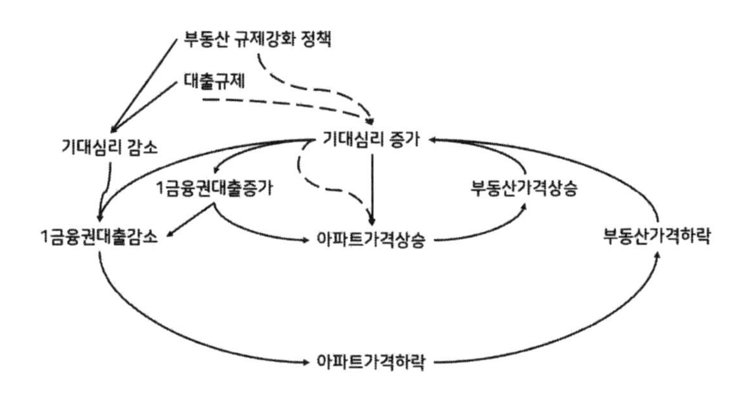

일반적인 시장은 반드시 지리적 공간을 수반할 필요는 없다. 그러나 부동산 시장은 일반 재화 시장과는 달리 지리적 공간을 수반한다. 부동산은 위치 고정성이라는 물리적 특성이 있기 때문이다.

부동산 시장이란 양, 질, 위치 등 여러 가지 측면에서 유사한 부동산에 대해 그 가격(price)이 균등해지려는 경향이 있는 지리적 구역(geographical area)이 있는 것이다. 이러한 가격의 균등은 상승/하락이 다 나타날 수 있다. 따라서 그 지역에서 발생한 데이터를 인지하였으면, 분석하고 가공된 정보를 가지고 해당 지역 부동산에 어떤 영향을 미치는지 예상할 수 있는 것이다.

부동산 정보(real estate information)는 다양한 루트를 통해서 시장에 유통되고 있다. 어떤 루트가 되었든 부동산 정보를 제일 먼저 공급하는 정보 생성자가 있다. 부동산 전문가로 활동하는 사람들 또는 기업형 2차 공급자들은 1차 부동산 데이터를 이용하여 그 특정 지역에 대한 투자 가치, 미래 가치, 환경 분석, 타당성분석을 통한 2차 정보를 만들어서 인터넷이나 각종 부동산 사이트에서 일반인들에게 제공한다. 간혹 2차 정보를 가지고 3차 정보를 만들어 내는 공급자들도 있다.

그러나 이러한 정보의 공급단계에서 문제가 되는 것은 2차 정보, 혹은 3차 정보가 의도된 정보일 가능성이 있다는 것이다. 냉정하고 객관적인 정보가 아니고, 관계자의 금전적 이득을 추구하기 위해 의도된, 기획된, 변형된 자료를 정보의 형태로 제공한다는 것이다. 이는 정보(information)가 아니라 정보 쓰레기(Information garbage)이다. 선동성 보도자료들도 여기에 해당한다. 부동산 시장의 참여자들을 속이는 기반행위이다. 쓰레기를 가지고 정보의 가치가 있다고 판단하게 된다면 참으로 어려운 상황에 빠진다. 따라서 부동산 정보 공급자들은 수많은 부동산활동을 통하여 있는 그대로 사실만을 취득하고 분류하여 공급하여야 한다. 데이터를 만지는 정보 생성자로서의 도덕적 신뢰가 필요하다.

수많은 부동산 정보업체의 BM (Business Model)은 부동산을 사는 사람들에게 물건을 소개하고 광고하는 것이다. 그것이 부동산 정보라고 한다면 뭔가 잘못된 BM이다. 광고의 기능이 아닌 다른 무엇이 있어야 한다. 다방, 직방 등 최근에 나타난 다수의 플랫폼도 이 범주에서 벗어나지 못하고 있다. 시대변화에 따라 신문, TV, 인터넷, 유튜브, 플랫폼으로 전달매개체가 변했을 뿐이다. 그래서 BM을 만들었다고는 하지만, 지속 가능한 사업 수익을 창출하는 것은 어려운 것이다. 부동산의 속성을 모르고 BM을 만든 것이다.

아직 제대로 된 부동산 플랫폼은 없다. 여러 이유가 있을 것이지만, 플랫폼에 대한 이해와 부동산 투자자들의 연결고리를 공급자 관점에서 바라보고 있기 때문이다. MZ세대 중에 누군가가 기회를 찾기를 바랄 뿐이다.

【사례 ; SK에 근무하는 무주택자 김기원(56세, 남), 관공서의 경비직원으로 계약 근무하는 1주택자 최일호(56세, 남), 2년 전에 사업 정리하여 놀고먹는 2주택자 박은호(57세, 남) 3명은 모두 고등학교 동창이다. 30대에는 국내의 대기업에서 일하다가, 박은호는 30대 중반에 사업을 하였고 나름 돈을 벌었다. 최일호는 30대 후반에 사업을 시작하였지만 실패하였다. 사업자금을 따 까먹고 빚을 일부 청산하고 최근에는 경비를 하고 있다.

김기원은 주말이면 싸이클, 드론, 캠핑, 여행, 합창단 등등의 다양한 취미생활을 하고 있다. 대학생인 아이 둘을 키우고 있으므로,

아이가 대학 졸업할 때까지는 회사에서 어떻게든 붙어 있을 생각이다. 대기업이라서 다양한 지원책을 무시할 수 없다. 아이가 대학 졸업하는 시점에 은퇴하게 되면, 서울 전세자금 빼서 아이에게 넘겨주고 농가에 가서 버려진 주택을 하나 개조하여 살면서, 관공서에서 노인들 일자리 알선을 통해 용돈을 벌고 연금으로 노년을 보낼 생각이다. 친구들을 생각하면 주말마다 다양한 취미생활을 하면서 30년을 살아온 자기가 그래도 잘 살지 않았나 생각을 한다.

최일호는 대학을 졸업한 아들 하나를 키우고 있다. 자기 밥벌이는 해서 다행히 아이들에게 들어가는 돈은 없다. 지금 받는 월급은 대기업 다니는 김기원에 비하면 절반의 금액에도 못 미치지만, 그래도 집이 있어서 다행이다 싶다. 집 없이 전세 살면서, 퇴직하면 버려진 농가주택에 들어갈 것이라는 친구 김기원을 보면 한심하단 생각을 한다. 대기업 다니면 뭐 하나 싶다. 요즘은 주말마다 산을 다닌다. 전국 100대 명산을 도전하고 있다. 이렇게 살아온 인생이면 잘 살았다는 생각이다. 아들이 결혼한다고 하면 지금 사는 집을 팔 생각이다. 반은 아들에게 주고, 자기 부부는 서울을 떠나 충청남도에 가서 살 생각이다. 집값이 서울의 반도 되지 않기 때문이다. 물론 늙어서도 일을 해야 하므로 걱정스러운 맘은 있다.

박은호는 늙어서도 일을 해야 하는 친구들을 보면 늘 안타까운 생각이다. 자기는 죽을 때까지 일할 생각은 없다. 놀다가 죽을 생각이다. 박은호는 집이 2주택자이기는 하지만, 상가도 3채 가지고 있어 월 임대료를 받아서 살고 있다. 생활에 전혀 지장이 없다. 젊었을 때 해보고 싶었던 그림을 그리고, 마누라와 골프 치고, 여행을 다니면서 지낸다.

눈이 즐겁고 입이 즐거우면 된다는 마음으로 인생 후반전을 보내고 있다. 세금 규제가 좀 풀리면 아파트 하나를 매도할 생각이다. 매도한 자금으로 경주로 이사 가고, 나머지는 현금으로 통장에 넣어 두고 야금야금 빼서 용돈으로 쓸 생각이다. 서울과 경주를 오고 가면서 살 생각이다. 경주에서 다양한 취미활동을 하면서 노년을 보낼 생각이다.】

평생을 열심히 살아온 셋이지만, 노년의 생활은 다르다. 오랜만에 친구 셋이 모여서 밥을 먹는다. 정권이 바뀌면서 아파트 가격이 하락하는 것이 주제가 되었다. 자산증식이 아니라 현금 흐름이 중요하다는 것은 이미 서로 알지만, 인생 후반전을 앞두고 준비한 자와 못한 자로 나뉠 뿐이다.

49. 아파트처럼 투자하지 마라

길거리에서 상가를 쉽게 볼 수 있다. 누군가는 이 상가의 주인이고, 그들은 임대료를 받고 있다. 상가를 하나 장만하여 임대료 받고 싶다는 생각은 누구나 한다. 상가 가지고 있으면 인생을 편히 살 것만 같다. 그런데 상가를 장만하고 싶다면 어떻게 해야 하는지 알아볼 곳이 없다. 상가투자 하겠다고 하면 다들 상가투자는 하지 말고 아파트 투자하라고 한다.

주거용 부동산의 대표인 아파트는 각종 부동산 포털 사이트나, KB 부동산 사이트, 국토교통부 실거래 사이트 등에 접속하면 현재 거주하는 지역의 아파트 가격을 알 수 있으며, 이전 하고자 하는 지역의 아파트 시세도 바로 파악이 된다. 신규 분양 아파트 또한 주변 지역이나 유사지역의 아파트 시세에 맞추어 움직이기 때문에 타당성 조사가 비교적 쉽다. 아파트는 하나의 표준화 된 제품으로서 시장에 공급이 되고 있기 때문이다. 아파트가 거주의 목적이 아닌 투자의 상품으로 접근하여도 아파트 자체의 입지도 검토를 하여야 하지만 주변의 교육, 문화, 교통시설, 녹지 공간 등의 환경적 요인들을 투자 포인트로 찾아가는 것 또한 별 어려움이 없다.

그러나 주거용이 아닌 비주거용 부동산의 경우는 다르다. 비 주거용 부동산에 대한 매물 정보를 취득할 수 있는 경로가 거의 없다. 간혹 지역적으로 매물 정보가 있을지라도 규격화된 것이 아니기 때문에 같은 지역, 같은 건물일지라도 가격의 차이가 발생하고 있을 뿐만 아니라, 거래가 많지 않아 비교할 수 있는 사례부동산을 찾기가 쉽지 않다. 주거용 부동산을 보다가 비주거용 부동산을 보면 투자자 관점에서는 혼란스럽다. 주관적인 무형의 가치가 가격에 반영되기 때문에 특정인이 요구하는 가격에 정당성을 부여하기가 어렵다. 더군다나 부동산 투자 포인트로 알려진 투자 방법론이 비주거용 부동산의 개별적인 부동산에 적용할 때는 정형화된 투자 포인트가 맞지 않는 경우가 많다.

주거용과 비주거용이 다른 것이기 때문에 발생하는 부분이다. '상가를 아파트처럼 투자하지 말라'고 필자가 말하는 이유이다. 어떤 부동산도 위치, 크기, 모양, 구조 등 물리적으로 같은 것은 없다. 부동산의 이러한 특성을 이질성(heterogeneity)이라 하며, 이를 비동질성, 비대체성, 개별성 혹은 독특성(uniqueness)이라고 하다. 아파트는 이러한 것이 크게 영향받지 않지만 상업용 부동산은 다르다. 그래서 비주거용 부동산에 대한 정보는 개별적으로 접근할 수밖에 없다.

주거용 부동산에 대해서는 다양한 세금 통제와 법적 규제들이 있다. 그러나 수익형 부동산은 그러한 통제와 규제들이 약하다. 같은 부동산이지만 내용이 다르기 때문이다.

【사례 ; 하재경(45세, 남)은 ○○뉴타운 3단지에 5년 전에 이사 왔다. 어머니가 돌아가시어 상속받은 부동산을 처분하여 형제들과 나누어 가졌다. 그렇게 목돈이 생긴 하재경은 상가를 하나 사고 싶었다. 대출을 받고, 보증금을 받으면 매매가격으로 10억 정도의 상가를 하나 장만할 수 있을 것 같았다.

뉴타운 연도형 상가에서 투자할 만한 것이 있는지 인터넷 검색을 하였다. 그러나 전부 임대차에 대한 정보였다. 매물 자료는 없었다. 간혹 매물 자료가 있어도, 단지내상가로 아파트 내부동선에 있는 것이라서 투자 가치가 없었다. 길에 있는 연도형 상가들의 매매가격이 얼마나 하는지 알 수가 없었다. 아파트 가격은 1분도 걸리지 않고 바로 검색하고, 파악되는데, 상가는 그런 정보가 없다는 것을 알았다.

며칠 뒤 퇴근길에 부동산을 방문하였다. 상가를 하나 장만하고 싶다면서 매물이 있는지 물어보니, '1년에 하나 매물이 나올까 말까'라는 이야기를 들었다. 자기들도 매물이 없어 모른다고 한다. 임차인 구해주고, 권리금 조정하여 임대차 맞추는 것이, 상가 중개시장의 주된 모습이었다. 그러면서 단지내상가를 투자하라고 한다.

하재경은 '상가투자'라는 키워드로 인터넷 검색해보니, 상가투자로 실패한 이야기들, 상가투자 하지 말라는 유튜브, 분양하는 상가의 광고성 글 등등이 보인다. 상가투자에 대한 부정적인 이야기들이 도배하고 있다. 아니 상가 매물도 없는데 이러쿵저러쿵 말이 많은 것이 이해되지 않는다.】

50. 폭등과 폭락은 왜 일어나는가?

【사례 ; 2007년 이명박 전 대통령이 당시 한나라당 대권주자로 경선을 하였다. 선거공약 중에 4대강 개발이 있었다. 경선이 치열하게 이루어져 국민의 관심이 높았다. 부동산 중개업을 하는 이태준(42세, 남)은 몇몇 부동산 중개업을 하는 지인들과 저녁을 먹었다. 이태준은 지인들에게 십시일반 돈을 모아서 이명박이 선거에서 이겨, 대통령이 된다고 가정하고 4대강을 따라 좋은 땅이 있으면 땅을 사자고 제안하였다. 매입한 토지를 필지 분할 용도 변경하고, 일반인들에게 분양하면 돈을 벌 수 있을 것 같다고 의견을 물어보았다.

강남 신사동에서 중개업을 하는 지인이 '이미 기획부동산 전문업체들이 4대강을 따라 토지를 계약하고 다니고 있다' 한다. 이미 늦었다는 의견이다. 이태준은 지인들이 움직일 마음이 없는 것을 알았고 혼자서 토지를 보러 다녔다. 여주 이포에 투자할 만한 1,500평 정도의 땅을 매입하였고, 4대강이 개발되면서 8배의 시세 차익을 보고 매도하였다.】

부동산 가격의 급격한 상승과 하락은 왜 일어나는가? 부동산보다도 주식시장에서의 급격한 가격 변동 문제는 오랫동안 학자들의 주된 관심사였지만, 이를 명확히 설명하는 이론은 제대로 개발되지 못했다. 그나마 "효율적 시장이론(efficient market theory)"이 다른 어떤 이론보다도 이에 대한 명확한 답변을 제공하고 있다. 효율적 시장이론은 원래 주식시장이 정보를 주식가격에 어떻게 반영하는가 하는 가설(hypothesis)의 형태로 출발하였다. 이것의 기본적 개념은 이미 오래전부터 정립되어 있었는데, 그동안 많은 검증을 거쳐서 현재에도 '이론'(theory)으로서의 위치를 점하고 있다.

효율적 시장이론은 부동산학에도 유용하게 적용되고 있다. 부동산의 가치는 장래 기대되는 편익을 현재가치로 환원한 값이다. 따라서 장래의 수익변동이 예견될 경우, 이것은 즉각적으로 현재의 부동산의 가치를 변화시킨다. 즉, 장차 그와 같은 일이 발생했을 때, 가치변동이 일어나는 것이 아니라는 것이다. 부동산의 가치가 변하면 현재의 시장가격도 변한다. 가격이란 시장에서 매도자와 매수자가 교환의 대가로 실거래 금액이다. 어떤 지역이 개발된다고 하면 부동산 가격이 폭등하는 것은 그 지역의 토지로부터 장래 기대되는 수익의 현재가치가 증가했기 때문이다. 부동산 시장에 새로운 정보가 얼마나 빨리 가치에 반영되는가 하는 것을 시장의 효율성이라 한다.

약성 효율적 시장은(weak efficient market)은 현재의 시장가치가 과거의 추세를 충분히 반영하기 때문에, 가치에 대한 과거의 역사적 자료를 분석한다고 하더라도 정상 이상의 수익을 획득할 수 없는 시장을 말한다. 과거의 자료를 토대로 시장가치의 변동을 분석하는 것을 기술적 분석(technical analysis)이라 한다. 만약 시장이 약성 효율적 시장이라고 한다면 기술적 분석을 통하여 결코 초과이윤을 획득할 수 없다.

준강성 효율적 시장은(semi-strong efficient market) 어떤 새로운 정보가 공표되는 즉시 시장가치에 반영되는 시장이다. 어느 회사의 영업실적, 사업계획 등 공표된 사실을 토대로 시장가치의 변동을 분석하는 것을 기본적 분석(fundamental analysis)이라 한다. 준강성 효율적 시장에서는 기본적 분석을 하여 투자를 한다고 하더라도 정상 이상의 수익은 획득하지 못한다.

강성 효율적 시장(strong efficient market)은 공표된 것이건 그렇지 않은 것이건 어떠한 정보도 이미 가치에 반영된 시장이다. 따라서 강성 효율적 시장에서는 누군가 어떠한 정보를 이용한다고 하더라도 초과이윤을 획득할 수 없다. 강성 효율적 시장이야말로 진정한 의미의 효율적 시장이며, 완전경쟁시장의 가정에 부합하는 시장이다. 완전경쟁시장에서 정보는 완전하며, 모든 정보는 공개되어 있고, 정보비용도 없다고 가정하는 것이다. 이 같은 시장에서는 그 누구도 정상 이윤 외에는 초과이윤을 획득할 수 없다.

어떠한 형태의 효율적 시장이 부동산 시장에 존재하는가는 나라마다 다를 수 있으며, 효율성의 정도도 다를 수 있다. 약성 효율적 시장이 존재하지 않을 수도 있으며, 준강성 효율적 시장까지 존재할 수도 있다. 3가지 형태의 효율적 시장 중 일반적으로 주식이나 부동산 시장에는 준강성까지 존재한다고 본다.

할당 효율적 시장(allocationally efficient market)이라는 개념이 완전 경쟁시장을 의미하는 것은 아니다. 따라서 불완전 경쟁시장도 할당 효율적 시장이 될 수가 있다. 완전경쟁시장에서는 초과이윤이 없지만, 불완전 경쟁시장에서는 초과이윤이 발생할 수가 있다. 불완전경쟁시장에서 발생하는 초과이윤이 초과이윤을 발생시키는 데에 드는 비용과 일치하면, 이 시장은 비록 불완전 경쟁시장이라 할지라도 할당 효율적 시장이 될 수가 있는 것이다.

만약 부동산 시장에서 몇몇 투자자들이 다른 투자자들보다 더 낮은 비용으로 정보를 획득할 수 있다면, 이 같은 시장은 할당 효율적 시장이 되지 못한다. 왜냐하면, 싼값으로 정보를 획득할 수 있는 투자자들이, 그렇지 못한 투자자들보다 더 높은 수익을 올릴 수 있기 때문이다. 그러나 투자자에게 제공되는 정보의 양이나 질, 획득 시기가 서로 다르다고 할지라도, 그것으로 인해 생길 수 있는 이윤과 '우수한 정보'를 획득하기 위한 기회비용이 같다고 하면, 이때의 시장은 할당 효율적이라고 할 수 있다. 그러므로 독점을 획득하기 위한 기회비용이 모두 투자자들에게 동일한 것으로 가정하면, 독점시장도 할당 효율적 시장이 될 수 있는 것이다.

부동산 시장에서 특정 투자자가 초과이윤을 획득할 수 있는 것은 시장이 불완전하고 독점적이기 때문이 아니라 할당 효율적이기 못하기 때문이다. 부동산 투기가 성립되는 이유도 마찬가지이다. 부동산 투기가 성립되는 것은 부동산 시장이 할당 효율적이지 못하기 때문이지, 불완전해서 발생하는 것이 아니다. 정보가 소수의 사람에게만 독점되어 있거나, 기회비용보다 적은 비용으로 우수한 정보를 빠르게 획득할 수 있다면, 초과이윤을 누군가 가지고 가는 것은 당연한 현상이다.

【사례 ; 노무현 전 대통령이 당선되고, 세종시 이전이 추진되었다. 전국의 각 지역에 혁신도시와 공기업 이전 계획들이 발표되었다. 지방에 거주하면서 부동산 중개업을 하는 김경원(55세,남)은 기회다 싶었다. 사람들을 모았다. 그렇게 모인 사람들끼리 돈을 모았다. 공기업이 이전하는 혁신도시를 찾아다니면서 토지매입을 하고, 바로 되파는 형식으로 전국을 돌아다녔다. 투자금은 더욱더 늘어났다.】

부동산에 대한 선거공약이나 정책이 발표되면 그 내용은 1차 정보가 되는 것이다. 그 정보를 가지고 어떻게 해석하는가에 따라 정보의 가치가 누군가에게는 돈이 되는 소중한 것이고, 누군가에게는 아무 영양가 없이 흘려보내는 내용이다.

51. 정보 취득비용을 아끼지 마라.

【사례 ; 이민섭(62세)는 15개의 상가를 보유하고 있다. 40대 초반에 부동산 투자에 처음 뛰어들었다. 투자한 상가는 장시간 공실이 발생하였고 손실이 발생하였다. 부동산 공부를 할 동기부여가 생기었다. 인터넷 모임과 전문가들을 찾아다니기 시작하였다. 자기만의 투자 기준을 만들었다. 정보는 부동산 업자들이 쥐고 있는 것을 알았다. 부동산 대학원에 진학하였다.

회사도 그만두었다. 오로지 부동산 공부와 투자에 매달렸다. 실패한 상가는 은행 대출만 겨우 해결할 정도로 임대를 맞추었다. 백수인지라 가족들의 생활비, 대학원 등록금, 용돈 등 부족한 돈은 상속받은 시골 땅을 팔아서 충당하였다. 그래도 부족하면 아파트에서 대출받았다. 부부싸움도 심하게 하였지만 대학원을 포기할 수 없었다. 배우자가 생활비를 번다고 일을 나가기 시작하였다. 모른 척하면서 늦은 나이에 대학원 생활을 하면서 사람들을 만나 인맥을 만들었다.

개발업을 하는 대학원 선배를 알게 되었다. 정식으로 분양하기 전에 1층의 코너 상가에 선투자하였다. 준공이 나고 임대를 맞추어 놓고 되팔았다. 이전에 투자하여 실패한 상가도 일부 손해를 보고 정리하였다. 그 투자금으로 이번에는 상가 2개를 분양받았다.

택지개발이 서울 외곽에 계속 만들어지고 있었다. 코너 상가들만 선투자하고, 임대 맞추어 놓고 되팔기를 반복하였다. 교하, 용인, 호평, 광교, 동탄, 운정, 판교 등 발품 팔고 다니면서 정보를 얻고 부동산 개발업, 분양업에 있는 사업자들과 인맥을 만들었다.

시간이 지나면서 3개였던 상가가, 6개가 되고, 지금은 15개가 되었다. 다 처분하고 빌딩을 사라는 사람도 있지만, 빌딩은 신경 쓰고 관리할 게 많아 꼬박꼬박 월세가 나오는 상가가 좋다고 생각한다.】

완전경쟁시장에서는 정보비용이 존재할 수 없지만, 그렇지 않으면 정보비용이 존재한다. 1년 후 전철역이 들어서는 것이 확실하다면 인근의 빌딩 가격은 77억 원이 되고, 그렇지 않으면 55억 원이 된다고 가정하자. 그러면 소유자들은 대상 부동산을 얼마에 팔려고 하려는가? 투자자들은 얼마에 살려고 할 것인가? 투자자의 요구수익률이 10%라고 하면 대상부동산의 현재가치는 다음과 같이 계산된다.

$$Pv = \frac{77(0.5) + 55(0.5)}{1.1}$$

$$= 60\text{억 원}$$

대상 부동산의 현재가치는 60억 원이다. 그러므로 현재의 가격이 60억 원 이하면 투자자는 이 빌딩을 사려고 하겠지만, 그렇지 않으면 살려고 하지 않을 것이다. 만약 시장이 효율적이라고 한다면 대상 부동산의 가격은 현재가치와 같은 60억 원이 될 것이다. 현 상태에서는 1년 후에 전철역의 여부를 확실하게 알 수 없으므로, 매도자는 60억 원 정도면 기꺼이 팔려고 할 것이다. 그러나 만약에 전철역이 들어선다는 것을 확실히 안다면 소유자는 얼마에 팔고자 할 것인가? 그 현재가치는 다음과 같이 계산된다.

$$Pv = \frac{5,500(0.0) + 7,700(1.0)}{1.1}$$

$$= 70\text{억 원}$$

그러므로 정보의 가치는 70억 - 60억 = 10억이다. 그러므로 만약에 투자자가 10억 원보다 적은 돈으로 그 정보를 획득할 수 있다면, 투자자는 상당한 초과이윤을 얻을 수 있다. 이것을 투자자가 "시장을 패배시킨다."(beat the market)라고 한다. 투자자가 시장을 패배시킬 수 있는 것은 정보가 극소수 사람들에게만 비공개적으로 독점되어 있을 경우이다. 일부 권력자(정치인)들이 돈 버는 방법이다. 부동산 정보시장(information market)이 경쟁적이라고 한다면 이런 일은 절대로 발생하지 않는다. 정보가 모든 투자자에게 공개되고, 정보시장이 상호경쟁적이라고 한다면, "우수한 정보"는 존재할 수가 없다. 왜냐하면 우수한 정보가 있다고 하면 투자자들이 경쟁적으로 그것을 사려고 하므로 초과이윤이 없어질 때까지 정보비용을 올려놓을 것이기 때문이다.

52. 부모님 100세, 난 70세

【사례 ; 오인아(68세, 여)는 놀고 있는 남편과 직장 다니는 아들, 유치원 선생으로 근무하는 딸이 있다. 딸하고 중계동에 살고 있다. 아들은 독립하여 직장 근처인 수원에서 방 얻어 살고 있다. 남편은 시부모님(부:94세, 모:95세)과 함께 시골집에서 살고 있다. 시부모님은 아직도 건장하시다. 생활비를 벌기 위해서 오인아는 교보생명에서 보험 영업을 하고 있다. 그만두고 싶어도 쉴 수가 없다.

주말이면 버스로 안성에 내려가서 시부모와 남편이 사는 집, 청소해주고 반찬 만들어 놓고 올라온다. 큰아들이라는 이유로 남편은 시부모님을 모시고 있다. 자기는 보험 영업하면서 시골집, 서울집 생활비를 버는 처지이다. 내일모레이면 자기 나이도 70살이 넘는다. 아들이 어쩌다 건네주는 용돈이 있지만, 받을 때마다 미안할 뿐이다. 응어리로 꽁꽁 뭉친 화가 가슴에 있을 뿐이다. 신랑은 형제가 4명이나 있어도 누구도 시골 자기 부모님을 모실 생각이 없다. 형제간의 우애도 찾아보기 어렵다.】

한 분야에 평생 매진하며 사는 사람들이나 예술가들을 보면 먼저 부럽다는 생각이 든다. 일생을 자기가 좋아하는 일을 하면서 먹고 사는 문제까지 해결할 수 있으니 말이다. 직장생활하다 보면 사표의 유혹에 흔들리면서 갈등의 하루하루를 보내는 생활이 평범한 현대인들의 모습이다.

평생 직업이 없는 시대이니 제2의 직업, 제3의 직업을 준비해야 한다. 100세 시대로 진입하였다. 60세에 은퇴하여도 대학 졸업하고 살아온 세월보다 더 긴 세월을 살아야 하는 현실에 눈앞이 캄캄해질 수밖에 없다. 대학 졸업하고 정년퇴직할 때까지 일해온 세월만큼을 경제적 소득을 또 창출하면서 살아야 한다. 그 기나긴 세월을 새로운 직업으로 살아가면서 경제적 소득을 얻든지, 자식에게 의지하던지, 아니면 벌어놓은 돈이나 연금으로 생활하여야 한다. 그러므로 학교 졸업 후 익히고 배운 경험과 기술로 평생 한가지 직업만 갖고 살아가기란 '하늘의 별 따기'만큼이나 어려운 일이다.

예술가들이 부러운 이유이다. 늙어서도 안정적인 수입이 필요하다. 최근에 70세가 넘고 80세가 가까워도 일을 하는 분들을 쉽게 만날 수 있다. 여유가 없기 때문이다. 물리적·심리적 여유는 금전에서 나오는 것이다. 죽는 날까지 일을 하면서 살 것인지, 아니면 정년퇴직하고 놀면서 살 것인지 지금 인생 전반전을 살면서 선택하여야 한다. 수익형 부동산을 늙기 전에 고민하여야 하는 이유이다. 상가를 하나 장만하는 것, 그리고 임대료를 받는 것 아무것도 아닌 것처럼 가벼이 보지 마라. 어려운 일이다. 집 마련하는 것보다 10배 어려운 것이 상가하나 마련하는 것이다.

부모님이 100세까지 살아계신다면 부모님에게 생활비를 드릴 여유가 있는 사람은 그리 많지 않을 것이다. 이유는 본인도 늙어서 봉양 받을 나이이기 때문이다.

53. 땅 많은 거지, 너무나 많다.

【사례 ; 최명자(82세, 여)는 혼자서 서울에서 산다. 50대 중반인 아들과 딸이 있다. 최명자는 50대 중반부터 임대료를 받고 산다. 아들과 딸에게 용돈을 전혀 받지 않는다. 아들과 딸도 가끔 밥값이나 내지, 생활비나 용돈을 줄 생각을 하지 않는다. 상가를 하나 마련하여 임대료를 받으라는 것은 아들 생각이었다.

그렇게 10년쯤 살다가 방 얻어 아들 집에서 나왔다. 자기가 아들을 부양할 수도 있다는 생각이 들어서 아들과 따로 살기로 한 것이다. 정해진 날짜에 매월 현금으로 들어오는 임대료는 엄청난 힘이 되고 있다. 20년이 넘는 세월을 임대료로 산 것이다. 손자 손녀들에게 지갑 잘 여는 할머니이다. 손녀딸은 할머니가 우리 집에서 제일 부자라면서 애교를 떤다.】

부동산을 가지고 있으면 돈이 되는가? 부동산을 가지고 있으면, 돈은 2가지 방법으로 내 손에 들어온다. 임대료와 시세 차익이다. 내 주머니에 있는 것만 내 돈이다. 쓰지도 못할 돈, 많이 있어보았자 아무 의미가 없다. 사람마다 견해 차이는 있겠지만 "장부상 부자는 부자가 아니다. 라는 말에 동감하고 있다. 땅 부자가 굶어 죽을 수도 있는 것이다. 주식으로 돈을 벌었다고 오늘 흥청망청 술

먹었다가 내일 아침 주식이 폭락하여 깡통 계좌로 되어 버리는 경우가 많다. 아파트도 마찬가지이다. 아파트 가격 상승한다. 상승하였는데도 욕심으로 팔지 못하고, 가격이 하락하면 이러지도 저러지도 못하는 것이다.

땅 많은 거지 부러워할 필요 없다. 아파트 가격이 올라가면 다주택자들이 좋은 것이지, 한 채 있는 사람은 별 의미가 없다. 더군다나 가격이 상승해서 팔았을 경우 이야기이다. 아파트 3채, 4채 가지고 있으면 장부상 돈이다. 엉덩이에 깔고 앉아 있는데 무슨 의미가 있는가? 차에 기름값 넣을 돈도 없는 거지이다. 팔아서 내 지갑에 돈이 들어오고, 내 지갑 열어서 돈을 쓸 때 내 돈이다. 그런 사람들 죽을 때까지 궁색하게 살다가 세상을 하직하는 경우가 많다. 부모가 죽자마자 바로 그 부동산을 정리하여 현금을 가지고 기분 좋게 자식들이 산다. 똑똑한 자식들이다. 부모가 죽어 슬픈 것은, 한 달도 안 될 것이다. 자식에게 가면 다행이지만 엉뚱한 사람들이 가져가는 경우도 많다. 땅 부자는 부자가 아니다.

54 원래 없다. 있다면 원숭이 취급뿐

확정 수익률 보장이란 문구가 간혹 분양 광고에 나오고 있다. 원래 이런 문구는 개인적으로는 "조삼모사" 같은 광고 문구이다. "2년간 확정 수익률 10% 보장"이라고 하면 1억을 투자 하였을 경우, 1천만원의 수익을 보장하여 준다는 것이다. 내 돈 미리 주고 2년 동안 돌려받는 것이다. 좋아하는 사람들이 이상한 것이다. 대부분 분양 마케팅의 한 방법이다. 분양형 호텔, 리조트, 오피스텔, 상가, 쇼핑몰 등 여러 수익형 부동산을 개발하면서 선택하는 방법이다. 혹은 다 지어진 건물에 확정 임대 수익 몇 년간 보장이란 말로 유혹하기도 한다. 미분양 물건을 처리하기 위해 사용하는 것이다.

"임대 확약서"를 체결하였으니 임대는 걱정하지 말라고 이야기 한다. 그러나 임대 확약서는 거의 입점 의향서이다. 입점 의향서는 법적 구속력이 없는 것이다. 입점할지 말지 생각해보겠다는 것이다. 그냥 임대차계약서가 있으면 임대차계약서를 보면 된다. 보여주지 않으면 믿을 것은 없다. 물론 드물기는 하지만 임대차계약서도 가짜로 만드는 경우가 있다.

어떤 경우에는 준공되었는데 회사보유분 특별 분양으로 광고하는 것을 볼 수 있다. 이러한 것은 처음부터 전략적으로 분양하지 않았던 A급 물건, 분양 영업실적의 저조로 인하여 B급 C급 물건, 그리고 건물 구조상 하자 물건으로 드러나는 물건들이다. 어느 건물이든 로얄 층이 있고, 집중적으로 관심을 받는 호수들이 있다. 호수와 층수가 다르다. 내부동선 때문에 생기는 것이다. 같은 건물이라 하여 투자 가치가 같은 것이 아니다.

회사 입장은 이것을 먼저 팔 것인지? 나중에 팔 것인지? 에 대한 마케팅 전략이다. 수익을 높이는 것이 목적이다.

확정 수익률 2년 동안 7% 보장을 할 터이니, 투자하라고 하면 당신은 이 말을 믿는 편이가? 부동산 광고에만 있는 것 아니다. 인생을 살다 보면 이런 유혹을 하는 사람들을 만나게 된다. 부모, 형제, 친구, 선·후배, 직장동료 등 예상하지 않은 사람들이 나타난다. 그리고 그 말을 믿고 돈을 주고 사기당했다고 한다.

55. 투자 목적을 확실하게 정하라

【사례 ; 이웅렬(51세, 남) 전원주택에 대한 바람이 불 때, 부동산 전문가의 말을 듣고 강원도에 땅을 매입하였다. 대지를 조성하여 전원주택을 지어서 팔라고 했었다. 토지를 매입하고 나서 바로 후회되었다. 일단 땅을 많이 매입할 필요가 없을 것 같았고, 서울에서 여기까지 와서 전원주택이 필요한 사람들이 과연 올까 했다. 하지만 엎어진 물이다. 계약하였기 때문에 진행해야 했다. 그대로 가지고 있으면 아무것도 아닌 임야이었기에 토지를 용도변경 하고자 했다.

처음부터 땅을 매입한 의도대로 진행하였다. 필지를 분할하고, 대지 조성을 하였다. 돈이 계속 투입되었다. 그렇게 토지를 분할하고 주택을 지을 수 있도록 대지를 만들었지만, 사겠다는 사람이 없다. 그렇다고 집을 직접 지어서 팔 수도 없었다. 위험이 너무 크다. 땅을 매입하고 5년이 지나면서 투자 실패를 인정하였다. 이제는 원금을 건져야 했는데, 토지를 매입하겠다는 사람이 없다. 전원주택 바람은 사라졌고, 누군가가 집을 지어 분양해야 하는데 쉽지 않은 게임이었다.

그 상태로 매물 내놓았는데, 홍정이 왔다. 자기가 요구하는 가격에 터무니없이 낮은 가격으로 협상을 요구하였다.

어쩔 수 없이 손해를 보고 팔았다. 정한영(47세, 남)은 강원도에 땅을 이웅렬로부터 매입하였다. 지인들과 공동으로 매입하고 전원주택을 지어 살기로 한 것이다. 그러나 계약해 놓고 지인들의 일부가 합류를 거부하였다. 일의 진척이 없자, 정한영도 다시 매물로 내놓았다.】

부동산 투자는 돈을 벌기 위함이다. 그래서 반드시 투자 목적을 정해야 한다. '목적이 돈을 버는 것인데 무슨 목적이 또 있는가?' 바보처럼 반문하지 말자. 사람마다 교육, 가족, 소득, 생각, 직업, 교훈, 경험, 이해, 신념, 목표, 철학, 위험, 친구 등 모든 것이 다르다. 그래서 기다릴 수 있는 시간, 요구하는 수익률, 돈에 대한 동기가 다른 것이다. 그래서 부동산 투자도 다양한 형태로 나타나는 것이다.

전매를 통한 시세차익, 임대소득, 3년 보유, 장기 보유, 상속 또는 증여 등 사람마다 생각이 다른 것이다. 자신의 주어진 환경에서 맞는 투자 목적을 정해야 하고, 자신이 감당할 수 있는 자금조달은 합리적인지 아닌지 판단하여 최종적인 투자 의사결정을 하여야 할 것이다. 투자는 잘 먹고, 잘 살기 위해 하는 것이다.

'돈이 있어야만 잘 먹고, 잘 사는 것이 아니다.'라고 철학적으로 물어보지 않았으면 좋겠다. 철학적으로 돈을 벌고 싶은 사람은 별로 없다. 그런 말꼬리 잡는 질문은 머리가 아프다.

투자를 도박처럼 하는 경우가 있다. 도박을 재테크라 하고, 잘 먹고, 잘 살기 위해 하는 것이라 주장하기는 어려울 것이다. 투자는 정보를 알고 모르고 차이일 뿐 상식선에서 행해져야 한다. 투자 게임에서는 돈을 벌 수도 있고, 손해를 볼 수도 있다.

돈을 버는 것도 좋지만, 더 큰 손해가 예상되면 과감하게 손을 떼는 것도 투자의 한 방법이다. 돈을 눈앞에 두고 과감하게 포기하는 결정을 내리기는 어려울 것이다. 그러나 더 큰 손실이 예상되는 것을 뻔히 알면서 미련이 남아 투자를 고집하는 것은 어리석은 짓이다. 성공하는 투자자들은 자신들의 실수를 부끄러워하지 않는다. 잘못 판단하였다고 하면 투자 손실을 최대한 줄이는 것에 집중하여야 한다.

56. 물권과 채권, 그리고 경매

【사례 ; 임호철(69세, 남)은 40대에 재테크에 관심을 가지면서 경매 공부를 하였다. 경매 투자를 하면서 낙찰받으면 바로 되팔았다. 원칙은 단 하나였다. 단돈 10원이라도 수익이 나면 무조건 판다는 것이다. 경매가 사람들에게 인기 있는 이유는 정상가격보다 싸게 살 수 있다는 생각이 있기 때문이다. 기본에 충실하였다. 권리분석과 입찰가격도 여기에 맞추어 진행하였다. 그렇게 10년 가까이 하다 보니 경매 고수라고 입소문이 났다. 비법을 알려달라는 사람들이 생기었다.

2000년 초반에 전통 재래시장에 마트로 운영되었던 4층 건물이 경매에 나왔다. 8년 동안 비어있던 건물이었다. 대지면적만 1,000평이 넘는 큰 규모였다. 3명이 공동으로 60억 원에 낙찰받았다. 그리고 전체 건물을 찜질방으로 리모델링하였다.

경매의 신이라는 소문이 퍼졌다. 모 대학에서 경매아카데미를 만들었고, 강의하였다. 수업을 들은 제자들도 생기고, 입소문 듣고 찾아오는 사람들도 있다. 경매는 단독으로 힘들다고 강의하였다. 공동투자의 중요성을 강조하였다. 찜찔방으로 운영 중인 지역 모임에 참석하여 발전기금을 내놓고 인지도를 쌓았다. 공동 투자자금을 만들자고 하였다. 돈이 모이자 그 돈을 가지고 동남아로 출국하였다.

투자자들의 소송이 시작되었다.】

물권(物權)은 '물건'에 대한 권리로, 특정한 물건을 타인의 방해 없이 직접 지배하여 이익을 얻을 수 있는 배타적 권리이다. 채권은 특정인(채권자)이 다른 특정인(채무자)에게 일정한 행위(급부)를 요구할 수 있는 권리이다. 돈을 빌려준 사람(채권자)이 돈을 빌린 사람(채무자)에게 돈을 받을 수 있는 권리(채권)이다.

물권 중에 가장 기본이 되는 것은 소유권이다. 소유권 외에 물권의 종류로서는 점유권·지상권·지역권·전세권·유치권·질권·저당권으로 총 8가지이다. 이러한 물권은 그 성질에 따라 크게 점유권과 본권으로 나눌 수 있으며, 본권은 다시 소유권과 제한물권으로 나뉘고, 제한물권은 다시 용익물권과 담보물권으로 나뉜다.

점유권은 본권의 유무와 관계없이 점유라는 사실 자체만으로 그 점유의 주체에게 일정한 법적 효과를 부여하는 것이다. 점유권은 물건을 현실로 소지하는 상태를 보호하는 권리로, 훔친 물건을 가지고 있어도 일단 '자기의 물건이다.'라고 할 수 있는 것이다.

소유권은 소유의 목적이 되는 물건을 전면적으로 지배할 수 있는 권리로서, 소유권자는 소유의 목적물을 사용하고 수익하며 처분할 수 있는 권리를 가진다.

제한물권(制限物權) 혹은 타물권(他物權)은 소유권과 비교하여, '타인'이 소유한 물건 위(자기 물건 위 포함)에 존재하고 그 소유권을 '제한'하는 물권으로서, 목적물이 가지는 가치의 일부만 지배할 수 있는 권리이다. 제한물권은 목적물의 사용가치를 지배하고 타인의 토지를 이용하기 위한 제한물권인 용익물권(用益物權)과 목적물의 교환가치를 지배하여 타인의 물건을 채권의 담보로 제공하는 것을 목적으로 하는 제한물권인 담보물권(擔保物權)으로 구별된다. 지상권·지역권·전세권이 용익물권에 속하며, 유치권·질권·저당권이 담보물권에 속한다. 이를 그림으로 정리하면 아래와 같다.

<그림 7-1, 물권의 관계도>

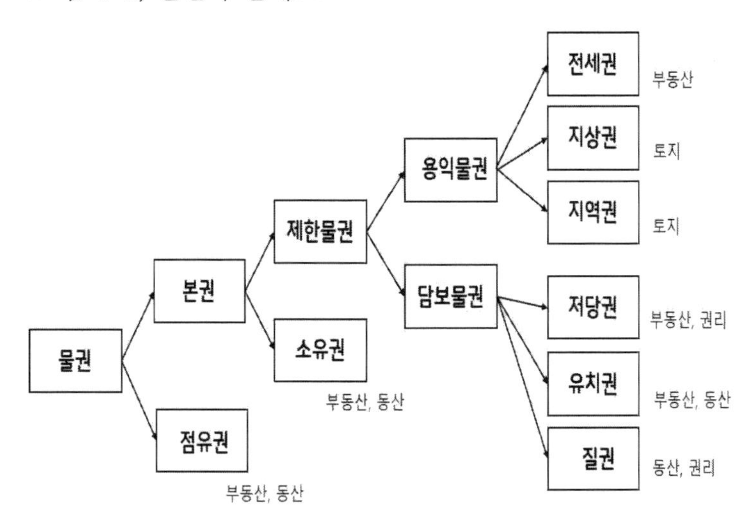

물권의 효력은 같은 물건 위에 성립하는 물권 상호 간에 있어서는, 먼저 성립한 물권이 나중에 성립한 물권에 우선한다. 그리고 채권에 우선하는 효력이 있다.

즉, 어떤 물건에 관하여 물권과 채권이 동시에 성립하는 경우, 그 성립의 선후와는 관계없이, '물권이 채권에 우선'한다. 채권은 채무자의 행위를 통하여 간접적으로 물건 위에 지배를 미치는 권리이기 때문이다. 예외적으로 ①부동산물권의 변동을 청구하는 채권은 가등기를 갖추고 있으면 물권에 우선하는 효력이 인정된다. ②부동산임차권이 공시방법(등기)을 갖추고 있는 때에는 그 후에 성립하는 물권에 우선한다. 또한 임차권이 주택임대차보호법이나 상가건물임대차보호법에 의한 대항요건을 갖춘 경우에도 같다. ③근로기준법상의 임금우선채권, 임대차에서의 소액보증금에 대한 우선특권 등, 법률이 특별한 이유로 일정한 채권에 대하여 저당권 등의 물권에 우선하는 효력이 있다.

재산권에 속하는 물권과 채권의 차이점은 다음과 같다.

①물권은 타인의 행위를 거칠 필요 없이 물건을 직접 지배하는 권리인 반면에 채권은 특정인에 대하여만 급부를 청구할 수 있는 권리이다. 따라서 채권에는 배타성이 없지만, 물권에는 배타성이 존재한다. ②물권은 그 사용 · 수익을 보장하기 위하여 물권적 청구권이 인정되지만, 채권은 배타성이 없으므로 모든 사람에게 권리보호를 주장할 수 있는 물권적 청구권을 인정할 수 없다. ③물권은 내용이 서로 양립할 수 없는 물권 간에 병존할 수 없지만, 채

권은 동시에 수 개의 같은 채권이 병존할 수 있다. 물권과 물권은 먼저 성립한 것이 우선하고, 물권과 채권은 언제나 물권이 우선한다. ④물권의 양도는 자유이지만 채권은 그렇지 못하다.

<표 7-1, 물권의 채권의 법적 구분>

구분	물권	채권
법적성질	①강행규정 ②절대적 직접지배 ③물권법정주의	①임의규정 ②상대적·간접적 청구권 ③계약자유원칙
공시	필요	불필요
양도성	제한 불가	제한 가능
효력	채권에 우선하며, 물권상호간에는 성립 전후에 따른다.	채권자 평등원칙
특성	고유법성	보편성

⑤물권은 채권에 비하여 광범하고 강한 효력을 가지므로, 일반인들을 보호하기 위하여 공시방법이 요청되며 또 그 종류를 법으로 정하여 함부로 약정할 수 없도록 하고 있다(민법 제185조). 그러나 채권은 법률이 규정하고 있는 것 외에도 당사자의 계약에 따라 얼마든지 정할 수 있다.

경매 투자하고자 하면 4가지를 알아야 한다. ①말소기준 권리를 찾는다. ②인수되는 권리를 찾는다. ③임차인(점유자) 권리를 분석한다. ④법원 경매 서류(매각물건명세서 등) 및 기타 인수조건을 확인한다. 경매 공부는 이 4가지를 이해하는 과정이다.

일반적인 경매는 채권자가 채무자에게 돌려받지 못한 자신의 채권(돈)을 회수할 목적으로 한다. 채무자가 빚(돈)을 갚을 수 없는 경우에 채권자가 이를 원인으로 법원에 경매를 신청하면 법원이 입찰을 통해 채무자의 물건을 매각한 후 그 매각대금으로 채권자의 채권(돈)을 충당하는 것이다.

말소기준 권리는 경매 절차에서 매각으로 소멸하거나 낙찰자에게 인수되는 권리를 판단하는 기준이다. '이전'의 권리는 낙찰자가 인수하고, '이후'의 권리는 소멸하므로 낙찰자가 부담하지 않는다. 말소기준 권리가 되는 것은 근저당권, 가압류(압류), 담보가등기, 경매기입등기, 전세권(임의경매를 신청하거나 배당요구한 선순위전세권)이다.

권리는 대부분 '돈'을 목적으로 한다. 돈을 매각대금으로 나누어 주면 그 목적은 충족되어 돈 받을 권리들은 경매 매각 후에는 전혀 효력이 없다. 따라서 말소기준 권리들은 낙찰 후 소멸하는 것이다.

권리분석은 경매를 통해 권리를 취득하는 경우, 이 권리(예:부동산 소유권) 외에 다른 권리(예:전세권 등)가 매수인에게 인수되는지를 사전에 확인하는 과정이다. 위에 언급한 물권의 종류와 효력, 그리고 채권과의 관계를 기본 공식으로 이해하고 숙지해야 하는 이유이다.

따라서 경매 입찰에 참여하기 전에 매수인이 인수하게 되는 권리가 있는지를 확인해야 한다. 매수인에게 인수되는 권리가 있는지는 법원에서 제공하는 매각물건명세서, 현황조사보고서 및 감정평가서 사본만으로는 확인하기 어렵다. 따라서 부동산등기기록, 건축물대장, 토지대장, 토지이용계획 확인서 등의 공적 기록을 검토해서 어떤 권리가 말소 또는 인수되는지를 확인하고 입찰 참여의 적절성 여부를 판단해야 한다. 법정지상권, 유치권, 분묘기지권 등 공적 기록에 드러나지 않는 권리가 설정되어 있을 수 있으므로 공적 기록 등을 통한 권리분석이 끝난 후에는 직접 현장을 방문해서 권리 사항을 다시 점검해야 한다.

【사례 ; 김미선(50살, 여)는 대기업 경제연구소에서 근무하다 퇴직하여 'ㅇㅇ경매연구소'라는 법인회사를 설립하였다. 초기 종잣돈은 10억이었다. 아파트 위주로 경매를 하였다. 복잡하고 어려운 것은 쳐다보지도 않았다. 아파트 위주로 주거용 부동산에 입찰하는 것이라 차익이 크지 않고, 시세차익을 보고 되팔기까지 1년 이상을 보유할 때도 있었다. 그렇게 몇 번을 하다가 혼자 할 수 없어 직원을 채용하였다. 수익이 나면 무조건 파는 전략이었다.

세금은 중요하지 않았다. 현금 흐름을 키웠다. 그렇게 굴러가면서 직원들이 4명으로 늘었다. 운영하는 자금이 20억으로 늘었다. 직원들이 늘면서 주거용 부동산에서 업무용, 상업용으로 물권을 검토하기 시작하였다. 그렇게 6년이 흐르고 직원은 6명으로 늘었다. 자산은 130억으로 늘었다. 대부업을 병행하였다. 이자는 법정 최고 이자이고, 약속일에 상환하지 못하면 담보물인 부동산을 인수하였다.】

【사례 ; 유상윤(37세, 남)은 가진 여윳돈이 없었다. 돈 없이 투자할 수 있는 것이 경매라는 이야기를 듣고 공부하기로 하였다. 경매학원에서 기초과정 2개월 듣고, 심화 과정을 들었지만, 돌아서면 헷갈리고 어려웠다. 그러다가 법원을 구경삼아 가보았다. 사전에 물건 조사해 보고 2시간 정도 진행되는 입찰 과정을 보았다. 법원에서 보고 느끼고 생각한 것이, 책으로 공부하는 것보다 더 좋다는 것을 알게 되었다. 시간 날 때다 법원을 오고 가면서 실전 감각을 익힌다. 자신감이 점점 생기고 있다.

경매 공부는 물권과 채권의 의미를 정확히 알고, 왜 경매 제도가 생긴 것인지 이해하면 아주 쉽게 공부가 되는 것이었다. 그런데 왜 그렇게 어렵게 강의하는지, 몇 개월씩 빙빙 돌리는 커리큘럼은 학원과 강사의 수입을 위한 수단이었을 뿐이었다.

임대료를 받을 수 있는 상가에 관심이 있어서 상가를 경매 법원 사이트에서 뒤지기 시작하였지만, 투자할 만한 물건은 없다. 부동산 전문가를 만나 상담하여 보니, 상가들이 왜 없는지 이해할 수 있었다. 그러면서 신규로 택지 개발되는 곳에 있는 경매물을 찾아 보라고 한다. 고분양가로 공실이 된 상가들이 가끔 나오는 경우가 있다고 한다.

1년하고 8개월쯤 지났을 때, 경기도 동탄신도시에 1층 상가가 하나 경매로 나왔다. 회사에서 그리 멀지 않은 지역인지라 잘 아는 신도시이다. 상권 형성이 더딘 것은 알고 있지만, 시간이 지나면 해결이 될 것으로 보았다. 이 물건이다 싶었다. 분양가의 약 50%에 가지고 올 수 있을 것 같았다.】

경매에 대한 정보는 오픈되어 있다. 그리고 오픈된 정보는 나만 알고 있는 것이 아니고, 전국의 모든 경매 투자자가 다 같이 보는 것이다. 나 말고도 수천 명의 사람이 같은 물권을 보고 권리분석을 하는 것이다. 경매물이 있는 지역에는 중개업소만 수십 개가 이미 있다. 모든 정보를 중개업소는 다 파악하고 있다. 대부분 중개업소 사장님들은 경매에 나오는 물건에 큰 관심이 없다.

부동산 관련 재테크 서적에서 가장 많이 팔리는 책이 경매 서적이다. 경매 관련 부동산 전문가들이 인터넷 검색하면 넘친다. 직접 경매에 참여하지 않으면서 경매투자가 돈을 벌기 쉽다고 강의하고, Study 모임을 만들고 다닌다.

경매로 돈을 버는 방법은 분명히 있다. 그러나 그 방법이 생각보다 쉽지 않다.

57. 재개발, 재건축 그리고 투자

우리가 주택을 매입하는 방법은 3가지이다. ①중개업소를 통해 매물로 나온 주택을 매입한다. ②경매를 통해 매입한다. ③재개발, 재건축의 분양권을 매입한다. 그래서 재개발, 재건축에 대해서 부동산 투자하고자 한다면 기본적 개념을 이해하고 있어야 한다.

재개발, 재건축 모두 오래되고 낡은 주택을 허물고 새로 짓는 것이다. 이름에서 보듯이 건축을 다시 하는 것, 그리고 개발을 다시 하는 것으로 차이가 있다. 개발이 더 큰 의미임을 바로 알 수 있다. 건축은 건물을 새로 짓는 것이고, 개발은 집 이외의 학교, 도로, 공원 등의 기반시설까지 새로 짓는 것이다. 즉 기반시설이 양호한 곳은 재건축, 기반시설이 불량한 곳은 재개발이 되는 것이다. 그래서 강남 같은 지역은 재건축 사업이 진행되는 것이고, 강북 같은 곳은 재개발이 진행되는 것이다.

재건축 사업은 민간 주도 사업이 중심이 되므로 주민들이 적극적으로 사업에 참여하여 진행되며, 재개발 사업은 공공 주도 사업이 중심이 되어 주민들의 단합이 쉽지 않다. 무엇이 되든 신축 아파트가 들어섬에 따라 아파트 가격 상승효과가 있으므로 일반 투자자들이 관심을 가지게 되는 것이다. 따라서 민간이 주도하는 재건축에 더 집중된 규제가 있으며, 상대적으로 공공이 주도하는 재개발은 규제가 약하다.

<표 7-2, 재건축, 재개발 비교>

	재건축	재개발
개발성격	민간 주도	공공 주도
정비기반시설	양호함	열악함
조합원 조건	구역내 건물 및 토지소유자	구역 내 건물 또는 토지 소유자, 지상권자
기부채납	상대적으로 적음	상대적으로 많음
실투자금	상대적으로 많음	상대적으로 적음
현금 청산비율	상대적으로 적음	상대적으로 많음
안전진단	실시	미 실시
임대주택 건설 의무	시·도 조례에 따름	시·도 조례에 따름
사업 진행 속도	상대적으로 빠름	상대적으로 늦음
조합원 가입 및 탈퇴	선택가능	일정부분 강제적
2년 실거주요건	요건 충족하여야 함	요건 필요 없음
초과이익 환수제	규정 적용	규정 적용 없음
전매제한	조합설립인가~소유권이전등기	관리처분인가~ 소유권이전등기
이주 보상금	없음	있음

재건축, 재개발에 아파트를 장만하기 위해서는 입주권이나 분양권이 있어야 한다.

<표 7-3, 입주권과 분양권 비교>

	입주권	분양권
내용	조합원이 기존에 가지고 있던 주택을 제공하고, 신축 아파트를 분양받을 수 있는 권리	청약 등을 통해 신축 아파트를 분양받을 수 있는 권리
자격	조합원 자격이 있는 사람, 또는 총회에서 조합원으로 인정된 사람, 입주권을 매수한 사람	청약으로 분양에 당첨된 사람, 분양권이 있는 사람으로부터 분양권을 매수한 사람
장점	조합원 혜택이 있다.	단기간에 입주한다.
단점	시간이 오래 걸린다.	가격이 높다.

재건축·재개발 예정지를 미리 알 수만 있다면, 지역에 있는 주택을 매입하여 놓고 기다리면 많은 이익을 확보할 수 있다. 그러나 이러한 투자 패턴은 자칫 시간만 낭비할 수 있다. 재건축·재개발 투자하고자 한다면 아래의 내용을 기본으로 검토하여 의사결정을 하여야 한다.

비례율 : 사업성을 보여주는 지표다. 개발하면 얼마나 이익이 확

보되는가를 계산하는 것이다.

비례율(%) =

〔〈총수입(사업 후 대지 및 건축 시설 추산액) - 사업비(총지출비)〉 ÷ 조합원 총재산(사업 토지 및 건축물 총 가액)〕 x 100

<표 7-4, 비례율 비교>

조합원 분양가	8억원		
감정평가액	6억원		
비례율	80%	100%	110%
권리가액	4.8억원	6억원	6.6억원
분담금	3.2억원	2억원	1.4억원

'비례율이 높아야 사업성이 좋다'고 하면 일반적으로 맞는 말이지만, 참고자료로 접근해야만 한다. 일반적으로 대부분의 사업체에서는 100%에 맞추어 진행하지만, 사업을 진행하면서 대부분 조정을 한다. 즉 고정된 숫자가 아니라는 것이다. 일부는 수익률로 이해하지만, 수익률하고는 거리가 있다. 변동성이 있는 숫자이므로 절대적으로 신뢰하면 오류에 빠질 수 있다.

58. 동선의 흐름을 파악하라

물이 흐르듯 사람들이 이동은 자연스럽게 방향성을 가지고 움직인다. 특히 상업용부동산을 투자하겠다고 한다면 이 부분을 중점적으로 조사하여야 한다. 상권은 생성, 발전, 소멸의 과정으로 움직이고 변화가 언제나 일어나고 있다. 상업용부동산 투자가 어려운 이유 중의 하나이다. 최근에 비대면 사회가 되면서 더 어려워졌다. 같은 지역이라고 하여도 오늘과 내일의 느낌이 다르다. 가장 중요한 것은 상권분석 한답시고 적당히 조작된 숫자에 미혹되지 말아야 한다.

숫자 놀음에 의한 자료 분석은 투자 실패로 가는 지름길이다. 입지에는 공간적 개념이 있다. 그래서 가장 좋은 입지는 사거리 코너가 된다. 사거리 코너 입지는 동선의 접점에 있는 것이다. 그래서 투자 가치가 가장 좋다고 하는 것이다.

아래 두 그림은 서로 다른 것이다. 동선의 변화를 발생시키는 것은 전철역과 백화점이다. 백화점이 없을 때는 사거리 주변 동선의 핵심 요인은 전철역이다. 따라서 가장 좋은 입지는 그림에서 보이는 C라는 입지이다. 그러나 상업지가 발전하면서 상가가 있었던 자리에 백화점이 생기었다고 가정하여 보자. 그러면 이제 전철역과 백화점이 동선의 주변화 요인이 되는데 그 기준점을 백화점으로 보면 가장 좋은 입지는 이제 C가 아니라 A가 되는 것이다.

<그림 7-2 동선에 따른 입지의 중요성>

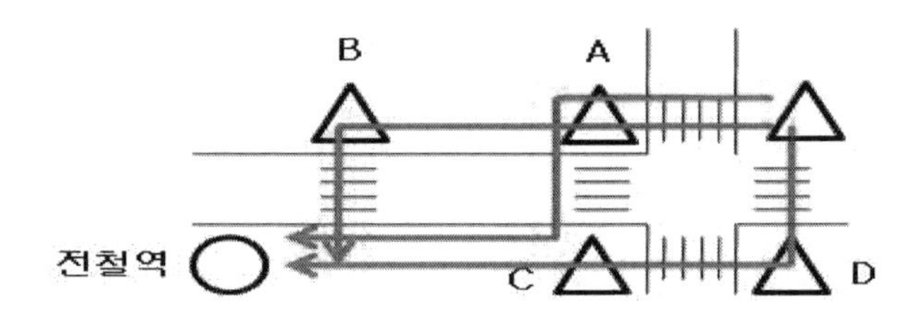

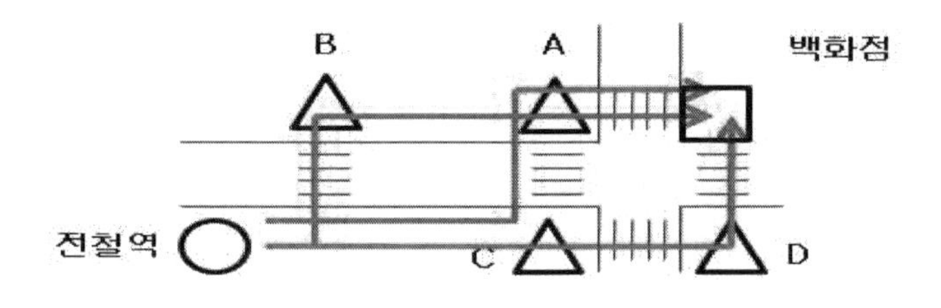

즉 A와 C는 서로 두 번의 동선을 가지고 있지만, 기준점이 백화점으로 바뀌어 좋은 입지도 바뀐 것이다. 동선은 동적이기 때문에 유연하게 작용한다. 따라고 어떤 지역이라는 공간 내에서 움직임이 쉼 없이 일어나고 있다. 대부분의 공간 속에서 유동 인구들이 선택하는 공통된 특징들이 있다. 사람들이 선택하는 이러한 기준은 대상 부동산의 가치에 영향을 주게 된다. 유동 인구들은 주로 시각

적 관찰과 인지된 감각 속에서 동선 선택을 하고 있다.

<표 7-5, 동선 선택 기준>

동선 선택 기준	내용
가장 짧은 시간 선택	가고자 하는 목적지까지 가장 짧은 길을 선택한다.
이미 아는 동선 선택	모르는 길보다는 다녔던 길을 선호한다.
무리 참여 동선 선택	사람들이 많이 몰리는 길을 선호한다.

<표 7-6, 동선의 분류와 정의>

구분기준	동선분류	정의
통행량	주동선	통행량의 절대적 우위에 있는 주도로에 유동 인구들의 흐름을 보여 주는 동선
	부동선	주동선에서 분기되어 통행량의 감소가 두드러지는 유동 인구들의 흐름을 보여 주는 동선
경로	주동선	기준점에서 목적지로 가는 주도로에서 유동 인구들의 흐름을 보여 주는 동선
	보조동선	시간, 거리, 쇼핑 등의 이유로 인하여 주동선에서 분기되어 목적지로 가는 유동 인구들의 흐름을 보여 주는 동선

동선에 대한 단어적 정의는 선택 기준에 따라 위와 같이 분류할 수 있다.

59. 직접 눈으로 보고 판단하라

【사례 ; 발산역 인근이 개발되었다. K 은행에서 신규로 진출할 점포를 찾았다. 사거리 코너 건물을 중심으로 검토하였다. 코너에 토목공사 중인 8층 건물(A)의 2층에 입점하기로 하였다. 계약서를 작성하면서 약속된 날짜에 준공하지 못하여 입점이 늦어지거나, 개발사업에 중대한 차질이 발생하면 계약을 취소할 수 있는 조건을 걸었다. 개발회사는 K 은행 입점 확정이라는 플랭 카드를 걸어 놓고, 홍보로 사용하였다. 예정된 준공일이 다가왔지만, 사업비 부족으로 개발사업에 차질이 생기었다. K 은행은 계약을 취소하고, 바로 옆에서 신축 중인 건물(B)의 2층으로 다시 계약을 추진하였다.

강세영(48세, 남)은 이 사실을 모르고 K 은행이 입주하는 건물이 A 건물이라는 물건 자료만 보고 믿었다. 설마 K 은행이 들어온다는 것이 거짓말이겠어 하는 마음에 2층에 투자하기로 마음을 먹었다. 그날 저녁 아무 생각 없이 신도시를 가보았다. 옆 건물(B)의 전화번호가 적힌 현수막이 있어서 가격이나 알아보고자 전화했다. B 건물에 K 은행이 들어온다고 하여 깜짝 놀랐다. 어느 것이 진짜인지 알수가 없는 것이다.】

임장의 의미는 현장 조사를 이야기한다. '현장을 직접 봤어'라는 말로 표현할 수 있다. 직접 부동산이 있는 곳으로 가서, 주변 환경, 특징, 특성 및 대상 부동산도 직접 살펴보라는 것이다. 그렇게 현장 조사를 통해서 얻은 정보를 활용하여 가치 판단에 대한 의사결정 할 때 참고 하라는 것이다.

요즘은 인터넷 기술이 발달하여 웬만한 정보는 가보지 않아도 다 알아볼 수 있다. 그러나 그것이 가짜라면 어찌할 것인가? 사기꾼은 당신 주변에 넘쳐난다. 인터넷에 있는 정보는 누군가 인위적으로 만들어 배포한 것이다. 세상에 공짜는 없다. 부동산 가격이 1,000만 원이면 그럴 수 있다 하겠지만, 1억 원이 넘고 10억 원이 넘는 것이, 부동산 가격이다. 평생 번 돈 한 방에 날릴 수 있는 것이다. 그러므로 내가 확보한 정보가 얼마나 가치가 있는지 직접 현장 가서 살펴보는 것이 임장활동이다.

60. 유령 전문가를 조심하라.

인터넷이나 방송 혹은 신문에 부동산 전문가로 활동하는 사람들이 많다. 보도자료, 책 출판, 인터넷 블로그, 동호회, 인스타, 유튜브 등으로 영역이 점점 넓어지고 있다. 내용을 보면 정말 전문가다운 식견과 전망에 엄지척을 누르지만, 아주 당황스러운 상황이 발생하는 때도 많다. 부동산에 대한 단편적인 지식을 몇 가지 언급하면서 전문가 행세를 하는 것이다. 이야기를 들어보면 어이없다. 부동산시장을 제대로 알고 있다면, 그리고 경험이 있다면 전혀 할 수 없는 그런 논리를 진짜 있는 것처럼 이야기한다. 일반인들은 케이블 방송에 나오는 사람을 전문가로 인정하는 경우가 있다. 부동산 전문 방송 및 유튜브 채널이 점점 많아지면서 자칭 부동산 전문가들도 늘어나고 있다.

부동산을 업으로 하는 회사가 방송 프로그램을 6개월 또는 1년 단위로 사서 운영하는 것이 의외로 많다. 마치 방송사에서 자체 제작한 것처럼 보이지만, 아나운서와 제작기술만 지원하는 것이고, 내용이나 상담 등의 모든 컨텐츠는 전부 연출된 것이다. 방송사에서는 꿩 먹고 알 먹고의 수입이 되는 것이다. 2000년 초반에는 방송사에서 직접 컨텐츠를 제작하고 운영하였었다. 그러다가 부동산 사업자들이 방송을 마케팅 도구로 활용하여 상품을 쉽게 팔 수 있다는 것을 알고 경쟁이 붙었다. 그러다가 언제부터인가 방송 시간을 통으로 사버리는 일이 생긴 것이다. 방송을 보고 진짜로 상담 전화 문의하는 것도 있겠지만 회사 직원들이 서로 역할 분담하여 상황을 연출하는 것이다. 상담 전화번호 노출하고, 무료세미나 안내하고, 투자 상담은 무료라면서 사무실 방문을 유도하는 것이다. 이미 팔고자 하는 물건을 섭외해 놓고, 가치가 있는 것으로 포장하여 집중적으로 영업하는 것이다. 방송 시작하면서 "본 방송은 간접 광고가 포함되어 있으며, 방송에서 나오는 부동산 정보는 출연자와 경제적 이해관계가 있을 수 있으니 투자에 유의하시길 바랍니다." 라는 안내가 나온다. 물건을 팔아 제치는 방송을 하지만, 이러한 안내를 통하여 방송통신심의위원회 규정을 준수한 것이다.

그러나 방송을 보는 시청자들은 처음 화면을 보고 '아!, 출연자와 경제적 이해관계가 있구나'를 인지한 사람은 거의 없다. 방송에 나오는 사람을 부동산 전문가로 인지하는 것이다. 부동산 영업의 한 방법이다. 네이버나 다음에서 활발하였던 투자 동호회 운영자들이 케이블 방송과 유튜브로 옮겨 간 것이다. 개개인의 브랜드 마케팅을 위하여 각종 매개체를 이용하는 것이 나쁘다는 것이 아니다. 방법이 잘못된 것은 아니다. 단 지명도를 얻고, 그 지명도를 믿고 찾아오는 사람들을 낚시에 걸린 물고기 취급하는 것이 문제라는 것이다.

부동산 사업가와 부동산 전문가는 다른 것이다. 부동산을 몰라도 부동산 사업을 할 수 있으며, 부동산 사업을 통해 사업 수익을 창출할 수 있다. 부동산 사업을 통해서 성공한 사람들 많다. 부동산 시장은 생각보다 사업에 대한 진입장벽이 낮다. 쉽게 부동산 전문가처럼 포장할 수 있다. 부동산 전문가라는 타이틀에는 많은 부류의 사람들이 자기를 포장하고 숨어있다. 부동산 업계만의 문제가 아니다. 우리나라 각 분야에서 전문가라는 타이틀을 가지고 사는 사람들이 비슷할 것이다.

【K 대학에서 학부와 대학원에서 부동산 강의하던 최선호(63세, 남)은 교수라는 직책을 버리고 실무에 뛰어들었다. 중개법인을 만들고 토지 전문가로 활동하였다. 직접 현장을 누비고, 전국에서 찾아오는 의뢰인과 임장 활동을 다녔다. 학교를 그만둔 이유는 강의 백날 해보았자 돈을 못 번다는 것이다. 본인에게 수업을 들었던 제자들하고 전국 투자 여행하는 것이 취미이자, 직업이 된 것이다.】

61. 세금 아까워하지 마라

돈을 벌었으면 세금을 내야 한다. 소득이 있으니 세금을 내야 한다. 몇 번 강조해도 사람들은 세금을 도둑맞는 기분으로 받아들인다. 부동산으로 상당한 재력을 이루고, 투자활동을 왕성하게 하는 부자 중에 세금 때문에 투자를 망설이고 겁내는 사람들을 아직 만나본 적이 없다. 절세 방법을 찾는 것이지 낼 돈은 다 낸다. 세금 내기 아깝다고 매도 시점을 놓치는 투자자들은 실패한 것이다. 성공한 투자자들은 그런 타이밍에 미련 없이 매도 전략을 가진다. 더 보유하고 있었으면 더 많은 수익을 보았을 것이란 욕심과 그게 아닐 수도 있는 위험 회피 전략은 서로 상대적이다.

1억 원 시세차익을 보고 양도세 50% 낸다면 5천만 원의 세금 내는 것이 아까워서 장기 보유로 들어가는 것이 일반인들의 모습이다. 장기 보유로 가서 절세의 효과보다는 빠른 자금 회전으로 더 좋은 투자 기회를 가지는 것이 유리한 경우가 있다.

어쨌든 세금이 있다는 것은 돈을 벌었다는 것이다. 돈을 벌어서 세금을 내는 것이 아까운 것이 아니다.

62. 나만 아니면 된다.

부동산 투자는 철저하게 돈 되는 것에만 투자하는 것이다. 그리고 그런 부동산은 경기에 민감하게 반응하지 않는다는 것이다. 대부분 정책이나 법률에 영향을 더 받는다. 그럼에도 그 영향력은 적다. 주변 환경이 아무리 좋은 지역이라도 투자하지 말아야 하는 부동산이 있다. 반대로 아무리 나쁜 지역이라도 반드시 돈 되는 부동산이 있다는 것이다. 투자는 돈 되는 부동산에 하는 것이지 돈 안 되는 부동산에 하는 것 아니다. 그것을 볼 수 있는 능력이 나에게 있는지 없는지 문제이다.

부동산 투자와 관련하여 실무에서 가장 이해하기 힘든 것이 바로 거시적 분석들이다. 학문적으로 연구를 하거나, 혹은 부동산 정책을 연구하는 연구원들이라면 그 의미가 있을지 몰라도, 개인 투자자는 별 의미가 없다. 통화량, 국민소득, 고용률, 물가지수, 실업률, GDP 등등의 수치는 실제 투자 행위에 있어서 별 의미가 없는 경우가 많다. 인구가 줄거나 말거나, GDP가 오르거나 내리거나 대부분은 관심이 없다. 설사 관심이 있다고 한들 딱히 본인이 통제할 수 있는 수치들이 아니다.

한 지역에서 아파트를 1,000채 살 것도 아니고, 한 지역에서 건물을 1,000개 사는 것 아니고, 경상도 땅을 전부 사는 것 아니다. 어느 지역에 가든 그 지역에서 투자 가치가 제일 좋은 것 하나 사는 것이다. 나머지 999개는 전부 관심 밖이다. 똘똘한 놈 하나 고르는 것이다. 거시 분석이 나에게 의미 없는 이유이다. 부동산으로 돈을 벌고 싶다면 개인이든, 사업이든 미시적 분석을 잘해야 한다.

63. 밥상 차려줘도 못 먹는다.

투자에 대한 의사결정 때문에 고민하는 사람들 정말 많다. 크게 4가지로 투자자들의 심리를 분류한다.

1. 긍정적 사고(思考)형

이들은 부동산 투자에 이미 경험이 있는 경우가 많다. 그리고 경험을 많이 가지고 있다. 또한 이들은 부동산 투자에 대한 열정이 높다. 즉 부동산 투자에 대한 지식이나 경험을 갖추고 있는 사람이다. 따라서 이들은 자신들이 만들어 놓은 투자 기준에 적합한 상품이라고 판단하는 순간, 의사결정이 상당히 빠르다. 자신들의 생각을 전문가에게 검증받는 차원에서 가벼운 마음으로 부동산 전문가의 의견을 들을 뿐이다.

2. 부정적 사고(思考)형

부동산 투자를 하긴 해야 하는데 긍정적인 측면보다는 부정적인 측면에서 모든 자료를 분석하는 경향이다. 의사결정을 이리저리 재다가 투자 시점을 놓치고 타인에게 뺏기는 경우가 허다하다. 타인의 계약으로 물건을 놓치게 되면 "내가 투자하려 했었는데" 하면서 상당히 후회하는 사람들이다. 결론적으로 이들은 위험에 노출되는 것을 상당히 꺼린다. “이거는 이래서 안 되고, 저거는 저래서 안 되고” 하면서 우물쭈물하는 사람들이다.

3. 고민형

부동산 투자하기 위해서 고민하다가 결정하지 못해 전문가를 찾아오는 사람들이다. 이들은 객관적 data를 상당히 신중하게 믿는 사람들이다. 또한 자신의 의사결정보다는 전문가의 판단을 믿는 사람들이다. 그리고 전문가와의 상담 내용이 ‘맞는지 안 맞는지’ 직접 임장 활동하면서 확인하는 과정을 거치는 분들이다. 그리고 자신들의 생각과 다른 것이 발견되면 고민한다. “내가 먹자니 좀 아쉽고, 남 주자니 아깝고” 하는 고민 속에서 갈등하는 분들이다. 물론 이들은 전문가의 조언과 자신들의 생각이 일치하면 바로 의사결정을 하는 경향을 보인다.

4. 배짱형

아주 배짱이 두둑한 분들이다. 일단 저지르고 보는 분들이다. 이런 분들이 대개 긍정적 사고형과 유사하지만, 이들은 부동산에 대한 지식이 없다. 경험만 좀 있는 경우가 많다. 그래서 부동산으로 돈을 벌어 보았다는 경험적 사고에 빠진 분들이다. 자신의 판단을 우선 믿고 가는 분들이다. 이런 사람들은 전문가가 아무리 부정적 견해를 밝혀도 본인들의 생각을 바꾸지 않는다.

64. 투자에는 규칙이 없다.

삶에 절대적 영향을 주는 것은 건강과 돈이다. 건강은 하늘이 주는 것이다. 오늘까지 살아있을 뿐이지 사람의 운명은 내일 어찌 될지 아무도 모른다. '인명(人命)은 재천(在天)'인 것이다. 사는 동안 우리는 성공을 꿈꾸고 열심히 일한다. 그 성공이 무엇인지 모르지만 '돈'을 부인할 수 없다. '돈'이 전부는 아니지만, 그렇다고 아무것도 아닌 것은 더욱 아니다. 우리는 극히 평범한 사람들이다.

'돈'을 벌기 위한 투자는 어떤 것인가? 스포츠에는 나름대로 규칙이 있고, 지켜야 할 선이 있다. 투자에는 어떤 규칙이 있는가? "No Rule For Investment'이란 말이 있다. 세상살이가 그런 것이다. 인생을 살다 보면 현실적인 삶과 비현실적인 삶이 늘 부딪히는 것을 안다. 그것이 우리에게 갈등을 주고 삶을 힘들게 한다. 가짜와 진짜가 혼재되어 '사기'라는 이름으로 유혹하고 있다. 부동산에 가짜와 진짜는 무엇인가? 투기는 가짜이고, 투자는 진짜인가?

세상이 변했다. 혼자서 돈 버는 시대는 아니다. 혼자 돈 벌어도 한계가 있다. 시스템을 만들어야 한다. 아니면 시스템 속으로 들어가야 한다. 시스템은 on-line·off-line, 조직·비조직, 유형·무형 등

과거에는 상상할 수 없었던 다양한 모습으로 우리에게 다가오고 있다. 서로 도움을 주고받으면서 잠재력을 키워야 한다. 가짜 시스템을 분별할 능력을 키워야 한다. 세상은 빠르게 변화하고 있다. 어떤 세상이 올지 미래는 아무도 모른다. 돈은 주위에 널려 있다. 투자는 누구나 한다. 그러나 돈을 번 사람은 늘 극소수이다. 성공한 사람보다 실패한 사람이 더 많고, 대부분은 그냥 산다. 학력, 지식, 경험, 배경, 인맥 등과 관계없이 돈을 벌고 성공한다.

옹달샘 물은 먹어도 먹어도 마르지 않는 것이다. 성공한 사람들은 자기만의 옹달샘을 하나씩 가지고 있다. 대부분 부동산이었다.

부동산에 돈 있다. 당신은 쳐다볼 것인가? 아니면 무시할 것인가?

에필로그

'Hunger Game'은 2012년 개봉한 미국의 SF 액션 영화로, 수잰 콜린스의 소설을 영화화 한 것이다. 배고픈 자들의 목숨을 건 게임이다. 미래사회를 한 모습을 상상으로 보여 준 영화이다. 영화 속에서는 모든 부(富)가 집중된 수도 '캐피톨'이 있고, 그 수도 인근에 13개의 구역으로 나뉘어 사람들이 살아가는 빈민촌이 있다. 부(富)를 가진 자와 가지지 못한 자로 구분하여 계급을 이루고 사는 사회의 모습이다. 서울을 중심으로 외곽에 13개 도시를 이루고 사는 모습으로 이해하면 된다.

앞으로 미래사회는 어떤 사회가 될 것인가? 라고 묻는다면 주저함 없이 '사람이 일하지 않아도 되는 사회'라고 이야기할 것이다. AI 사회가 그런 것이다. 당신은 미래사회가 어떤 사회라고 생각하는가?

당신이나 내가 무엇을 상상하든 미래의 모습을 예측하기란 정말 어렵다. 하지만 분명한 것이 있다. 미래가 어떤 사회가 될지라도 사람은 주거공간이 필요하고, 업무공간이 필요하고, 상업공간이 필요하다는 것이다. 사용 또는 소유에 대한 가치 판단의 기준이 변해갈 수는 있어도 부동산 본질적 가치는 사라지지 않는 것이다.

사용자로 살 것인지?
소유자로 살 것인지?

지금까지의 부동산 시장은 공급의 한계성으로 인하여 공급자 위주의 시장이었다. 수요자들끼리 다투고 경쟁하는 모습이었다. 개발, 투자, 금융, 정보, 관리 기타 등등의 거의 모든 분야에서 부동산 사업은 수요자를 무시하는 사업이었다. 그렇게 해도 사업은 늘 성공적이었다. 현재 부동산 시장의 모습도 여기에서 한 발짝도 벗어나지 못하고 있다. Babyboom 세대들이 살아온 세상이다.

그러나 IT의 발전과 기술의 습득은 부동산 유통 시장을 바꾸는 조짐이 나타나고 있다. 에어비앤비는 부동산을 소유하지도 않고, 직접 사용하는 것도 아닌데 전세계에서 가장 영향력이 있는 부동산 사업자이다. 부동산 시장의 패러다임이 바뀌어 가는 시작점에 있다.

지금의 MZ세대들이 살아갈 세상이다.

MZ세대들은 마주하고 있는 시대이다. Baby-boom 세대들은 MZ세대들을 이해하기 힘들 것이다. MZ세대들은 Baby-boom 세대들이 어떻게 살아왔는지 알 수 있다. 본문을 읽어가면서 수많은 고민을 함께한 독자라면, 책 속에서 수많은 비즈니스 모델을 상상해보았을 것이다.

지난 시대는 투자 전략이나 사업 전략을 고민할 필요가 없었다. 사람이 늘어나는 세상이기 때문이다. 이제 사람이 줄어드는 세상이 되었다. 고민하고 또 고민해야 한다.

MZ세대들이 수요자 위주의 시장으로 변할 것이다. 주거공간, 업무공간, 상업공간은 그렇게 조금씩 미래사회의 부동산으로 변해 갈 것이다. 이 과정에서 어떤 독자는 부동산 투자로 기회를 잡을 수 있을 것이고, 새로운 비즈니스 기회를 찾을 것이다. 과거의 패러다임이 Baby-boom 세대들을 지배하였다면, 이제 새로운 패러다임이 MZ세대들과 함께 오고 있다.

개인, 기업, 국가 모두가 고민해야 한다. 위기인가? 기회인가?

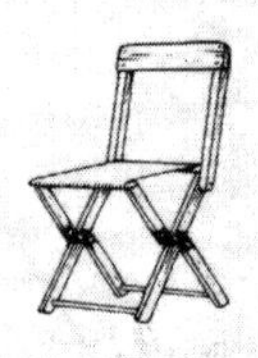

참고자료 및 문헌

〈단행본〉

강병기, 김용민, 이국철, 이창석 공저(2005), 『부동산 분양대행업』, 형설출판사

강병기, 김형선, 노영학, 이수겸, 이정민 공저 (2008), 『부동산 투자론』, 부연사

경국현(2007). 『상가투자에 돈있다』. 이코북

경국현(2010). 『상가투자 성공원칙』. 이코북

경정익(2013). 『부동산정보화의 이해』. 두남

손지홍((2010), 『부동산 권리분석과 배당』, 법률정보센타

안정근(2009). 『현대부동산학』. 서울 양현사

안정근(2010), 『부동산 평가 이론』, 서울 양현사

오세조, 박진용, 권순기 공역(2004), 『Retailing Management』, 한울출판사,

이래영(2008), 『부동산 투자론』, 삼영사

이종규(2009), 『부동산 개발사업의 이해』, 부연사.

이창석(2007), 『부동산 컨설팅』, 형설출판사

이태교, 안정근 공저(2006), 『부동산 마케팅』, 법문사

이태교, 이용만, 백성준 공저(2009). 『부동산정책론』. 서울 법문사

이호병(2009) , 『부동산입지분석론』. 형설출판사.

윤영식(2010),『부동산 개발학』, 다산출판사

조덕훈(2009), 『부동산입지론』, 부연사

조민호, 설중웅 공저(2009), 『컨설팅 프로세스』, 새로운 제안

조영대(2009), 『비지니스컨설팅서비스』, 남두도서

조광행(2009), 『부동산 마케팅』, 학현사

하권찬(2009). 『상업용 부동산 개발론』. 다산출판사

빌게이츠, 안진환 번역 『생각의 속도』.

〈기타〉

한국경제연구원. 「인구고령화, 부동산 가격 하락한다」. 2005

송성수 산업혁명의 역사적 전개와 4차산업혁명론의 위상 과학기술학 연구 제17권

"국제통계동향과 분석 제7호" 2020년 4월 국회입법조사처

박정희, 홍형옥 주거계층 분석모형 설정을 위한 이론적 접근 한국주거 학회지 1990

경국현 시장이해관계에 기초한 상가권리금의 재해석과 실증분석」 한성대학교 박사논문

이원우 "규제개혁과 규제완화: 올바른 규제정책 실현을 위한 법정책의 모색" 한국법학원 2008.09 通卷 第106號

김상진 "부동산 시장에 있어서 시장의 실패와 정부의 실패" 법이론실무

연구 2021, vol.9, no.4, pp. 11-42 (32 pages), 사단법인 한국법이론실무학회

여경훈 "인구 고령화와 부동산 시장 전망" 2013.9 새로운 사회를 여는 연구원

이창석, "각국별 부동산 컨설팅 제도에 관한 비교연구" 『부동학보, 제15집』, (서울한국부동산 학회 1998)

<인터넷 사이트>

통계청	인구주택총조사
국가지표체계	서울연구원
한국은행 경제통계연보	OECD
위키백과	동아일보
글로벌경제신문	연합뉴스
서울경제	경향신문